W9-BZK-950

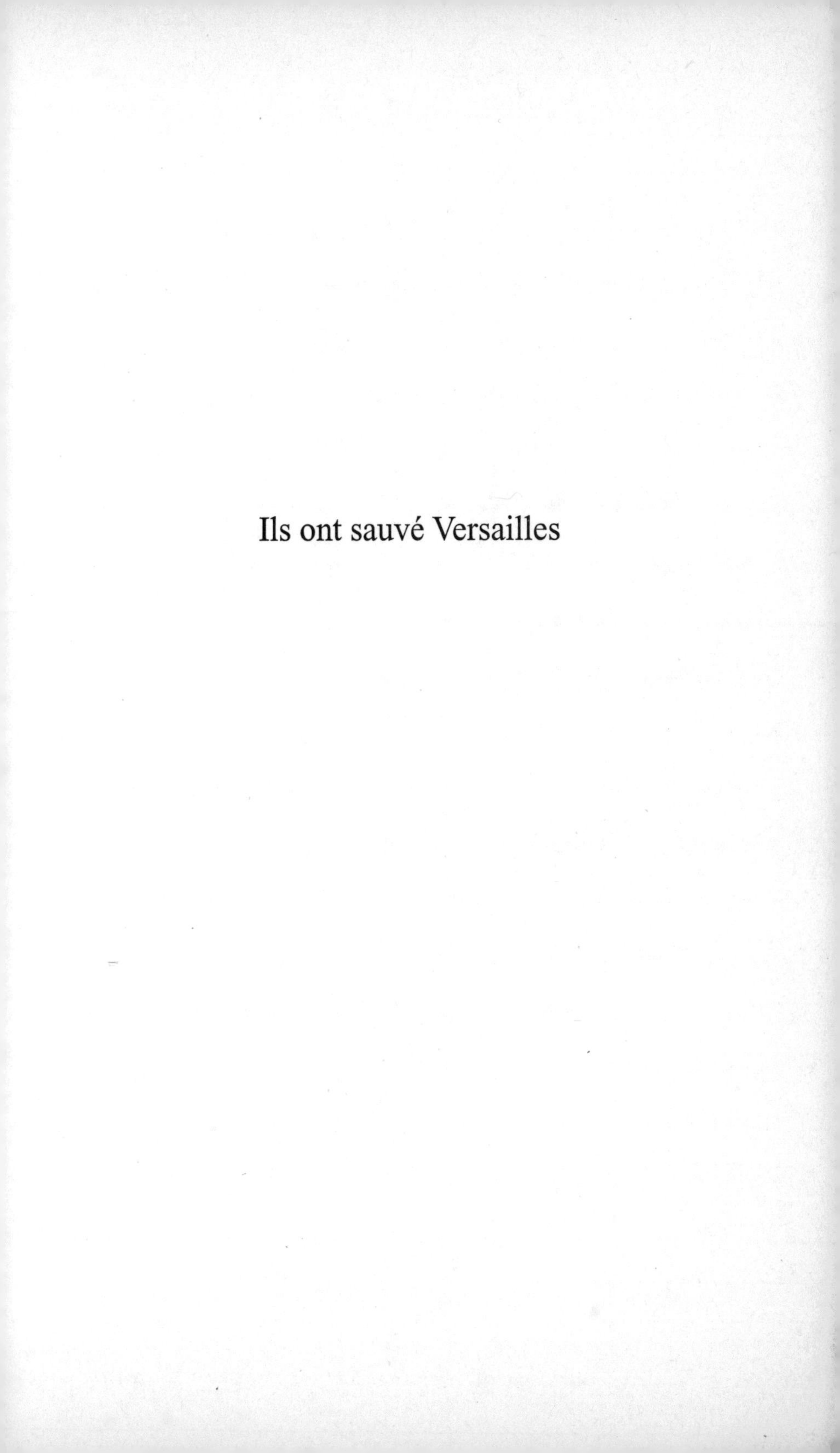

Ils ont sauvé Versailles

DU MÊME AUTEUR

Jacques Garcia ou l'éloge du décor, Flammarion, 1999.

Le Bal des ifs, Mémoires apocryphes de la marquise de Pompadour, Flammarion, 2000.

Parfums, l'empire d'un sens, Plume, 2001.

Bruges, invitation au voyage, Flammarion, 2002.

Franck Ferrand

Ils ont sauvé Versailles

De 1789 à nos jours

PERRIN
www.editions-perrin.fr

ISBN 2-262-01755-7

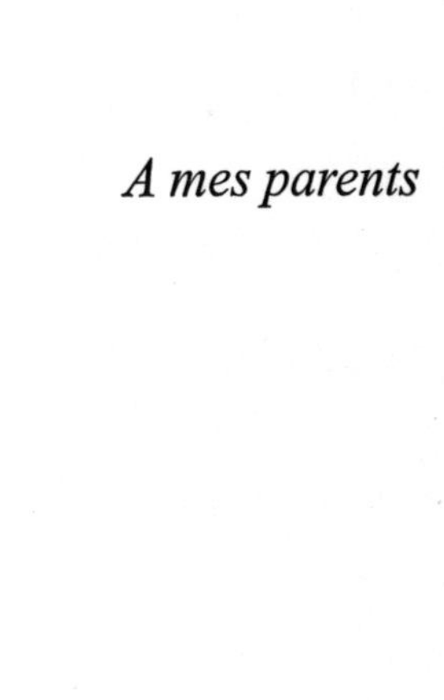

A mes parents

Quand l'homme ferme portes et fenêtres et qu'il part, c'est le sang de la maison qui s'en va. Elle se traîne des années au soleil, avec la face ravagée des moribondes ; puis, par une nuit d'hiver, vient un coup de vent qui l'emporte. C'est de cet abandon que meurt le château de Versailles. Il a été bâti trop vaste pour la vie que l'homme peut y mettre.

Emile ZOLA (1874).

Tout n'est pas fini, mais la partie est aujourd'hui gagnée. Versailles attire les foules. Union de la civilisation antique et de la civilisation moderne, symbole d'humanisme, modèle d'un art de vivre, Versailles représente ce qu'il y a de plus universel dans notre patrimoine. Il ravit les sens. Il comble l'esprit. Il ennoblit les âmes qui veulent bien écouter sa leçon.

Pierre GAXOTTE (1958).

NOTICE

On écrit souvent le livre que l'on aurait aimé trouver tout écrit. Et c'est pour étancher une curiosité restée longtemps insatisfaite que l'on finit par se lancer soi-même dans des travaux de longue haleine. Le présent ouvrage n'a pas eu d'autre origine. Pendant des années, j'ai attendu de découvrir, dans l'abondance des publications sur Versailles, une saga des lieux depuis la Révolution. En vain. Le sujet, je m'en suis rendu compte à force, n'avait tenté nul auteur. Tous l'avaient contourné, par le haut ou le bas : les uns, le jugeant sans doute parcellaire, le renvoyaient aux épilogues d'études axées plutôt sur l'Ancien Régime ; les autres, le trouvant au contraire trop vaste, concentraient leur érudition sur des points plus précis ou des périodes plus courtes. Aussi devait-on, pour aborder cette histoire méconnue, tantôt faire abstraction de détails, tantôt extrapoler sur des généralités.

Désireux de combler cette lacune, j'ai été amené, naturellement, à développer et détailler la documentation que mon vieil intérêt pour la question m'avait conduit à amasser. Clarifier ces données, les comprendre et les remettre en perspective, réévaluer des aspects jusque-là négligés ou surestimés, voilà ce à quoi je me suis attaché. Les réflexions, quand il y en a, sont venues par surcroît.

Il peut sembler paradoxal, au demeurant, de disséquer le destin d'un monument après que s'est évanouie sa raison d'être. Le château de Versailles avait été construit par la Monarchie pour la Monarchie ; ce régime une fois aboli, son émanation directe peut à bon droit paraître caduque. Ce point de vue a d'ailleurs imprégné l'inconscient collectif ; et sans que l'on ose se l'avouer toujours, c'est la dépouille d'une époque révolue que l'on vient contempler à Versailles. Même si l'installation de musées successifs a voulu rendre aux bâtiments une actualité nouvelle — pour ne rien dire de l'implantation en leur sein d'institutions parasites —, personne ne peut se déprendre, en parcourant des salles hantées par les fantômes d'un autre temps, du sentiment de fréquenter un vestige.

De Versailles, la foule des visiteurs retient avant tout une certaine image de la Royauté ; elle ne s'encombre ni des traces de la déchéance, ni des signes d'un renouveau quelconque. Le château qui l'enchante est celui d'avant 1789. Les figures royales de Louis XIV et de Marie-Antoinette parlent à son cœur ; celles de l'impératrice Eugénie ou du président Carnot, nettement moins... Les touristes se ruent vers la Grande Galerie, rebaptisée « galerie des Glaces », et les salons de parade ; certains amateurs s'aventurent dans les appartements et jusqu'à l'Opéra ; mais pour les galeries historiques, hormis quelques férus de muséologie, elles n'intéressent plus guère — quoi qu'on en dise — que le carré clairsemé des iconographes et des versaillomanes. C'est à cette dernière espèce que je me flatte d'appartenir ; et sans vouer aux aménagements du XIXe et du XXe siècles plus d'intérêt qu'ils n'en méritent, j'ai trop mesuré leur importance pour ne pas chercher à mettre en lumière cette face cachée du grand château.

Si je prétendais justifier mon étude, j'aurais beau jeu d'énumérer les faits d'histoire qui ont émaillé les annales versaillaises depuis les journées d'Octobre. Napoléon puis Louis-Philippe n'ont-ils pas séjourné sous ces frondaisons ? Des hôtes de marque — du pape Pie VII au général Wellington, de la reine Victoria au tsar Nicolas II et au président Kennedy — n'ont-ils pas foulé ces parquets ? Certains ont retenu que les Alliés investirent le domaine en 1814 et 1815, avant les Prussiens en 1870 ; beaucoup se souviennent que l'Empire allemand y fut proclamé l'année suivante, et la IIIe République, instituée en 1875 par un

Parlement qui siégea là huit années ; tout le monde sait enfin que la paix de 1919 a été signée à Versailles par des ministres accourus du monde entier, et que malgré ce traité — ou bien à cause de lui — la croix gammée est venue souiller le domaine en 1940... Rappelons aussi que d'innombrables parlementaires ont siégé dans ces murs, que quinze présidents de la République y ont été élus ; que, pas plus tard qu'en 1982, s'y tenait encore un important sommet de chefs d'Etat et de gouvernement.

Cela posé, c'est ailleurs que réside, à mon sens, le véritable intérêt du sujet. Si le Versailles contemporain mérite qu'on s'y attarde, c'est moins en effet comme toile de fond d'événements majeurs, qu'en tant que révélateur d'autre chose. Un miroir. Ainsi Pierre de Nolhac, son plus grand conservateur, envisageait-il un sanctuaire où « le royaume entier se mire en son ouvrage ». Les républiques et les empires n'en ont pas autrement usé ; tant il est vrai que rien n'est plus symptomatique d'une époque, que son attitude à l'égard d'un grand repère comme celui-ci. Chaque génération a laissé, sur cette immense plaque sensible, un reflet plus ou moins stable ; au point qu'examiner le monument revienne à étudier ceux qui l'ont fréquenté... C'est cela : l'histoire du château de Versailles depuis son abandon par la Cour, en 1789, nous renseigne avant tout sur les mentalités de ceux qui l'ont entretenu, modifié, restauré ou, au contraire, laissé tomber en ruine ; et c'est bien, à travers la chronique récente de ce palais, de ce musée, de ces jardins, le portrait changeant de toute une société, qui se dessine à grands traits.

Cette histoire est, en définitive, une histoire des sensibilités. D'une façon générale, l'historien néglige trop souvent les affects, pour se concentrer sur les faits. C'est une erreur contre laquelle j'ai tenté de me prémunir, en privilégiant sans cesse l'empreinte — même ténue — des émotions. Combien riches, de ce point de vue, se sont révélés les parcours de ces acteurs de l'ombre que furent, notamment, les architectes du domaine et les conservateurs du musée ! Les noms des Dufour, Nepveu, Questel, Bonnet, Japy, ceux des Soulié, Pératé, Ladoué, Mauricheau-Beaupré, Van der Kemp, entre autres, connus jusque-là des seuls initiés, méritaient cent fois de sortir de l'oubliette où les avait relégués l'indifférence de temps ingrats.

Ceux dont on va retracer l'épopée, tous, ont pris leur part d'une aventure exaltante. A revivre leurs espoirs et leurs craintes, à partager leurs luttes contre l'adversité, la personne qui lira ces pages devrait toucher du doigt le feu sacré qui retient les amoureux de Versailles autour d'une grande et belle et noble cause. Peut-être voudra-t-elle, à son tour, en conserver une étincelle... C'est tout le mal que je lui souhaite.

Versailles, le 12 octobre 2002.

PROLOGUE

« Tâchez de me sauver mon pauvre Versailles »

Paris marche sur Versailles. Quelque sept mille personnes, dont beaucoup de femmes, sont parties de la place de Grève à dix heures et, passées par les Tuileries, la butte de Chaillot et la barrière de Passy, sont maintenant en vue du pont de Sèvres. Cette grosse troupe d'émeutiers, armée de balais et de fourches, mais aussi d'épées, de piques et de fusils, et traînant derrière elle des canons pris au Châtelet, se laisse conduire par le sulfureux Maillard — un jeune huissier phtisique, connu pour s'être illustré, déjà, lors de la prise de la Bastille... Que veulent donc ces Parisiens en colère ? En un mot, du pain. Ils sont las des promesses de leur Comité, fatigués des discours de l'Assemblée nationale. En vérité ce qu'ils voient, tandis que ces messieurs disputent, ce sont des files qui s'allongent devant les boulangeries. On a voulu donner des motifs héroïques à leur insurrection : les « femmes de Paris » seraient venues à Versailles venger la cocarde insultée lors d'un banquet des gardes du corps à l'Opéra royal ; elles auraient fait à pied quatre lieues pour défendre la citoyenneté nouvelle ! La réalité est plus prosaïque. Toutes ces femmes, et ces hommes également nombreux, ne partagent en fait qu'une ambition : ils veulent qu'on achemine enfin vers la capitale de quoi nourrir leurs enfants.

Il est deux heures après midi, ce lundi 5 octobre 1789, quand un simple valet transmet la nouvelle au secrétaire d'Etat à la Maison du Roi. Le comte de Saint-Priest demeure interloqué. Vu de ses fenêtres, Versailles a l'air si paisible ! Les façades du château semblent ensommeillées sous le ciel bas ; une poignée de gardes suisses y veille en paix sur des cours désertes. Comme devait l'expliquer Louis Batiffol : « On n'avait pas le moins du monde, à Versailles, en 1789, le sentiment exact de la gravité des circonstances au milieu desquelles on se trouvait. On savait bien sans doute qu'il s'agissait d'une révolution, mais on n'éprouvait pas ce sentiment d'effroi et d'inquiétude que l'on ressent de nos jours quand on lit toutes les péripéties de ce drame où les incidents se pressent d'une façon si tragique [1]. » Aussi étonnant que cela paraisse, c'est donc sans angoisse que la demeure des rois s'apprête à vivre ses dernières heures. Aucun de ses occupants n'est conscient du compte à rebours qui vient de s'enclencher.

M. de Saint-Priest connaît son devoir : transmettre l'avis de tempête à qui de droit. Le roi étant parti chasser du côté de la porte de Châtillon, c'est la reine qu'il lui faut prévenir. Mme Campan qui, ce jour-là, n'était pas de service, rapporte dans ses *Mémoires* que Marie-Antoinette se trouvait elle-même à Trianon, dans sa célèbre grotte ; un messager du ministre l'y aurait surprise en proie « à de douloureuses réflexions [2] ». Madame Royale, beaucoup plus tard, tentera d'imposer une autre version... Et si, tout simplement, la souveraine était restée, ce jour-là, dans ses cabinets du château ? En tout cas, c'est de là que partent ses ordres, à savoir : fermer les grilles au cadenas, poster les troupes disponibles en avant des cours et d'abord, lancer dans la nature une quinzaine d'écuyers, chargés de retrouver le roi et de l'avertir.

Le marquis de Cubières — que connaissent les amateurs de beaux jardins — aura seul cet honneur. Il va repérer le groupe des chasseurs un peu avant trois heures, sur les hauteurs de Meudon. Louis XVI, qui se dégourdissait les jambes, prend aussitôt la mesure du péril et décide de rentrer sans même attendre sa voiture. Mais alors qu'il remonte en selle, un brave chevalier de Saint-Louis surgit devant son cheval. « Sire, dit-il, on vous trompe. J'arrive à l'instant de l'Ecole militaire, je n'y ai vu que des femmes assemblées qui disent venir à Versailles pour demander du pain. Je prie Votre Majesté de n'avoir point peur. — Peur, monsieur ? Je n'ai jamais eu de peur de ma vie. » *

Pourquoi le roi s'inquiéterait-il ? Après tout, ce n'est pas lui, ni même la reine, que la population veut interpeller, mais les députés de la Nation. Et si le hasard a voulu que, précisément ce jour-là, l'Assemblée soit en chicane avec la Cour au sujet de la signature de la Déclaration des droits de l'homme, il ne se trouve encore personne pour songer que le mouvement spontané d'une poignée de mécontents puisse conduire le Versailles royal à sa perte.

Ultime présentation

Une pluie fine et régulière salue l'entrée des émeutiers dans la ville. Il est un peu moins de quatre heures alors. Sitôt franchie la barrière de bois fermant l'avenue de Paris (elle se trouvait au niveau de l'actuelle rue

---

* Le Châtelet de Paris devait accumuler les précisions de ce genre, lors du procès qu'il instruira sur les journées d'Octobre. Les chroniqueurs y puiseront un luxe de détails, tout en omettant souvent que cette marche sur Versailles n'était pas la première et que, loin d'être fortuite, elle avait été encouragée dans un but tactique : libérer l'Hôtel de Ville des femmes qui, ce lundi-là, l'occupaient depuis l'aube.

de Noailles), la foule gagne, sur la gauche, la salle des Menus Plaisirs où siègent les députés. Ce n'est pas une horde de Huns qui fait irruption dans la cité royale ; plutôt une cohorte de marcheurs épuisés, tout juste enhardis de leur propre audace. Tambours en tête. Stanislas Maillard entend bien les contenir et les diriger. Après les avoir convaincus de déposer armes et canons, il a eu l'idée de leur faire crier « Vive le roi ! », à toutes fins utiles, et chanter une rengaine bien pensante, « Vive Henri IV ! ». Ainsi, chose incroyable, est-ce aux accents d'un refrain tout miel que la foule rejoint l'Assemblée.

Un détachement de quinze femmes est admis, à la suite de Maillard, dans la salle des séances. Dire que les députés leur réservent un accueil chaleureux serait exagéré. Dans un climat houleux, l'huissier obtient cependant d'exposer à la tribune un certain nombre de revendications. La plus claire est que l'Assemblée adresse une députation au roi, pour l'informer de certaines rétentions de farine orchestrées, en province, par des « ennemis de la Révolution ». Le président Mounier, qui peine à maintenir l'ordre, lance alors une idée qui pourrait changer le cours des événements : puisque aussi bien l'Assemblée, se cramponnant à sa déclaration, vient de décréter l'envoi d'une délégation au château, pourquoi ne pas y inclure quelques Parisiennes, choisies dans le nombre ? Excellente initiative ! Maillard exige qu'on s'y emploie sur-le-champ.

Et c'est ainsi que dans le crépuscule hâté par le mauvais temps, le président de l'Assemblée nationale et quelques députés vont conduire eux-mêmes vers le sanctuaire royal un groupe d'une dizaine de femmes, suivi d'une marée humaine. Une partie des émeutiers les a, du reste, précédés ; et les abords du château sont d'ores et déjà couverts d'une foule épuisée, mouillée, crottée : la place d'armes, à l'époque, n'était pas pavée.

Au moment où la délégation débouche de l'avenue, l'atmosphère, sur l'esplanade, est électrique ; en effet lors d'une altercation isolée — qui s'est soldée par un coup de feu — M. de Savonnières, maréchal des logis des gardes du corps, vient d'avoir le bras fracassé. Or, il semble que la balle ait jailli des rangs de la garde nationale...

Faut-il rappeler que, depuis le début de l'après-midi, un véritable rempart humain se dresse en avant des grilles dorées ? Il y a là maintenant, en rangs serrés sous la pluie battante, quelque quatre cents gardes du corps à cheval, encadrés de plusieurs lignes du régiment de Flandre, arme au pied. A ce déploiement dissuasif, l'amiral d'Estaing, qui commande la garde nationale versaillaise, n'a pas jugé bon de joindre ses troupes, dont il se méfie. Qu'à cela ne tienne : sous l'impulsion du lieutenant-colonel de la section de Notre-Dame, le marchand de toile Lecointre, une partie de la milice bourgeoise a mobilisé de son propre chef ; elle s'est postée devant la caserne des gardes françaises (dont le bâtiment bordait alors une partie de la place, côté sud). Au reste, ce Lecointre est tout sauf neutre ; comme devait l'établir Joseph-Adrien Le Roy, le premier historien de Versailles, il est un propagateur actif du récit scandaleux du banquet des gardes du corps à l'Opéra royal. « Qu'on lise en effet avec attention la longue déposition de Lecointre dans l'enquête faite par le Châtelet sur les journées des 5 et 6 octobre, qu'on la compare au récit du *Courrier de Versailles*, qu'on la compare à celui du *Moniteur*, on restera convaincu que ce récit qui a mis en feu tout Paris (...) a été fait par Lecointre. Tout s'y retrouve, ses expressions, ses insinuations, ses bravades même [3] ! »

Au château, un comité extraordinaire s'est réuni dans le cabinet du Conseil. Sitôt le roi rentré, des avis tranchés s'y sont exprimés. M. de Narbonne, ferme et brave, a d'emblée proposé d'employer la force pour obliger la populace à rebrousser chemin. Le souverain ayant rejeté cette option violente, Saint-Priest, appuyé par le ministre de la Marine, a suggéré, pour ne pas avoir à subir la pression de la rue, un repli stratégique de la famille royale sur Rambouillet. Le roi s'est rangé d'abord à cet avis de bon sens ; mais c'était compter sans l'influence de Necker et des siens qui, agitant le spectre d'une guerre civile, ont fait valoir les inconvénients d'une telle fuite. Ils n'admettront son utilité qu'une fois versé le premier sang — mais il sera trop tard alors, et les voitures finalement convoquées se verront refouler aux grilles par les gardes nationaux de faction. De sorte qu'avant six heures, tout sera joué : le roi ne sera plus maître chez lui ; les siens s'y trouveront pris en otages ; la nasse de Versailles se sera refermée sur les princes.

En attendant, quatre femmes, choisies dans la délégation spéciale, sont admises au saint des saints. Affable et paternel, le roi les reçoit avec sa bonté coutumière, allant jusqu'à embrasser la plus jeune, Louison Chabry — une ouvrière en sculpture qui s'est évanouie sous le coup de l'émotion. G. Lenotre devait noter, à propos de cette ultime présentation : « Il y avait matière à philosopher devant cette constatation que la dernière femme " présentée " à la Cour de Versailles, et, suivant l'étiquette, " dans le grand cabinet du Roi ", ce sanctuaire dont tant de nobles ambitieuses n'avaient jamais franchi le seuil, fût une fille du peuple, une simple ouvrière, venue là pour demander du pain [4]. » Tout éblouies de leur audience, les malheureuses n'en seront pas moins, à leur sortie, vilipendées par la foule, soupçonnées de trahison et menacées d'être pendues ; elles ne devront leur salut qu'à un ordre signé du roi, garantissant un approvisionnement rapide en grains et en farines ! Du moins, le but des « femmes de Paris » semble-t-il atteint. Les quatre héroïnes du jour peuvent reprendre, dans des voitures de l'Assemblée, le chemin de la capitale, avec Maillard pour caution et, pour escorte, celles des femmes qui s'estiment satisfaites... Mais toutes ne sont pas dans ce cas ; et tandis que la pluie redouble encore et que se lève un vent glacial, les plus enragées se préparent à passer la nuit à Versailles.

Qu'importe ! Un retour au calme paraît imminent : ordre est même donné au régiment de Flandre de se replier par l'avenue de Saint-Cloud, et au détachement des gardes du corps de se retirer de son côté, par l'avenue de Sceaux. Ces manœuvres, exécutées sous les insultes des jusqu'au-boutistes, sont à coup sûr prématurées. Mais qu'importe ! On ignore, dans l'entourage du roi, que nombre de femmes, pour s'abriter, sont allées prendre d'assaut l'Assemblée nationale, où l'évêque de Langre, en l'absence de Mounier, préside aux débats les plus incongrus de l'histoire parlementaire : des mégères mangent et boivent au milieu des députés, d'autres chantent, les plus audacieuses obligeront l'évêque à les embrasser en public ! Vraiment, qu'importe ! Au château, l'on respire : l'assaut n'était pas bien méchant... On en sourirait presque lorsque survient, suffocante, une nouvelle aussi peu prévisible que celle de l'après-midi : en plein Conseil, le roi est informé que le général de La Fayette, à la tête d'une armée de quinze à vingt mille gardes nationaux parisiens, aurait quitté la capitale à son tour, pour s'approcher lui aussi de Versailles !

Sans chercher à cacher son trouble, le souverain demande à Mounier le soutien de l'Assemblée ; il signe en contrepartie le billet suivant : « J'accepte purement et simplement les articles de la Constitution et la Déclaration des droits de l'homme et du citoyen que m'a présentés l'Assemblée nationale. » Pauvre Louis XVI ! Jamais son pouvoir n'a paru plus menacé. Son dernier rempart contre un coup d'Etat se réduit au cordon rouge vif de ces gardes suisses qui, à l'intérieur des grilles, continuent d'affronter, stoïques, les provocations de la foule. *Bis repetita* : de nouveau, M. de Saint-Priest supplie le roi de partir avec sa famille pour Rambouillet ; de nouveau, M. Necker s'y oppose, avec le même succès. Au fond, le souverain ne songe qu'à éviter un bain de sang ; c'est pour ne provoquer personne qu'il va maintenir le régiment de Flandre dans la Grande Ecurie ; et c'est pour mettre à l'abri les gardes du corps qu'il les rappelle de leur cantonnement, rue Royale, pour les faire bivouaquer à l'intérieur du domaine *. Comme si, en cette heure décisive, la Monarchie avait peur de sa force.

« Que veut votre armée ? »

Pour quelle raison le marquis de La Fayette et la garde nationale de Paris ont-ils décidé de rejoindre à Versailles les émeutiers du matin ? La réponse n'est pas évidente. Sans doute faut-il faire la part de l'échauffement des esprits ; la part aussi de l'effet d'entraînement, de l'orgueil parisien, de l'honneur chatouilleux de gardes nationaux... La part enfin de l'ambition démesurée d'un La Fayette obsédé par le besoin de figurer au cœur de l'événement ! Toujours est-il que, les heures passant, l'idée s'est imposée comme un défi au commandant général et que, cédant sans états d'âme à la pression des troupes, il a, vers cinq heures du soir, mis ses gens en ordre de marche.

Il a pris soin de détacher en avant-garde trois compagnies de grenadiers et une de fusiliers, avec des pièces d'artillerie pour faire impression. Tout au long du trajet, vagabonds et traîne-savates n'en viendront

* D'abord postés dans la cour d'honneur, ils seront bientôt ramenés sur la terrasse du Midi, puis relégués dans l'allée Royale.

pas moins grossir les rangs de la garde nationale. L'avancée se fait à pas comptés. Il faut dire que, tout en marchant, les hommes ont reçu l'ordre de jurer fidélité à la Nation, à la loi et au roi. Il sera près de minuit quand les premières lignes, dépassant Viroflay, finiront par gagner les abords de Versailles. Comme Maillard huit heures plus tôt, La Fayette ordonne une halte aux Menus Plaisirs, le temps d'informer les députés de ses intentions pacifiques. « Que veut votre armée ? », lui demande un Mounier de retour au perchoir. « Quel que soit le motif qui a dirigé sa marche, répond le général, puisqu'elle a promis d'obéir au roi et à l'Assemblée, elle n'imposera aucune loi. » Mais il ajoute : « Toutefois, pour contribuer à calmer le mécontentement du peuple, il serait peut-être utile d'éloigner le régiment de Flandre, et de faire dire par le roi quelques mots en faveur de la cocarde nationale. »

Puis il s'en va se présenter mains nues, avec seulement deux membres du Conseil général de Paris, à la grille de la cour d'honneur. Au capitaine des Suisses qui, faisant ouvrir, s'étonne de le trouver désarmé, La Fayette a ce mot flatteur, bien dans son style : « Monsieur, je me trouverai toujours avec confiance au milieu du brave régiment des gardes suisses. » Sur quoi, les trois hommes gagnent l'appartement du Roi par l'escalier de Marbre. Dans l'antichambre de l'Œil-de-bœuf, ils affrontent le silence d'un dernier carré de courtisans sur le qui-vive. Du fond de la pièce, s'élève une voix claire, anonyme : « Voilà Cromwell ! » Piqué au vif, le général s'arrête et, cherchant en vain l'auteur de la saillie : « Monsieur, rétorque-t-il à la cantonade, Cromwell ne serait pas entré seul. » Introduit enfin dans le cabinet, La Fayette appuie sa révérence, et s'empresse de rassurer le roi en répondant de l'affection des Parisiens pour sa personne sacrée.

Ce que disent les envoyés de la Municipalité est autrement concret. Ils demandent en substance que la sécurité du roi soit confiée désormais aux gardes nationaux, que des garanties soient délivrées aux Parisiens quant à leur approvisionnement, qu'enfin le roi sanctionne les récents travaux des représentants de la Nation. A ces trois requêtes, Louis XVI souscrit d'autant plus volontiers qu'il y a déjà largement satisfait. Mais il en est une quatrième qui l'inquiète davantage. « Le roi, suggèrent les deux hommes, donnerait une grande preuve de son amour à la nation française, s'il voulait venir habiter le palais des Tuileries, à Paris. » Cette fois, le souverain fronce les sourcils. L'idée d'abandonner le séjour de ses pères lui est douloureuse ; et de fait, pour les mentalités du temps, il y a, dans cette éventualité, quelque chose de sacrilège. Depuis plus d'un siècle, la Monarchie s'est tellement enracinée à Versailles qu'elle a fini par se confondre avec ses marbres, ses ors, ses pièces d'eau et ses ifs taillés. Quitter Versailles, pour Louis XVI, ce serait saper les fondements mêmes de son autorité. Aussi refuse-t-il de donner là-dessus la moindre assurance.

Sortant de chez le roi, La Fayette s'applique avant tout à ranger ses hommes ; cela représente huit lignes au coude à coude, des grilles royales jusqu'à l'hôtel des Menus Plaisirs ! Pour la nuit, une partie sera logée dans diverses casernes, le reste chez des particuliers, voire dans les églises. Puis le général redéploie le service militaire autour du château : une partie des Suisses est remplacée par un bataillon de gardes nationaux, comprenant essentiellement d'anciens grenadiers des gardes françaises, de ceux qui avaient déserté le 13 juillet. Leur chef doit penser que ces hommes ont l'avantage d'être rompus aux usages de la maison ; il ne tardera pas à mesurer les conséquences néfastes de ce mauvais calcul.

Ayant organisé les patrouilles de nuit, La Fayette retourne ensuite à l'Assemblée. « Je vais prendre quelque repos, déclare-t-il, et j'invite M. le Président à suivre mon exemple. » La séance levée, le général trouve encore la force de parcourir à cheval un certain nombre de rues désertes. Il revient ensuite au château dans l'intention de faire au roi son rapport. Seulement on lui annonce que Sa Majesté, bien lasse, est allée se coucher en conseillant à tous d'en faire autant ; et La Fayette n'a plus qu'à rebrousser chemin. Il se rend alors chez M. de Montmorin, dans l'aile sud des Ministres, pour s'entretenir au coin du feu avec ce vieil ami, en présence du comte de Luxembourg. Ce dernier, apprenant qu'une patrouille de gardes nationaux cherchait à entrer dans les jardins, vient justement d'ordonner aux gardes du corps de gagner Trianon et, de là, Rambouillet. Toujours cette obsession d'éviter le moindre affrontement ! De sorte que le domaine se trouve à présent dégarni presque entièrement de troupes royales.

Il est près de cinq heures quand le commandant général, épuisé lui aussi par sa folle journée, mène une dernière inspection dans la ville. Tout lui paraît serein... Piquant des deux jusqu'à l'hôtel de Noailles, rue de la Pompe (aujourd'hui la rue Carnot), où s'est installé son état-major, il décide enfin de s'accorder un moment de repos, et se jette tout habillé sur un lit de camp. Cet assoupissement lui sera reproché comme une manœuvre préméditée, et lui vaudra, dans certains milieux, le surnom mordant de « général Morphée ».

L'invasion du château

La reine, en se couchant vers deux heures, avait refusé l'assistance des gentilshommes qui s'offraient de garder sa porte. Mais vers cinq heures et demie, percevant des voix sous ses fenêtres, elle envoie sa veilleuse, Mme Nolle, aux nouvelles. La femme de chambre l'ayant rassurée, la reine n'insiste pas.

Pourtant, son ouïe ne l'avait pas trompée. Depuis un moment, des émeutiers ont investi l'enceinte royale. Comment sont-ils entrés ? Le plus simplement du monde ! Les gardes nationaux de faction dans la cour des Princes, anciens des gardes françaises, ont appliqué la consigne ordinaire ; ils ont ouvert les grilles à cinq heures et demie tapantes, sans se préoccuper d'un afflux matinal de curieux dépenaillés ! Ils ne les ont même pas dissuadés de s'engouffrer sous le petit portique au bout de la Vieille aile. Si bien que les cours du château n'ont pas tardé à se remplir d'une foule hésitante et brouillonne, intimidée peut-être, mais pardessus tout irascible.

Les conditions sont réunies pour une catastrophe. Tout va basculer très vite. Au petit jour, un peu avant six heures, un certain Lhéritier, jeune ouvrier ébéniste, s'est mis en tête d'aller escalader, pour épater la galerie, les colonnes du grand balcon de la cour de Marbre — celui de la chambre du Roi ! La provocation est trop forte : depuis une fenêtre du premier étage, un garde du corps met en joue et tire ; le garçon lâche prise et vient se briser le crâne sur le dallage en contrebas.

Aussitôt, c'est l'alerte. Ivre de fureur, la foule se rue dans l'escalier donnant accès aux appartements des souverains. Un habitué des lieux aurait-il orienté leur colère ? Une tradition voudrait que le duc d'Orléans lui-même, dissimulé sous une grande cape, ait rempli cet office ; cela paraît très improbable. On a mille fois relaté l'épisode sanglant de cette invasion du château de Versailles, au son du tocsin. On a décrit le supplice des gardes Deshuttes et Varicourt, décapités à la hache par le chiffonnier Nicolas Jourdain, dit « Coupe-Tête » ; vanté la résistance héroïque de leur camarade Miomandre de Sainte-Marie, que l'on finira par laisser pour mort dans la mêlée ; raconté la fuite éperdue de la reine vers l'Œil-de-bœuf, tandis que son époux vient à sa rencontre par un passage entresolé... Tout cela fait désormais partie de la mythologie nationale.

On a moins insisté, peut-être, sur la géographie du drame. L'épicentre en est le palier de l'escalier de Marbre. Les gardes du corps n'ayant pu résister à la première pression des assaillants, ils sont allés se barricader, en effet, derrière les trois portes ouvrant alors sur ce palier : celle de la grande salle des gardes face à la volée, celle de l'appartement du Roi, à gauche au fond de la loggia, celle de l'appartement de la Reine, tout de suite à droite. Cette dernière porte ayant été enfoncée d'abord, la souveraine s'est trouvée plus tôt exposée au danger. Un garde du corps a juste eu le temps de prévenir une de ses femmes de chambre, Mme Augué, qui a verrouillé derrière elle la porte de l'antichambre du Grand Couvert. Or, contrairement à la légende, les émeutiers ne l'ont pas poursuivie plus avant dans l'appartement de la Reine. Ils avaient déjà fait demi-tour et forcé, de l'autre côté du palier, la porte de la salle des gardes du Roi, dont ils se sont mis à jeter le mobilier par les fenêtres. C'est précisément ce qui les a fait remarquer d'un bataillon de gardes nationaux parisiens, alerté par le tocsin et accouru du couvent voisin des Récollets. Ces hommes volent alors au secours des gardes du corps réfugiés dans les antichambres du Roi. Dans le même temps, un autre bataillon en alerte surgit de l'ouest par la Grande Galerie. De sorte que l'ordre est assez vite rétabli dans les intérieurs.

Plusieurs grandes dames évoqueront, dans leurs Mémoires, les heures pathétiques de la longue matinée qui commence. Ce sont Mme de Tourzel, depuis peu gouvernante des Enfants de France, et qui a conduit chez leurs parents Madame Royale et le petit dauphin ; Mme de La Tour du Pin, dont le mari, comte de Gouvernet, assure les hautes fonctions de gouverneur en l'absence du prince de Poix, émigré ; Mme de Staël enfin, qui alors se trouve dans la chambre de Louis XIV, simplement parce qu'elle est la fille de M. et de Mme Necker. Le tableau qu'elles dépeignent est saisissant. Le roi se tient, livide, dans le cabinet du Conseil, avec les membres du Gouvernement. La reine est à côté, dans la chambre privée du roi, en retour sur la cour de Marbre, avec ses enfants, Mme Elisabeth, le comte et la comtesse de Provence et même Mesdames Tantes. Marie-Antoinette se tient droite, les cheveux en désordre, la figure pâle et les traits tirés, vêtue d'une jaquette de toile rayée jaune. « Maman, j'ai faim », se plaint de temps à autre son jeune fils.

Dehors, la foule, mêlée aux gardes nationaux, demande des comptes. La famille royale est en grand danger. Comment se sortir d'un tel piège ? La Fayette, enfin accouru, suggère au roi de paraître au balcon de la grande chambre et de parler.

Louis XVI s'exécute, et tente une harangue en surplomb du corps inerte de Lhéritier. Puis c'est la reine qui, faisant taire ses pires craintes, affronte à son tour la cohue massée dans la petite cour. Cette femme digne et courageuse en impose tant au peuple que, bientôt, l'on se met à crier à tue-tête : « Vive la reine ! » Enfin La Fayette conduit sur le balcon un représentant des gardes du corps, et lui fait prêter en public un serment de fidélité à la Nation, à la loi et au roi. C'est alors seulement qu'aux cris de « Vive la Nation, vive la reine, vive le roi » vient s'en mêler un autre, plus discordant. « A Paris ! », vient de lancer une voix plus forte que les autres. « Le roi à Paris ! » reprend-on de toute part. « Tout le monde aux Tuileries ! » Ainsi donc voilà le vieux souhait, formulé naguère par Camille Desmoulin dans les jardins du Palais-Royal, qui retrouve de la vigueur ! Cette nouvelle requête ébranle Louis XVI qui pourtant, jusque-là, avait plus ou moins fait bonne figure. Alors que redoublent les cris de la foule, il entre dans un état d'hébétude qui va durer un long moment.

Enfin vers onze heures, acculé, le roi finit par acquiescer. « Mes amis, concède le souverain d'une voix éteinte, mes amis, j'irai à Paris avec ma femme, avec mes enfants. C'est à l'amour de nos bons et fidèles sujets que je confie ce que j'ai de plus précieux. »

*

Ça y est. Cette fois les adversaires de Versailles on gagné. La Monarchie abandonne sa demeure ; elle entraîne à sa suite l'Assemblée nationale ; dans quelques heures, Versailles aura cessé d'héberger les institutions de la France. La Fayette, parlant de lui comme César, à la troisième personne, se plaindra, dans ses *Mémoires*, qu'on l'ait dépeint « assis à la table du Conseil, donnant des passeports aux membres de la famille royale pour eux ou pour leur suite, et tous ces personnages rangés autour du *dictateur*. Ce n'était pas sa faute si des ministres, par leur conduite imprudente, avaient tellement compromis leur pouvoir, qu'un passeport signé par eux eût été un danger plutôt qu'une garantie de protection, et si les provocations de la Cour avaient été suivies de tant d'irritation et de méfiance [5] ». Dehors, l'impatience de la foule augmente, abrégeant les préparatifs. Peu après midi, les carrosses du roi viennent se ranger docilement au bas du degré privé — le plus loin possible des traces sanglantes de l'invasion... La famille paraît bientôt, sous les acclamations ; mais ce sont des vivats menaçants et sans joie.

Avant de monter en voiture, Louis jette un dernier regard à cette maison qui restera, pour la postérité, l'emblème de sa dynastie. Un mot encore, l'ultime, en forme de recommandation pour le comte de Gouvernet : « Vous restez maître ici. Tâchez de me sauver mon pauvre Versailles. » Tout est dit. Déjà le monarque rejoint sa famille dans le carrosse qui va s'ébranler, cerné par une foule immense, sur l'avenue de Paris. L'Histoire ira suivre son cours ailleurs... Reste la prière, humble et poignante, du prince exproprié : « Tâchez de me sauver mon pauvre Versailles. »

Il est tout juste une heure, ce mardi 6 octobre 1789 ; moins de vingt-quatre heures ont passé depuis l'entrée en ville des premiers émeutiers : une petite journée de désordre pour clore un grand siècle de discipline. A travers les salons abandonnés du château, les pendules carillonnent dans le vide. En toute hâte, on rassemble de petits meubles et des objets de nécessité qui, dans la soirée, prendront le chemin des Tuileries ; cela remplira plus de cent charrettes. Le reste est recouvert de housses par des valets consciencieux. Certains, parmi eux, doivent bien s'en douter : jamais plus la Cour de France ne sera versaillaise.

La rumeur du pitoyable cortège, vite estompée dans les lointains, a bientôt cédé la place au silence. Le silence... Rien ne le trouble plus, maintenant, si ce n'est le grincement et le claquement des volets et des contrevents qu'on referme, un à un. Ordre du gouverneur. Ce soir, pour la première fois depuis soixante-dix-sept ans *, toutes les ouvertures du château seront aveuglées en même temps.

Ainsi le grand vaisseau des rois de France, gagné par l'ombre pièce après pièce, est-il en train de passer de vie à trépas. Encore un claquement, celui du dernier volet. La demeure bascule dans l'obscurité.

Versailles est mort. Vive Versailles !

---

* Louis XV était rentré solennellement à Versailles le 15 juin 1722.

Première partie

LA DÉSAFFECTION

1

Contre vents et marées

Les chars, les royales merveilles,
Des gardes les nocturnes veilles,
Tout a fui ; des grandeurs tu n'es plus le séjour ;
Mais le sommeil, la solitude,
Dieux jadis inconnus, et les arts, et l'étude
Composent aujourd'hui ta cour.

CHÉNIER.

Par leur hardiesse et leur âpreté, les journées d'Octobre ont surpris les contemporains. Font-elles honneur au nom de Versailles ou l'ont-elles entaché d'infamie ? C'est affaire d'opinion. Dès novembre 1789, tandis que se multiplient les relations épiques de l'événement, la correspondance diplomatique se fait l'écho de réticences princières envers le séjour abandonné : « Mesdames, tantes et sœur du roi, écrit le ministre de Parme, ont juré de ne plus remettre les pieds à Versailles. Il paraît que ni le roi, ni la reine, ni aucun membre de la famille royale n'y retourneront à demeure [1]. » Dans quelle mesure ce dédain reflète-t-il un sentiment général ? Nul ne sait. Mais il est probable que, parmi les courtisans, l'on n'ait pas si facilement renoncé à l'idée de rentrer au bercail.

Ce qui est certain, c'est que cet éloignement forcé n'a pas vraiment chagriné la Cour. Peut-être faut-il voir dans un tel détachement l'effet d'une désaffection commencée dès le règne précédent. A moins que les intéressés, tous Parisiens d'adoption, n'aient pas saisi d'abord la portée d'un tel bouleversement. N'oublions pas que la Cour, fixée depuis un siècle à peine, conserve à l'époque des mœurs itinérantes ; ses déplacements annuels à Compiègne et à Fontainebleau, notamment, ont maintenu l'usage d'une certaine mobilité. Aux yeux des officiers de la Couronne et des membres du Gouvernement, l'installation du roi aux Tuileries, pour inconfortable qu'elle soit, peut encore passer pour provisoire

Vu de Versailles, l'exode est sans doute plus inquiétant ; mais l'administration des Bâtiments, elle aussi, préfère en souligner les bienfaits : non seulement elle va pouvoir procéder en paix au traditionnel toilettage d'automne, mais si l'absence de la Cour se prolonge, elle pourrait même se lancer dans de vastes travaux de réfection des façades, côté ville. Ainsi le « grand dessein » qui, depuis un quart de siècle, focalise l'ambition des architectes, deviendrait-il réalité... Le moment paraît d'autant mieux choisi, que la famille royale dispose à présent, comme point de chute, du château de Saint-Cloud, acheté quatre ans plus tôt pour Marie-Antoinette, et prêt à recevoir la Cour durant la belle saison. Au circuit Versailles-Compiègne-Fontainebleau succéderait donc pour un temps le va-et-vient Tuileries-Saint-Cloud.

Tout cela pourrait justifier que, dans l'ensemble, les piliers de l'Œil-de-bœuf aient abordé d'un front serein leur relégation à Paris. Conscients des avantages immédiats de la capitale, ils ont pu s'imaginer pour le reste que, le peuple une fois calmé, les institutions stabilisées, Louis XVI « regagnerait sa bonne ville, comme jadis son grand-père Louis XV après la Régence. Les beaux jours reviendraient ! [2] »

En attendant le roi

Il serait faux, du reste, d'imaginer le château tout à fait désert au lendemain du Six-Octobre. La Cour a vidé les lieux, certes, mais le gros du personnel est encore en place ; en comptant large, cela représente plus de mille cinq cents âmes en février 1790. Le service d'ordre, surtout, demeure nombreux ; la garde nationale quadrille le domaine, de concert avec les Suisses demeurés en service. Et le régiment de Flandre n'a pas bougé.

Dans le château, le personnel d'entretien continue de vaquer plus ou moins aux mêmes tâches. Après le départ de Gouvernet, c'est à l'architecte Le Roy qu'incombe la bonne marche de la maison. Il est assisté par deux « concierges » dévoués, Boucheman pour Versailles, Bonnefoy du Plan pour Trianon. Des chantiers de remise en état fleurissent un peu partout, sous l'impulsion du comte d'Angiviller, directeur général des Bâtiments ; pour les faciliter, l'on entreprend de réserver une partie du mobilier. Lot par lot, celui-ci est donc transféré au Garde-Meuble, juste à côté de l'ancien hôtel de Pompadour (aux actuels numéros 9 et 11 de la rue des Réservoirs). L'intendant Thierry de Ville-d'Avray y maintient une discipline rigoureuse. Ses bureaux s'activent plus que jamais : les copies et les recollements d'inventaires se poursuivent sans dételer, et lorsque des meubles sont envoyés aux Tuileries, « ceux-ci sont notés, surveillés, suivis, réclamés par Versailles et ramenés [3] » dès qu'ils ont pu, sur place, être remplacés.

Le baron Thierry a été, en 1787, le premier maire de Versailles ; c'est pour cela que la Municipalité avait pris l'habitude de se réunir chez lui, aux Réservoirs. Imprudente promiscuité, et dont on va mesurer les dangers. Le 7 janvier 1790, en effet, protestant contre le prix élevé du pain, des indigents prennent d'assaut la salle des séances. Les collections royales, indirectement menacées, vont sortir indemnes de la mêlée. Mais l'intendant — qui d'ailleurs n'est plus maire depuis déjà six mois —, en tire les conséquences : il prie la Municipalité d'aller chercher asile ailleurs. Elle trouvera refuge à l'hôtel du Grand-maître, sur l'avenue de Paris, et y fera souche.

Les troubles qui secouent alors Versailles sont l'effet immanquable de la crise provoquée par le départ trop subit de la Cour. Evidemment le domaine en a souffert en première ligne ; le maréchal de Mouchy, père du gouverneur en titre, l'a tout de suite redouté : « L'absence de Votre Majesté, écrit-il au roi, va faire un tort irréparable au domaine [4]. » Et de fait, en dépit de la « protection spéciale » du souverain, les revenus afférents fondent comme neige au soleil. Seulement, la ville n'est pas mieux lotie. Aubergistes, tailleurs, blanchisseuses, tapissiers, orfèvres, parmi tant d'autres, y voient chuter leur activité. Certains s'adaptent et quittent Versailles ; ainsi la population va-t-elle passer, en un an, de cinquante à quarante mille habitants. Mais pour ceux qui restent, la vie devient plus dure. Et le chômage s'accroît.

Afin d'y remédier un peu, Louis XVI accepte, dès le 4 janvier, que soit créé sur sa cassette un atelier de charité. Il est ouvert au Grand Canal, dont l'état déplorable justifiait des soins depuis des années. Quelque huit cents ouvriers vont ainsi œuvrer, sept mois durant, à l'assainissement de la vaste pièce d'eau. Seulement le 4 août suivant, le roi fait savoir qu'il ne peut assurer plus longtemps une telle dépense ; et le chantier ferme ses portes. Jamais on n'avait tant mesuré la dépendance de la ville à l'égard des bienfaits royaux.

Cela n'empêche pas les Versaillais de se montrer ingrats envers la Monarchie. Un an après les journées d'Octobre, ils éliront ainsi pour juges de paix Robespierre, Bouche et Gautier de Biauzat, c'est-à-dire trois révolutionnaires enragés ! La nouvelle heurte les Tuileries, où la reine ne cache pas son dépit ; et le bruit se répand qu'en retour le roi pourrait renoncer à

Versailles une fois pour toutes, et faire démeubler le château. Sur place, c'est la consternation. Coste, en maire attentif et modéré, propose à ses collègues de porter aux pieds de Sa Majesté « l'expression de la profonde douleur des habitants de cette ville ». Et dès le lendemain, 11 octobre 1790, une délégation de quinze représentants se rend aux Tuileries, porteuse d'une adresse émouvante. La ville de Versailles, privée « de la présence de son protecteur auguste », y exprime son espoir d'un prompt retour de la famille royale. Coste saura, pour l'occasion, se faire grandiloquent. « Au moment où cette perspective flatteuse semblait se rapprocher, un ordre aussi sévère qu'inattendu ne laisserait-il que le regret d'une vaine illusion à la place de la plus douce des espérances ? Cet ordre nous livrerait à toute l'horreur de la position la plus désastreuse ! Il menacerait de consommer la ruine de nos fortunes et celle de nos familles » [5].

Apparemment touché, Louis XVI s'étonne que les Versaillais « prennent l'alarme sur quelques arrangements particuliers » de ses meubles. Mais en vérité, ses appartements de Versailles sont bel et bien démeublés dans les jours qui suivent... Le comte d'Hézecques, alors page de la Chambre, confirme dans ses *Souvenirs* que le roi boudait Versailles. « Une seule fois, dit-il, on fixa le lieu de la chasse dans l'ancien parc de Clagny. » Mais les habitants étant accourus à la hâte, « Louis XVI, indigné de leur ingratitude, leur tourna le dos, remonta à cheval, et partit pour Saint-Cloud (...). Ce fut la dernière chasse de ce malheureux prince [6]. » Ce fut aussi sa dernière occasion d'approcher de la demeure de ses devanciers.

Dorénavant, Versailles semble privé d'avenir ; le château n'intéresse déjà plus que promeneurs et curieux. A quoi peut bien ressembler, au-dedans, ce grand navire en cale sèche ? Un ressortissant d'Oldenburg, en Basse-Saxe, a noté dans ses carnets de voyage : « La solitude règne maintenant dans l'intérieur. Tout ce qui garnissait les salons a été enlevé, emballé, mis dans un garde-meuble ; et les Versaillais concluent que la Cour ne reviendra plus. »[7] Aux heures d'ouverture, des compagnies de visiteurs sont menées dans le palais par des « guideurs » qui, une fois inscrits sur une liste, sont libres de les conduire à leur guise jusqu'à des salons naguère encore fermés au tout-venant. La plupart mettent l'accent sur le drame encore frais d'Octobre, allant jusqu'à montrer, nous dit Hézecques, « à la balustrade de pierre de l'une des croisées du parterre du Nord, la trace d'une main sanglante » ! Peu leur importe qu'aucun affrontement n'ait jamais eu pour cadre ce côté-ci de l'édifice... D'autres cicérones, plus sérieux, s'attardent sur les peintures exposées dans les salons et à l'hôtel de la Surintendance, ou bien ils commentent les travaux en cours.

Car, en attendant le roi, le personnel des Bâtiments n'a pas chômé. Pierre Verlet : « Il y aurait une curieuse histoire à écrire du travail obscur, efficace autant qu'inutile, qui s'est fait à Versailles entre 1789 et 1792. Il faudrait tenir un calendrier, modelé sur les espoirs ou les bévues de la famille royale, où l'on verrait au jour le jour s'inscrire ou s'anéantir les efforts accomplis pour maintenir le château et le conserver " prêt "[8]. » Des aménagements sont réalisés dans le petit appartement de la Reine et chez Madame Royale ; partout on reblanchit, revernit et redore. Reprenant un rapport commandé en 1788 au peintre Durameau, l'auteur du plafond de l'Opéra, le comte d'Angiviller a même lancé la restauration des plafonds de Le Brun, dont certains se détachaient de leur voûte *. « La Grande Galerie est échafaudée dans l'intérieur ; on a retouché les peintures

* Angiviller en profite pour commander à Durameau une grande composition devant remplacer celle, endommagée, de la voussure touchant au salon de la Paix. L'ancien peintre ordinaire du Roi va restaurer aussi, en 1791, les peintures de la voûte de la Chapelle.

du plafond ; plusieurs sujets sont enlevés », peut-on lire ainsi dans un rapport établi, le 31 janvier 1791, par les commissaires d'une section révolutionnaire.

En effet, un prétendu plan de fuite du roi ayant été dénoncé au club des Jacobins, une enquête a été diligentée à Versailles, afin d'y déceler d'éventuels préparatifs ; ses conclusions offrent un témoignage inespéré sur l'état des intérieurs. « Tous les appartements sont démeublés, dit le rapport. Il n'y est resté que quelques tableaux et des glaces : des poêles y sont posés pour empêcher l'humidité d'y pénétrer. Les galeries intérieures, les corridors, cabinets et antichambres sont intérieurement [*sic*] démeublés et dégagés des gros coffres ; et les galeries extérieures, des chaises, échelles et autres objets de service journaliers qui y étaient entreposés autrefois. Nous avons jugé ces détails nécessaires, parce que tout, dans ces appartements, annonce qu'ils ne seront habités de longtemps. »

Les commissaires peuvent faire un constat similaire aux écuries. Le nombre des chevaux, d'environ mille deux cents en 1789, y est passé à sept cent quatre-vingts en 1790 ; ils ne seront plus que deux cent cinquante en 1792 [9] ! En vérité, cette déréliction générale reflète la chute du prestige de la Monarchie au sein de l'opinion. Paradoxalement, c'est le moment que choisit l'Assemblée constituante pour nantir le souverain, avec sa liste civile, d'une dotation territoriale dans laquelle Versailles occupe encore la première place. Le décret qui en dispose est signé le 26 mai 1791. Moins d'un mois plus tard, l'échec de l'échappée royale vers Montmédy achèvera de déconsidérer le régime. Arrêté à Varennes le 22 juin, le roi perdra *de facto* le bénéfice de cette dotation ; les biens de la Couronne seront réputés abandonnés.

Le jour même, pour la sauvegarde du château, la Municipalité fait partout apposer les scellés. Des commissaires s'y emploient jusqu'à la fin du mois. Certes, Louis XVI sera officiellement « réinstallé » en août, et les scellés, levés du même coup. Mais c'en est fait, dès lors, du Versailles royal. L'immense demeure vient de s'ouvrir aux vents de la Révolution ; le meilleur et le pire sont à envisager — surtout le pire.

La mobilisation des Versaillais

Au soir du 10 août 1792, Louis XVI, chassé des Tuileries par l'insurrection des faubourgs, se trouve suspendu de ses fonctions. Deux jours après, tandis que la famille royale est encore en transit au couvent des Feuillants, la Municipalité de Versailles fait apposer de nouveau les scellés sur le château. La veille, une commission nationale a vu le jour pour « la recherche des tableaux, statues et autres objets précieux dépendant du mobilier de la Couronne ». Le ton est donné : les demeures royales vont être mises au pillage ! La philosophie de l'Assemblée ne tient pourtant pas du vandalisme ; il s'agirait plutôt, dans l'esprit des décrets de septembre, de faire profiter le public de trésors autrefois réservés à la satisfaction privée des « tyrans ».

Un tel souci peut sembler dérisoire, dans le contexte de l'époque. La France n'est-elle pas en guerre depuis six mois ? Ne s'apprête-t-elle pas à changer de régime ? Profitant de l'agitation générale, un climat insurrectionnel vient au surplus de s'établir dans le pays. Depuis le 2 septembre, des massacres de prisonniers politiques sont perpétrés un peu partout. Le plus sanglant survient justement à Versailles, le 9 septembre, rue de l'Orangerie — aux marches du domaine ! Cinquante-trois détenus en provenance d'Orléans, dont certains illustres, y sont assaillis par des agitateurs parisiens, sur le chemin de la Ménagerie où l'on pensait les cantonner ; ils seront déchiquetés dans leurs charrettes. Le nouveau maire de la ville, Hyacinthe Richaud, tentera bien de s'opposer au carnage, et gagnera par son courage la réputation d'un héros... Mais que faire, en face de barbares ivres de sang ?

Ce climat pour le moins troublé n'empêche pas l'Assemblée de se préoccuper du château et du parc de Versailles. Il est vrai que des richesses attrayantes se trouvent concentrées dans cette enceinte — des richesses qui paraissent tendre les bras ! Ainsi le 11 septembre, un député réclame-t-il la fonte des plombs des bosquets et fontaines pour en faire des balles et de la mitraille ! Douze jours plus tard, c'est au ministre des Contributions de sommer le citoyen Couturier, nouveau régisseur du domaine, de fournir à l'Armée cinq cents matelas et couvertures, et autant de paires de draps... Qu'on se le dise : la jeune République entend se nourrir sur les dépouilles de la Monarchie !

De son côté, Roland, ministre de l'Intérieur mais aussi des Arts, s'empresse d'appliquer les décrets des 16 et 19 septembre et fait transférer, de la Surintendance au Louvre, cent vingt-cinq toiles de maîtres du cabinet du Roi ; elles y formeront le noyau du département des peintures. Le décret du 19, ordonnant le transfert à Paris des tableaux royaux, stipule par ailleurs : « Quant aux statues placées dans les jardins de Versailles, elles resteront en place jusqu'à ce qu'il en ait été autrement ordonné. » [10] Les autochtones ont raison de se faire du mauvais sang ; comment attendre, bras croisés, la production d'un nouvel oukase ?

Dès le vendredi 21, Richaud, avec l'énergie des héros de fraîche date, décide de faire signer au Corps municipal une protestation solennelle. Le maire sait ce qu'il fait : une députation doit aller le jour même à Paris, présenter à la Convention nationale (tout juste réunie), le dixième bataillon des combattants volontaires de Seine-et-Oise. L'occasion est trop belle, on la saisit ; et le soir même, devant une assemblée qui vient d'abolir la Royauté en France, le procureur général-syndic du département transmet le cri d'angoisse des Versaillais. « Représentants de la Nation, nous avons vu les rois et leurs crimes et nous les avons méprisés », déclare-t-il sans rougir. Invoquant leur patriotisme, les « enfants de la Liberté » conjurent le législateur d'empêcher une injustice. Ils concluent : « Versailles est privé de tout et, puisque vous nous avez débarrassés de la Royauté, que ferez-vous des superbes établissements dont il est plein, si vous ne vous rappelez qu'assez proche de la capitale pour offrir, avec le charme de la solitude, la ressource des sciences, il semble être fait pour être le lycée de la Nation française, la retraite de ses philosophes, l'école de ses artistes ? » [11]

Les Conventionnels applaudissent ; la pétition, convertie en motion, est votée à dix heures du soir. Cette fois, les habitants de Versailles ont gagné : l'exode de leurs trésors est ajourné. A qui vont-ils en rendre grâce ? Etrangement, au ministre Roland, leur persécuteur de la veille ! Mais ce paradoxe n'est qu'apparent ; car Roland, judicieusement conseillé par son épouse, la belle Manon, est au fond tout acquis à leur cause. Dans une étude publiée en 1930, Alfred Hachette devait faire état d'une minute sans équivoque, dont il ressort que Roland « est bien un protecteur de Versailles » et que « c'est à bon escient que les Versaillais lui adressaient leur chaleureuse reconnaissance [12] ». Au demeurant, bien qu'absorbé par les démêlés de la Convention avec la Commune de Paris, quoique obsédé par la recherche des papiers secrets de Louis XVI, le vertueux ministre trouvera, quoi qu'on en pense, le temps de statuer avec sagesse sur la liquidation des biens nationaux.

Concernant Versailles, Roland se déclare opposé à la vente immédiate du mobilier royal. Il met en avant le tort qui en résulterait pour la liquidation des saisies plus ordinaires effectuées chez les émigrés. Surtout, il invoque la concurrence déloyale qu'un tel afflux de marchandise de luxe ferait aux manufactures de Sèvres, des Gobelins et de la Savonnerie, dont il est par ailleurs responsable... Seulement la politique a ses raisons, l'urgence, ses impératifs ; et c'est le même Roland qui, se ravisant bientôt, adresse, le 20 octobre, une lettre à la Convention pour qu'on l'autorise à procéder à la vente publique des « objets qui se trouvent dans le château de Versailles » ! Aussitôt, les extrémistes se réveillent ; et Manuel, procureur général-syndic de Paris, se hâte d'intervenir en ces termes : « Je convertirais la demande du ministre en motion ; non seulement les meubles doivent être vendus, mais il faut aussi afficher la maison à vendre ou à louer. Je demande donc que l'on ajoute cette proposition à celle du ministre de l'Intérieur et qu'on la mette aux voix. » L'Assemblée temporise : elle permet la vente des meubles et renvoie, pour celle de la maison, au Comité d'aliénation qui, fort heureusement, ne donnera jamais suite.

Les Versaillais n'en ont pas moins senti le vent du boulet. Dans les jours qui suivent, deux sections du district, cherchant un moyen sûr d'éviter la vente du château et, par conséquent, son démantèlement, imaginent « de former dans la ville de Versailles un grand établissement d'éducation nationale, qui puisse servir de modèle à ceux que l'on formera par la suite ». Une pétition est déposée en ce sens, le 3 novembre, par le député Duval ; elle réclame en outre le retour des tableaux saisis à la Surintendance, afin d'alimenter un muséum secondaire à Versailles. De son côté, une députation se rend chez le ministre de l'Intérieur, en quête de précisions sur le contenu de la future vente mobilière. Roland tranquillise son petit monde : seront exclus des adjudications les meubles utiles aux établissements nationaux, les pièces de trop grand prix, et surtout, quelques objets d'art et de science « remarquables par la perfection de leur travail ».

En dépit de ces bonnes paroles, l'inquiétude des habitants ne fait que croître au cours de l'hiver 1792-1793 — pour culminer au printemps ; car la chute des Girondins, fin mai, entraîne celle de leur précieux garant... Tout est de nouveau remis en cause ; et le Montagnard Gilbert Romme va jusqu'à suggérer d'affecter le palais aux Corps délibérants, au prix de transformations radicales, irréversibles... Le Conseil général de la commune se doit de reprendre la main. Dès le 10 février 1793, il avait déjà proposé d'héberger au château les artistes de l'Académie de France, chassés de Rome par l'incendie de la villa Médicis. Aucune suite. Le 20 mai, il réclame un décret de la Convention, transformant les monuments de Versailles « en établissements utiles ». Cependant rien ne se décide vraiment avant le 8 juillet. Ce jour-là, enfin, Barère, parlant au nom du puissant Comité de salut public, obtient l'instauration dans le palais d'une « école centrale pour les républicains, un gymnase public » au sens classique du terme. « Il sera beau, dit ce transfuge des Girondins, de voir dans le palais des tyrans, des citoyens élevés dans la haine de la tyrannie. Les salons de Le Brun deviendront l'école de dessin, le manège, celle de l'équitation, le canal, celle de la natation ; tout, dans ce monument, peut servir à l'école nationale. »

Cependant, tandis que se met en place l'organisation du nouvel établissement, le Conseil général de la commune demeure sur ses gardes. Non sans raison, d'ailleurs. Car le 27 juillet, en prescrivant une fois encore le transport, au musée de la République, de toutes les œuvres d'art contenues dans les maisons ci-devant royales, un nouveau décret vient tromper les espérances des Versaillais. Les veilles craintes resurgissent ; et une pétition de plus est adressée, le 14 septembre, à la Convention... Tout cela finit par aboutir, le 5 mai suivant (16 floréal an II), à un décret fondateur, ordonnant l'exception suivante : « les maisons et jardins de Saint-Cloud, Bellevue, Monceaux, Le Raincy, Versailles, Bagatelle, Sceaux, L'Isle-Adam et Vanves ne seront pas vendus, mais consacrés et entretenus aux frais de la République, pour servir aux jouissances du peuple et former des établissements utiles à l'agriculture et aux arts » [13]. En pleine Terreur, la mobilisation des Versaillais a donc porté ses fruits : la vocation publique du site est définitivement reconnue par les autorités. Si Versailles n'est pas sauvé, loin s'en faut, du moins échappe-t-il pour l'instant au sort le plus funeste.

La destruction des symboles

Le roi Louis XVI, comme chacun sait, n'avait pas eu la même chance : condamné à mort par la Convention nationale, le jeudi 17 janvier 1793, il a été exécuté dans la matinée du lundi 21. C'est peu après le supplice du roi que le poète André Chénier, fuyant le climat délétère de la capitale, est venu se mettre au vert à Versailles, dont son frère Marie-Joseph est alors député. Il s'installe vers le haut de la rue de Satory. Le domaine en souffrance lui inspire quelques-uns de ses vers les plus délicats, et notamment cette ode qui s'ouvre sur une incantation au singulier :

O Versaille, ô bois, ô portiques,
Marbres vivants, berceaux antiques,
Par les Dieux et les rois Elysée embelli,
A ton aspect, dans ma pensée,
Comme sur l'herbe aride une fraîche rosée,
Coule un peu de calme et d'oubli.

De fait, l'agitation pétitionnaire autour du château ne change rien à la léthargie qui s'est emparée du site. Depuis la chute de la Monarchie, ce qui pouvait encore rappeler en lui l'effervescence des jours heureux s'est dissipé. Des groupes de visiteurs circonspects y troublent à peine le silence. Une douzaine de citoyens habilités leur en font encore les tristes honneurs, secondés au-dehors par huit « garde-bosquets » munis de clés dont circulent partout des contrefaçons.

Les derniers témoins des fastes d'antan ont été chassés sans ménagements. Juste après le Dix-Août, le concierge Boucheman avait été requis de dresser la liste des personnes résidant encore au palais. Il en avait dénombré soixante-dix, réparties entre le corps central, l'aile du Nord, les ailes des Ministres et la Surintendance : c'étaient d'anciens détenteurs d'offices, certes, mais surtout « des femmes de chambre, des chirurgiens, des garçons du Garde-Meuble, des gardes suisses, des concierges, etc. La plupart furent expulsés [14] ».

Ces ultimes occupants n'ont pas été, du reste, les seuls à partir. Le personnel d'entretien, lui aussi, a diminué à vue d'œil. De trente-deux frotteurs et trente-trois balayeurs en 1790, son nombre se trouve réduit, en août 1793, à douze dans chaque catégorie. Ils ne seront plus que six en tout, au début de 1794 ! Il est vrai qu'un rapport commandé par Couturier a fait état, sur ce point, d'abus étonnants. Il s'est révélé que « plusieurs balayeurs faisaient faire leur service par de pauvres sans-culottes moyennant un salaire modique, et qu'ils profitaient du restant des gages de la place ; que ces balayeurs en titre n'avaient jamais touché un balai et ne résidaient même pas à Versailles ; que Friou, chef balayeur, jouissait de trois places sous le nom de ses enfants et d'un domestique » [15]. Derrière l'anecdote, c'est la réalité d'un château de moins en moins respecté qui se dessine. Ceux qui l'ont connu du temps de sa splendeur se font chaque jour plus rares. Boucheman lui-même, hier encore institué « gardien général des scellés », devient suspect au point d'être enfermé au ci-devant couvent des Récollets, et remplacé par un dénommé Giroust, nouveau venu.

A contrario, ce sont des survivants de l'Ancien Régime qui sont chargés d'expurger le décor des symboles que leurs pères y avaient ciselés. Une rage iconoclaste s'est emparée des dirigeants de la République, les amenant à faire effacer des édifices publics les « emblèmes du despotisme », les figures « qui blessent les idées nouvelles » et autres « signes de la féodalité ». Fleurs de lys, couronnes, sceptres, globes, « L » entrelacés, médailles, croix et colliers, chiffres et monogrammes, titres, devises et inscriptions relatifs à la Royauté : c'est tout un registre ornemental, à la fois inventif et profus, qui est censé disparaître sous le ciseau des censeurs. Ironie de leur sort et prudence de leurs commanditaires, les hommes qu'on charge de la besogne sont très souvent les mêmes qui, en d'autres temps, soignaient et magnifiaient la statuaire royale... Les noms des Rousseau, Boichard, Dejoux, Dutemps aîné se retrouvent ainsi sur des mémoires relatifs à des travaux, non plus de sculpture, mais de défiguration de la sculpture !

La première tranche de cette campagne visant à « déroyaliser » Versailles a touché d'abord, et dès 1792, les extérieurs. Les bustes sur console ornant la cour de Marbre, « effigies de tyrans », ont été déposés, rangés en magasin ; le profil en médaillon de Louis XIV, que portait la *Renommée* du bassin de Neptune, a cessé d'être * ; l'*Europe* de Mazeline, sur le parterre du Nord, a perdu sa couronne, et la statue en pied de Marie Leczinska, dans le parc de Trianon, les cinquante lys qui semaient son grand manteau... A partir de 1793, la liquidation des symboles atteint les bâtiments, par la Chapelle tout d'abord. Elle gagne de là les intérieurs, où foisonne la matière. Entre mille victimes, les admirables chutes d'armes du salon de la Guerre et de la Grande Galerie, chefs-d'œuvre de Buirette et Lespingola, sont elles-mêmes dépouillées de leurs couronnes et de leurs sceptres !

Au demeurant, comme devait le noter Pierre de

---

* Celui qu'on y voit aujourd'hui a été resculpté en 1818.

Nolhac, « ces emblèmes étaient tellement unis aux motifs du bois, du bronze et de la pierre, qu'on ne pouvait espérer les arracher tous ; et il en est, en effet, demeuré bon nombre que nous retrouvons aujourd'hui avec intérêt. Les parties hautes des boiseries ou des stucs paraissent peu atteintes par l'épuration révolutionnaire ; sur d'autres points, en revanche, l'interruption d'un décor parfaitement équilibré ne peut s'expliquer que par le grattage d'un chiffre ou d'un emblème royal. Nous aimons mieux, au reste, rencontrer ces vides que les surcharges ou les transformations affligeantes qu'on a parfois tentées pour les remplir [16]. »

La destruction des symboles va perdurer deux longues années. Cette absurde entreprise donne une idée de l'aversion des nouveaux maîtres pour le souvenir des anciens. C'est aussi que la Révolution s'endurcit ; ses potentats veulent affermir partout leur idéologie. Pour s'en assurer, ils dépêchent sur place des sortes de *missi dominici*, les « représentants du peuple ». Mandatés pour six mois par la Convention elle-même, ces envoyés du pouvoir central doivent s'immiscer partout. Même à Versailles. Surtout à Versailles. Deux hommes y sont affectés le 16 septembre 1793 : Charles Delacroix de Contaut et Joseph-Mathurin Musset. Si ce dernier n'a rien à voir avec le poète, le premier, en revanche, est bien le père légitime du peintre — dont le vrai géniteur serait Talleyrand... Au jour fixé, c'est tout seul que Delacroix se présente devant les administrateurs du département ; Musset, malade, ne le rejoindra que plus tard. Une lettre tardive d'un certain De Laval [17] affirme qu'inspectant alors le domaine, cet intendant nouvelle manière se serait arrêté sur la terrasse du parterre d'eau et, désignant l'étendue des jardins de Le Nôtre, aurait lancé : « Il faut que la charrue passe ici ! » Réel ou apocryphe, le mot traduit en substance l'état d'esprit du personnage.

La Royauté aux enchères

Dès avant sa prise de fonctions, Delacroix a cosigné, le 10 juin 1793, un nouveau décret de la Convention réglant, dans le droit fil de celui du 22 octobre, les modalités de la mise en vente du « mobilier somptueux des derniers tyrans de la France ». Il n'est pas étonnant, dès lors, qu'une fois dans la place, un de ses premiers soucis ait été de contrôler le bon déroulement d'une vente de meubles et effets précieux provenant du château. En fait, lorsque Delacroix s'en mêle, la mise à l'encan du contenu des bâtiments a commencé déjà depuis un mois. La première des vacations s'est tenue le dimanche 25 août à dix heures du matin, dans un appartement jadis occupé par la princesse de Lamballe ; on y a dispersé des beautés arrachées au Petit Trianon. Les ventes publiques se poursuivent ensuite tambour battant, jusqu'à la dernière qui se tiendra à la Petite Ecurie, le 11 août 1794, soit un an — et quelque 17 000 lots — plus tard ! Autant dire que cette dispersion faramineuse demeure sans équivalent dans les annales ; ce sont bien, à tout le moins, les enchères du siècle.

A raison, souvent, de deux sessions par jour, des sergents priseurs y adjugent à tour de bras une pléthore de meubles souvent très beaux, mais aussi d'objets de décoration, literie, tentures, coussins, draps, tapis, ustensiles, voitures, harnais, instruments divers... Chacun peut y trouver son bonheur, « depuis des “ chemises de toile de Hollande à usage de femme ” vendues 200 livres, des armes, armures, ornements d'église jusqu'à des séparations de loges de théâtre et des traîneaux de jardin [18] ». On trouve même des vins de Madère, Malvoisie, Tokay, Malaga, et sous les numéros 4 730 et 4 731, vingt-quatre livres de café baptisé pour l'occasion « Café Capet » ! Ce sont bien les reliefs d'un mode de vie révolu, que l'on voit défiler à la cadence du marteau ; c'est toute la Royauté qui paraît ainsi jetée au feu des enchères publiques. Nombreux sont, forcément, les articles ornés de fleurs de lys et autres emblèmes abhorrés pour l'heure ; le procès d'adjudication porte alors la mention suivante : « A charge de faire disparaître les signes de féodalité. »

Si l'on en croit le baron Davillier, premier historien de ces ventes, les vacations se déroulent dans une ambiance de foire. Il faut faire preuve de vaillance, et même parfois de violence, pour s'y faire entendre. Il est vrai qu'en dehors de rares particuliers, de quelques ébénistes soucieux de récupérer leurs productions et de certains marchands risque-tout, la plupart des participants appartiennent aux couches les plus grossières de la brocante et de la friperie. Tous les moyens sont bons à ces gens pour freiner les enchères, et notamment l'éparpillement volontaire des séries et collections dans plusieurs lots. Sous leur empire, la « graffinade » — un autre nom pour la révise — atteint par ailleurs des sommets.

Ces aigrefins sont en fait des prête-noms agissant, sur commission, pour le compte d'acheteurs soucieux de leur anonymat ; les ventes de Versailles se déroulent au pire moment de la Terreur, dans une époque où le moindre comportement jugé suspect peut conduire un innocent à la guillotine ! Les amateurs d'art s'y risquent donc peu ; et les mieux au fait — notamment hors des frontières — font plutôt appel aux services de courtiers discrets, comme le marchand Rocheux qui achète pour le compte des Strasbourgeois Treuttel, ou comme les frères Eberts, eux aussi repliés en Alsace, et qui se font les pourvoyeurs attitrés des petites cours germaniques. En 1928, un érudit de Rambouillet devait ainsi retrouver, dans un journal de mode allemand daté d'octobre 1792, une offre de services du citoyen Eberts, en prévision de la vente annoncée du mobilier de Versailles : « On a l'honneur d'inviter Messieurs les Etrangers de réfléchir sur cette circonstance unique dans son genre, peut-on lire, et qui de la vie ne se reproduira d'autant moins que jamais ils n'oseront espérer de gagner encore sur le change 30 à 36 pour cent, qui, sur les acquisitions qu'ils feront, rendra [*sic*] les objets d'autant moins chers [19]. » Il est vrai qu'un taux de change avantageux et l'exemption de tout droit de douane font de ces transactions une aubaine pour les chalands extérieurs.

Dans de telles conditions, comment les ventes de Versailles n'auraient-elles pas suscité un concert de lamentations ? Selon leurs dénigreurs, on y aurait bradé à l'étranger les fleurons de l'ancienne Monarchie. En fait, les choses ne sont pas si simples ; et il devait revenir à Michel Beurdeley de rétablir, dans un ouvrage passionnant [20], certaines vérités à leur sujet. Pour ce qui est des prix, tout d'abord, même si le résultat global — trois cent mille livres an II — est apparu comme décevant, il ne semble pas que dans l'ensemble, ils aient été ridicules. Ainsi, le bureau de Louis XVI par Hauré (aujourd'hui à Waddesdon Manor), est cédé, certes avec deux encoignures (maintenant à Buckingham), pour 5 000 livres en juillet 1794 (messidor an II) ; or, ce bureau n'avait pas coûté plus de 5 716 livres au roi sept ans plus tôt. Il est vrai que depuis trois années déjà, les règlements se font en assignats, vrais et faux, c'est-à-dire dans une pseudo-monnaie en dévaluation constante... Le reproche d'amputation du patrimoine national est également discutable. En effet, après les massacres de Septembre et, surtout, depuis l'entrée en guerre de l'Angleterre, les étrangers sont devenus rares sur le territoire de la République, et les échanges avec d'autres pays, tout à fait limités. C'est bien plus tard, notamment avec la paix d'Amiens en 1802, que les Anglais afflueront en France pour y dévaliser les antiquaires... Enfin, il est faux, tout simplement, d'affirmer que les grandes vacations de 1793-1794 auraient vidé Versailles de tous ses trésors. Sauf exceptions, en effet, ce qui s'est vendu pendant cette première année relevait davantage de l'équipement et des fournitures, que de l'art et du grand mobilier. Ne figuraient là ni tableaux, ni sculptures, ni objets d'art très importants, ni horloges de valeur, ni même le mobilier le plus somptueux, qu'on avait pris soin de retrancher des lots. De sorte que ces ventes, quoique regrettables, n'ont pas été la catastrophe que l'on a dite. Le scandale est venu plus tard ; il allait être l'apanage du régime suivant.

Car si la Convention a souvent fait preuve de sectarisme, le Directoire, installé en novembre 1795 (brumaire an IV), se distinguera quant à lui par sa rapacité. Vivant d'expédients, ce régime pourtant tiède fera plus de mal aux collections royales par ses mauvaises affaires, que le précédent ne lui en avait infligé par ses excès. Passons sur l'ameublement du palais du Luxembourg [21], siège du nouvel exécutif, et pour lequel sont retirés du Garde-Meuble la commode de la chambre du Roi dans ses appartements privés, le secrétaire de Roentgen acquis par Louis XVI et placé à sa demande dans la salle à manger des Retours de chasse, ou encore une partie des torchères de la Grande Galerie ; ce sont autant de chefs-d'œuvre de sauvés. Mais pour le reste, les opérations du Directoire vont se révéler calamiteuses.

Ainsi, sur ordre du ministre des Finances, deux nouvelles dispersions sont-elles organisées, les 12 mars (22 ventôse) et 27 avril 1796 (8 floréal an IV). Cette fois, il ne s'agit plus de sacrifier des batteries de cuisine et des parures de toilette ; les meubles qui paraissent aux procès-verbaux de ces vacations « devaient être de la plus grande beauté, et vaudraient aujourd'hui des sommes folles, devait gémir Dussieux... dès 1881 ! Ce sont des commodes, des secrétaires, des coffres, des guéridons, tables, bureaux, armoires, encoignures, en bois d'acajou, en bois satiné, en bois de rose, en bois de citron, plaqués de laques de Chine, ornés de bronzes ciselés et dorés au mat ou d'or moulu, décorés de médaillons d'oiseaux et de papillons [22] »... Bref, cette fois, ce sont bien les perles de la Couronne qui sont dilapidées pour une bouchée de pain !

Et ce n'est qu'un début. Car après sept années de gestion révolutionnaire, la France est exsangue ; partout font défaut les produits de première nécessité. L'état désastreux des finances publiques rend les fournisseurs méfiants envers des effets de crédit chaque jour plus douteux. Dépourvues de numéraire, seule valeur encore acceptée hors de France, les autorités aux abois — et notamment la Commission des Subsistances — se croient autorisées à liquider l'héritage : on met en loterie des pièces jusque-là réservées pour leur précellence, on cède à vil prix des chefs-d'œuvre par l'intermédiaire d'agences peu regardantes, comme celles de Bourdillon & Compagnie ou d'Isaac Lemaître. Simplement en vue d'en récupérer le métal, on va faire brûler trois séries entières de tapisseries de Bruxelles, tissées de fil d'or : ce sont la suite des *Actes des Apôtres*, celles de *L'Histoire de Scipion* et de *L'Histoire de Saint-Paul* [23]. En désespoir de cause, on se résoudra même à une régression unique dans l'histoire des échanges : en revenir au troc antique ! Aussi aberrant que cela paraisse, ce sont dès lors des vases de Sèvres, des tapis de la Savonnerie et des tentures des Gobelins, que les pouvoirs publics acceptent de troquer « contre des harengs, du chanvre, des canons, du suif, du salpêtre, de la potasse [24] »... Pour l'Etat, ce n'est plus vendre l'argenterie de famille ; c'est carrément se chauffer au bois des vieux meubles !

Plusieurs négociants vont se faire une spécialité de ces échanges iniques, et bâtir des fortunes sur ces rebuts inespérés. C'est le cas d'Abraham Alcan, entrepreneur général des vivres de l'Armée du Rhin, qui viendra plusieurs fois se servir lui-même au Garde-Meuble ; mais aussi du négociant Van Recum et du banquier Chapeaurouge de Hambourg... Ce dernier obtiendra, par exemple, en septembre 1796 (vendémiaire an V), plus de deux cent cinquante tapisseries et objets d'art de tout premier ordre, contre une créance de cent mille francs sur des livraisons de céréales ! Notons, à la décharge du régime, que dix ans plus tard, Daru, intendant général de la Maison de l'Empereur, refusera de racheter Gobelins et Savonnerie aux héritiers Chapeaurouge. La morale y trouvera son compte, peut-être, mais pas le patrimoine.

Quelques hommes dévoués

Ainsi désaffecté, « déroyalisé », démeublé, le palais national n'est plus, à la fin de l'an II, qu'une carcasse en souffrance, à la destination imprécise. Le fameux décret du 5 mai 1794 (16 floréal an II), qui a voué Versailles, entre autres vestiges, « à l'agriculture et aux arts », prétendait le purifier en lui conférant un usage révolutionnaire. Seulement lequel ? Décidément trop riche à l'aune de l'austérité républicaine, cet ensemble de bâtisses et de verdures donne le sentiment d'embarrasser ses légataires. Et comme dans toutes les successions malaisées, ce sont les terrains en friche que l'on disperse en priorité. Ainsi les milliers d'hectares du Grand Parc, dévolus naguère aux chasses royales, sont-ils amputés sans merci : sous la Convention d'abord, dans le but égalitaire de doter les plus démunis ; puis sous le Directoire, avec l'ambition de vendre au plus cher des parcelles parfois très étendues. Ainsi, en 1800, les trente fermes que comptait le domaine sous l'Ancien Régime auront-elles toutes été aliénées [25]. Même ce qu'il restait des animaux de la Ménagerie est envoyé à Paris, dans une animalerie fondée au Jardin des Plantes, afin de mettre en location les bâtiments.

Evidemment, plus on approche du château, et plus les administrations locales se veulent mesurées dans leurs décisions. Cela n'empêche pas le Petit Trianon de se trouver sévèrement menacé. Affectant d'ignorer ses richesses botaniques et ses essences rares, Charles

Delacroix * s'est fait fort de le scinder en dix lots cessibles ! Sa survie, cette partie du Petit Parc ne la devra qu'à l'énergie persuasive d'Antoine Richard, ancien jardinier de Marie-Antoinette ; s'adressant directement au représentant du peuple, cet homme de bon sens va lui démontrer l'inanité d'une telle aliénation, et obtenir, le 23 janvier 1795 (14 germinal an III), le report *sine die* de la vente. Pour autant, l'ancienne retraite de la reine n'échappera pas à une carrière dégradante ; loué au limonadier Langlois, le chef-d'œuvre de Gabriel sera transformé en simple auberge, tandis qu'un bal public prendra possession du Jardin français, et une vulgaire buvette, du charmant Pavillon décoré par Verbeckt à l'intention de Mme de Pompadour...

Quant aux jardins mêmes du château, il ne faudrait pas croire que leur gloire ait suffi à les protéger. La démolition du Grand Canal, après une interruption à l'été 1794, est menée presque à terme ; l'immense pièce d'eau se retrouve ainsi asséchée, drainée, privée de ses bordures de moellons. Elle sera finalement cédée par lots et mise en pâture ! Car l'exploitation agricole des jardins d'agrément devient, signe des temps, une idée en vogue. Là encore, c'est Antoine Richard qui se précipite au chevet d'un patrimoine en péril imminent. « Il écrit, fait des mémoires qu'il adresse à la Convention, et pendant que l'Assemblée délibère, propose, tout en conservant le parc tel qu'il est, de le transformer en jardin de rapport, en cultivant les parterres en légumes et en les entourant d'arbres fruitiers [26]. » Ainsi le bel ordonnancement de Le Nôtre est-il mis à mal par ceux-là mêmes qui s'ingénient à le sauver d'une destruction plus complète encore. Chose

* D'abord envoyé à Versailles de septembre 1793 à janvier 1794 (nivôse an II), Charles Delacroix y remplira deux autres missions, de décembre 1794 (frimaire an III) à avril 1795 (germinal an IV) et en octobre de la même année (vendémiaire an IV).

incroyable : les parterres du Nord et du Midi, les Quinconces et les esplanades à chaque bout du canal vont se hérisser de centaines de pommiers ! Cette lubie va durer deux saisons, jusqu'en 1796 (an IV) ; puis on arrachera tout, et l'architecte Le Roy tentera de rendre aux perspectives leur élégance native...

Des déprédations moins autorisées se commettent par ailleurs dans le parc, et notamment dans ces bosquets que leurs gardiens attitrés sont incapables de protéger. Leurs collègues militaires ne sont guère plus efficaces. Début 1793, les effectifs de leur corps avaient été fixés à deux sergents, deux caporaux et seize hommes pour les rondes, tous issus de l'ancien régiment des Suisses, auxquels venaient s'ajouter huit hommes aux grilles du Grand et du Petit Parc, quatre à celles de Trianon, dix-sept à celles des jardins, cinq dans les appartements du château. Cette armée minuscule est en principe aux ordres de l'incontournable Le Roy. Le pauvre homme se plaint d'autant plus de l'indiscipline générale et de ses conséquences préoccupantes, notamment pour les bâtiments : « Je ne fais pas de tournée, que chaque fois je n'y découvre de nouveaux délits, se lamente-t-il dans une lettre au district d'octobre 1794 (vendémiaire an III). Aujourd'hui ce sont des portes crochetées pour enlever les serrures, demain ce sont des carreaux de vitres volés dans les corridors, d'un autre côté ce sont des portes entières garnies de leurs serrures que l'on enlève ; et par-dessus tout, une saloperie sans bornes [27] ! » Il semble bien qu'on entre alors à Versailles comme dans un moulin.

L'ennui, c'est que le château, quoique dépouillé de son propre mobilier, est alors loin d'être vide. En effet, depuis novembre 1793 (frimaire an II), il sert de dépôt central et unique pour le regroupement des œuvres d'art saisies par l'Etat à travers toute la Seine-et-Oise ! Il en arrive de partout, d'églises et de couvents, de demeures princières, de celles des émigrés et des condamnés... Les membres de la Commission départementale des Arts manifestent un dévouement remarquable. « Dès le premier jour, l'idée de conservation leur est acquise et, s'ils souffrent de voir certains objets maltraités, ils ne s'élèvent pas en censeurs du goût pour juger des objets liés aux courtisans ou à la “ tyrannie du despote ” ; ils veulent les conserver pour eux-mêmes, leur valeur et leur beauté propre [28]. » Aussi n'hésitent-ils pas à sillonner le département, souvent à leurs frais et par tous les temps, en vue de ramener à Versailles des chariots débordant de peintures, sculptures, fournitures et reliures de tout acabit. « A côté de pièces démeublées, de grands murs nus, privés des tableaux qui les garnissaient jadis, devait écrire l'avocat Paul Fromageot, on rencontrait une réunion hétérogène des objets les plus dissemblables : des piles énormes de livres superbement reliés, venant des bibliothèques royales ou princières, exposés aux dangereuses atteintes de l'humidité ; des collections minéralogiques, des objets du culte enlevés non seulement des églises de Versailles, mais de toutes les maisons religieuses du département ; des statues, des bustes et bas-reliefs de tout genre, gisant sur le sol, dans la poussière ; des armes, des modèles de bateaux, des instruments de musique rapportés d'un peu partout, comme le piano de la princesse Louise de Bourbon-Condé ; des tableaux grands et petits, bons et mauvais, envoyés de tous les châteaux voisins ; enfin, les innombrables objets mobiliers de toute nature séquestrés pour cause d'émigration, et déposés provisoirement dans les salles du palais [29]. »

Au milieu de ce capharnaüm, se distingue une étonnante collection d'histoire naturelle, fruit des lointains voyages d'un certain Fayolle, et que cet ancien commissaire de la Marine royale avait cédée jadis au comte d'Artois, pour l'édification de ses enfants. Ce cabinet de curiosités, confisqué chez le prince rue des Réservoirs, est revenu en quelque sorte à son fondateur. Car Fayolle, justement, est membre de la Commission des Arts ; et comme il est habile, il s'est arrangé pour obtenir, au palais, la garde de son ancien bric-à-brac. Mieux : en juin 1794 (messidor an II), le diable d'homme est parvenu à faire adopter par sa Commission l'institution, au sein même du dépôt départemental, d'un « muséum » dont il prétend diriger le conservatoire ! Les administrateurs du district souscrivent à son projet. Comprenant l'intérêt pour la ville d'un tel établissement, ils pressent même les commissaires d'en hâter la mise sur pied. De son côté, le représentant en mission va faciliter l'accès au futur musée, en faisant abattre la grille de l'ancienne cour royale et celles des Princes et de la Chapelle. Enfin le 3 août (16 thermidor), dans un accès de fièvre thermidorienne, le district arrête que le château ouvrira librement ses portes au public deux jours par décade, au moins pendant la belle saison. Ainsi le Muséum national de Versailles a-t-il vu discrètement le jour ; il ne demande plus qu'à trouver ses marques.

Un projet de février 1795 (ventôse an III) donne une idée de son déploiement au sein des bâtiments : les grandes statues iront nécessairement au rez-de-chaussée du corps central ; les bustes et les statues moyennes occuperont la Grande Galerie, les tableaux avec des meubles « concordant », le Grand Appartement et celui de la Reine. Une bibliothèque s'installera dans l'aile du Midi, côté jardins, avec les cartes et les dessins ; le cabinet cher à Fayolle, dans les anciens appartements de Mesdames, et un autre consacré à la physique, au premier étage de l'aile du Nord. Quant à la salle de l'Opéra, elle abritera « la Fête de la Jeunesse et toutes les autres fêtes de la commune qui ne peuvent avoir lieu en plein air ».

L'époque est en effet aux réjouissances imposées, et l'on ne sait quoi s'inventer pour remplacer les anciennes fêtes religieuses. Les trois premières célébrations chômées ont été « l'Anniversaire de la juste punition du dernier tyran », la « Fête de l'Unité et de l'Indivisibilité » et « l'Anniversaire du 14 Juillet ». Sept autres viendront s'y ajouter sous le Directoire — pour ne rien dire de festivités plus contingentes. A Versailles, quand elles ne prennent pas d'assaut la maison commune, ces fêtes se déroulent généralement dans l'Opéra de Gabriel, mais aussi dans l'ancienne Chapelle royale devenue temple civique, dans la grande cour du palais national et sur le pourtour de la pièce d'eau des Suisses.

Pour le troisième anniversaire de l'insurrection républicaine, le 10 août 1795 (23 thermidor an III), on autorise le public à visiter certaines salles du futur musée, et l'on fait jouer les eaux dans les jardins. Mais le Muséum national est en fait loin d'être présentable ; les retards s'y accumulent, surtout à la bibliothèque dont tous les fonds n'ont pas été rapatriés. Il faut dire qu'en ces temps de pénurie, le personnel de manutention manque d'ardeur ; et les responsables de déplorer une immense disproportion « entre le salaire accordé à ces travailleurs et celui qui leur serait, en ce moment, indispensable pour atteindre aux dépenses de leur alimentation »... Cela pousse les bras disponibles à « chercher des moyens de subsistance par des occupations mieux salariées » [30].

L'auteur de ce constat sans illusion n'est autre que l'homme fort du projet. En effet, en vertu d'un arrêté d'André Dumont, nouveau représentant du peuple, en date du 28 juin 1795 (10 messidor an III), le dénommé Hugues Lagarde a été affecté au palais certes comme bibliothécaire, mais avec pour mission explicite de coordonner les actions de ses collègues du Muséum. Ce Lagarde s'appelle en réalité Joseph Hugues de La Garde-Adhémar ; il possède des manufactures de savon dans le Midi, a doté sa fille assez richement pour l'unir à un Caraman ; il a même, avant la Révolution, présidé la Chambre des Comptes de Grenoble. Simplement, ayant vu son père arrêté et guillotiné, il a préféré prendre du champ et chercher refuge loin de chez lui... Nul ne sait comment il est entré en relation avec le représentant Dumont ; mais il faut croire que son caractère et ses compétences ont frappé le jeune conventionnel, puisque celui-ci l'a placé d'autorité à la tête du Muséum en difficulté.

Inutile de préciser que cette nomination n'est pas du goût de Fayolle, qui n'aura de cesse de combattre Lagarde et de contrecarrer son travail. Du moins s'impose-t-elle aux autres « commissaires-artistes » en charge des différents fonds : ce sont notamment Pillon pour la sculpture, Dammarin et Gazard pour la peinture, Lauzan pour le dessin et la gravure, Buffy, Paillet et Mayeur pour les livres, Péradon pour la botanique, Bèche pour la musique, Huvé, ancien inspecteur du palais, pour l'architecture [31]. A ce collège inégal, Lagarde a décidé d'adjoindre le meilleur connaisseur vivant des peintures décoratives du château, à savoir le vieux Durameau en personne. Ainsi cautionné, bientôt installé dans l'ancien appartement de Mme de Maintenon, le nouveau conservateur s'attelle à l'ouvrage. Quatre mois durant, il devra se débattre avec des embarras sans nombre, accrus par l'inertie d'une administration qui n'en est pas vraiment une. Le récit détaillé qu'il a en laissé dans son livre-journal, montre un homme passionné certainement, et sans doute armé des meilleures intentions, mais aux prises avec des obstacles quasi insurmontables.

Aussi bien, son maintien à la tête du Muséum de Versailles est-il conditionné par l'appui du représentant en mission. Sitôt Dumont remplacé — de nouveau — par Delacroix, la position de Lagarde s'effritera et deviendra intenable. Visé par des remontrances adressées au département de Seine-et-Oise par le puissant Ginguené, directeur de la Commission exécutive de l'Instruction publique, bousculé sans cesse par le nouveau représentant, et même dénoncé comme beau-père d'un émigré, Lagarde fait le dos rond. Il prépare sans broncher, comme on le lui demande, le transport au château d'un certain nombre de statues du parc, supposées souffrir des intempéries... Mais cela ne suffit pas. Le 25 octobre 1795 (3 brumaire an IV), à la veille de l'instauration en France du Directoire — et donc à quelques heures de son propre départ — Charles Delacroix, tout en créant au Muséum un corps de quatorze conservateurs égaux en pouvoir, rétrograde le citoyen Hugues Lagarde au poste de simple bibliothécaire. Aussitôt, celui-ci démissionne, suscitant un concert de louanges un peu tardif... C'est, comme il l'écrit lui-même, la fin de la « courte, pénible et orageuse administration » du premier conservateur en titre jamais nommé à Versailles.

Le choix de Bénézech

Pendant son bref mandat, Hugues Lagarde a trouvé le temps de réglementer l'accès au Muséum. Puisque les collections sont en cours d'aménagement, l'on n'admet encore dans les salles qu'un public de visiteurs munis d'une carte : artistes, érudits ou étudiants. Vingt-quatre gardiens, arborant tous une médaille distinctive, n'en veillent pas moins scrupuleusement au respect des consignes : les visiteurs sont priés de déposer cannes et bâtons au vestiaire, avec les manteaux, et de laisser les chiens dehors. L'entrée se fait par le vestibule bas de la Chapelle. Est-ce qu'on s'y bouscule ? En vérité, pas vraiment, le pouvoir d'attraction du Muséum restant limité.

Il semble que, dès cette époque, les curieux aient moins fréquenté Versailles par intérêt pour la nouvelle vocation des lieux que par nostalgie pour l'ancienne. Une lettre du Genevois Charles de Constant, datée de juin 1796 (prairial an IV), reflète à cet égard l'état d'esprit du public cultivé. Tout en reconnaissant la richesse d'un musée « arrangé avec goût », le voyageur helvète s'appesantit plus volontiers sur les parties reculées de l'ancienne habitation royale, tout empreintes encore des grâces d'autrefois. « Le goût et l'élégance des Petits Appartements sont parfaits, note Constant ; on y respire encore un air parfumé, qui rappelle la volupté et l'ambroisie qu'on y a goûtées une fois. Mais le silence et la solitude de ce lieu, l'air triste et morne de ceux qui le montrent, le contraste de ce qu'on y a vu et de ce qu'on y voit aujourd'hui, jettent dans l'âme une tristesse, une mélancolie dont on ne peut se défendre. Je me suis cru entouré d'ombres. » [32]

Les patrons du Muséum ne baissent pas les bras pour autant ; et leur ténacité forcerait l'admiration, s'ils n'avaient souvent les yeux plus gros que le ventre.. Car avant d'avoir pu digérer la masse d'œuvres et d'instruments déjà récoltée aux quatre coins du département, on les voit s'épuiser encore, sous l'aiguillon du pouvoir central, à combler leurs réserves de pièces arrachées ici et là, statues de Marly et de Saint-Germain notamment. Parfois, il leur faut disputer cette manne à d'autres prétendants ; particulièrement au frénétique Alexandre Lenoir, instigateur, à Paris, du musée des Monuments français, et prêt à tout pour se procurer un calvaire médiéval ou un mausolée de la Renaissance ! Comment s'étonner, dès lors, que les conservateurs versaillais s'essoufflent ? Sollicités sur tous les fronts en même temps, ils ne peuvent que s'épuiser — d'autant plus que leur traitement n'est même plus versé régulièrement ! Certains en sont réduits à tirer subside de cours dispensés tant bien que mal : ainsi Bèche enseignera-t-il la musique dans le foyer de l'Opéra ; ainsi Soyer montera-t-il, au rez-de-chaussée de l'aile du Nord, une « école du modèle vivant », où des apprentis dessinateurs viendront s'initier à l'ostéologie...

En fait, ces agents en difficulté attendent beaucoup de l'installation prochaine, au palais national, du fameux gymnase prévu dès 1793, et rendu nécessaire par la loi du 24 octobre 1795 (3 brumaire an IV) sur l'enseignement secondaire. Tous rêvent d'affilier la future Ecole centrale au Muséum ; surtout, ils espèrent qu'eux-mêmes pourront en assurer les cours. Hélas ! Ils vont déchanter en découvrant son organisation définitive. Installée dans l'aile nord des Ministres et garnie de mobilier provenant de l'ancien hôtel des Affaires étrangères, cette école dispensera bien des cours de dessin, d'histoire naturelle, de grammaire et de mathématiques, et même de droit ; mais elle les dispensera sans aucun concours extérieur ! Annoncée d'abord pour le 20 mai 1796 (1er prairial an IV), et repoussée finalement au 19 juin (1er messidor), son ouverture rend amers les conservateurs du Muséum : non seulement aucun d'entre eux ne figure au conseil d'administration, mais le corps enseignant leur demeure complètement étranger. Pis : on enjoint le Muséum de mettre une partie de ses collections à la disposition des jeunes élèves — ils sont âgés de douze à seize ans —, mais sans aucune contrepartie pour lui.

Devant le tollé général accueillant ces dispositions, le ministre de l'Intérieur, Pierre Bénézech, se sent obligé de réagir — mais pas forcément dans le sens attendu par les conservateurs ! Le 21 juillet (3 thermidor), il annonce la réorganisation du site « d'une manière plus simple et plus convenable » [33]. Tout d'abord la bibliothèque, ainsi que les cabinets de physique et d'histoire naturelle sont détachés du Musée et annexés à l'Ecole — en attendant leur fusion pure et simple dans celle-ci. L'on imagine la fureur du citoyen Fayolle et de quelques autres... Ensuite, ne sont maintenus en titre, à la tête du Musée, que les citoyens Durameau * et Duplessis, peintres ; Rolland, sculpteur, Le Roy, architecte ; et Dammarin, secrétaire commis. Enfin, et comme pour ôter toute illusion à ces rescapés, leur mission prioritaire sera la mise sur pied d'une ultime vente publique des trésors conservés au Garde-Meuble et dans les réserves.

* Emporté deux mois plus tard par une fluxion de poitrine, il sera remplacé par le peintre aixois Gebelin.

Cela s'appelle une douche froide ; et cependant, tout n'est pas perdu. Malgré cette abrupte entrée en matière, Pierre Bénézech va se révéler, en effet, providentiel pour le Muséum. Il faut dire que ce quinquagénaire connaît bien Versailles : en 1794 (an II), responsable de l'installation au Grand Commun d'une manufacture d'armes *, il avait obtenu, tout près, un logement de fonction qui n'était autre que l'ancien appartement de la comtesse d'Angiviller. Il a donc, juste avant d'accéder au faîte du pouvoir, vécu à l'ombre d'un château dont il a su goûter les beautés et les sortilèges. Ses décisions sur Versailles en profiteront largement.

L'idée du ministre de l'Intérieur est effectivement lumineuse : il s'agit pour lui de spécialiser le Muséum, afin de lui donner plus de cohérence et, partant, davantage d'attrait. Le vouer aux beaux-arts eût été, de ce point de vue, insuffisant ; à l'intérieur même de ce territoire, Bénézech choisit de mettre en avant le pré-carré de l'école française. Dans une lettre du 16 mars 1797 (26 pluviôse an V) adressée directement aux conservateurs, le ministre établit ainsi la ligne de partage entre les collections du Louvre et celles-ci : « Pour que le Musée central des Arts et celui de Versailles ne se nuisent point, qu'ils servent tous les deux au progrès des arts en général et de l'école nationale en particulier, afin qu'ils aient l'un et l'autre un caractère assez prononcé pour que la vue ou l'étude de l'un ne dispense pas de visiter et d'étudier l'autre, j'ai décidé que l'on formerait à Versailles le Musée spécial de l'Ecole française. »

---

* Ouverte au Grand Commun le 7 octobre 1793, et transférée à l'hôtel de Noailles en 1810, la manufacture d'armes de Nicolas-Noël Boutet devait acquérir une réputation mondiale, notamment pour ses armes d'honneur et de récompense, artistement gravées. Mais elle livra aussi de nombreuses armes de guerre. Ruinée lors des événements de 1815, la manufacture verra expirer sa concession trois ans plus tard.

Pierre Bénézech s'explique : « Le musée de Paris étant le Musée central des Arts et de la République contiendra de belles productions en tout genre et de toutes les écoles. Il aura aussi un choix de tableaux de notre école peu nombreux, mais bons, ce qui n'empêchera pas Versailles de faire une prodigieuse récolte, de posséder le centre et le grand ensemble de l'école, au point que ce ne sera que dans ce musée où l'on puisse en prendre une idée complète et qu'il faille aller l'y étudier. Le Brun, Le Sueur, Le Poussin, Jouvenet, Vernet, etc., y paraîtront avec une grande masse d'ouvrages. »[34] Un salon sera en outre réservé aux artistes contemporains vivants, de sorte qu'en parcourant le Musée spécial de l'École française, chacun puisse embrasser l'ensemble de la production nationale.

Force est d'admettre, après plus de deux siècles, que le choix de Bénézech, par l'adéquation du contenu au contenant, par l'accord intime des collections et du décor, devait s'imposer comme la destination la plus pertinente, jamais offerte au grand château. Il n'est d'ailleurs pas contesté sur le coup, et semble emporter une adhésion spontanée. C'est l'administration du Musée central qui sera chargée, avec le concours d'un jury d'artistes, de répartir les œuvres entre les deux institutions. Dès la première réunion, les conservateurs du Louvre fusionnent d'ailleurs avec les jurés, l'aréopage ainsi formé siégeant désormais sous la présidence de l'illustre Pajou. Trente-six séances ne seront pas de trop pour statuer sur l'affectation de cinq mille toiles, cent cinquante statues et trente-cinq tapisseries. Au final, le Louvre enverra près de six cents peintures et quatre-vingts sculptures à Versailles, qui ne lui adressera en retour que cent quarante tableaux et une trentaine de statues[35].

Au début, les conservateurs du Musée spécial sont comme tous leurs semblables : ils ne peuvent s'empêcher de regretter le départ pour Paris d'un certain nombre de fleurons, italiens notamment ; à plus juste titre, ils protestent aussi contre le décrochage de huit grands Poussin, enchâssés jusque-là dans les boiseries des cabinets du Conseil et de la Pendule. Ils iront jusqu'à s'accrocher, bec et ongles, aux antiques de la Grande Galerie... En revanche, tous sont heureux de voir entrer — ou rentrer — à Versailles, quelques morceaux de bravoure de l'art français ; et tous vont prendre plaisir à clouer certains Champaigne, certains Largillière, aux cimaises du grand siècle. Le nouveau conservatoire décidera de présenter au public un choix représentatif de quelque quatre cents chefs-d'œuvre. Bénéficiaires inattendus de l'acte d'autorité de Bénézech, les bergers de Poussin et les muses de Le Sueur se ménageront ainsi des vis-à-vis grandioses avec les héros autochtones des Audran, Houasse et autres Coypel... Dernière faveur du destin : le père de ce beau musée vivra tout juste assez longtemps pour fêter son ouverture au public, à la fin de 1801 (an X).

Par contre, Bénézech n'est déjà plus ministre lorsque Barras adresse, le 28 décembre 1797 (17 nivôse an VI), sa note sur Versailles au Conseil des Cinq-Cents et à celui des Anciens. Le sulfureux président du Directoire y presse le Législateur d'arrêter un parti définitif quant au sort du palais. Ainsi donc, et alors même que l'on vient de donner à l'ancien séjour royal une vocation neutre et honorable, il se trouve encore, dans les allées du pouvoir, des individus capables de réclamer sa destruction, au seul motif que « les ombres des tyrans semblent s'y promener encore » ! Barras, du moins, n'est pas de ceux-là ; « il faut l'avouer, concède-t-il, ce serait à regret que le Gouvernement verrait le vandalisme voter l'anéantissement de cet ensemble de chefs-d'œuvre, dont le goût et la liberté peuvent faire un emploi qui en épure l'existence ». [36]

Un certain Luneau de Boisjermain, inquiet néanmoins des risques encourus une fois de plus par le château, publie alors une brochure intelligente, qu'il intitule *Idées et vues sur l'usage que le gouvernement actuel de la*

France peut faire du château de Versailles. Ayant insisté sur l'intérêt artistique du monument, ainsi que sur la contribution de tout un peuple à son édification, il réfute les utilisations indignes qu'on peut en faire, et propose d'y réinstaller tout bonnement le Gouvernement — ce qui rendrait le site à sa vocation première, et lui restituerait son rayonnement naturel. « On a voulu que ce château fût un centre commun, argumente-t-il, où la curiosité conduisît tous les peuples de la terre, que tous vinssent y prendre le sentiment et l'amour du beau dans tous les arts. Versailles peut encore remplir ces grandes vues [37]. »

Mais à la vérité, M. de Boisjermain s'escrime en pure perte. Déjà, le Directoire abandonne du terrain, comme une marée descendante ; et la Révolution reflue avec lui. Le 9 novembre 1799 (18 brumaire an VIII), le général Bonaparte, en renversant par la force ce qu'il restait d'un régime en faillite, mettra un terme à cette période troublée. Versailles, alors, pourra passer dans d'autres mains — non sans l'intime fierté d'avoir su résister à la tourmente.

De cette Révolution terrible, mais dont le château n'aura finalement pâti qu'en surface, ne témoignera bientôt plus qu'un jeune chêne, planté tout seul au centre de la cour d'honneur, à l'emplacement des grilles abattues. C'est un Arbre de la Liberté que, pour le cinquième anniversaire du régicide, les administrateurs du Musée spécial ont mis en terre. A quelques pas de l'endroit où, huit années plus tôt, Louis XVI avait rejoint le carrosse qui devait l'emporter vers son destin, le peintre Gebelin, président en exercice, prononce un discours. « L'Arbre sacré de la Liberté, lance-t-il dans une grande envolée, dominera seul désormais sur le fastueux sommet de Versailles ; et sa tête sublime, s'élevant un jour jusqu'aux nues, frappera les regards de tous les habitants du monde [38]. »

La vision est romantique, déjà ; mais le jeune chêne n'aura jamais le temps de monter si haut.

2

Versailles et l'Empereur

Un peuple immense était placé sur l'amphithéâtre en demi-cercle qui fait face aux jets d'eau du Dragon. Au moment où ils étaient dans tout leur brillant, Leurs Majestés firent le tour du bassin en calèche. Je vis très bien ce spectacle qui me donna la sensation du grand.

STENDHAL.

Les installations successives, presque concomitantes, de l'Ecole centrale et du Musée spécial ont imprégné le palais d'un classicisme qui déteint même sur la ville. Une brochure imprimée à l'intention des étudiants peut ainsi vanter la quiétude et le recueillement d'une cité dont la population n'a cessé de décliner, pour se stabiliser, au tournant du siècle, aux environs de vingt et une mille âmes. « Quelle ville de France, quelle cité même de l'Europe présente la réunion de ce que l'architecture a de plus majestueux, la peinture de plus sublime, la sculpture de plus imposant ? Des promenades délicieuses, un air pur, l'urbanité des habitants, leur goût pour les beaux-arts tendent à faire de cette ville l'Oxford de la France [1]. »

C'est justement cette sérénité retrouvée qui attire sur Versailles l'attention des nouveaux maîtres. Pourquoi, se demande en particulier le Premier consul, les vétérans des guerres de la Révolution ne seraient-ils pas les premiers à jouir d'un tel calme, d'une telle beauté ? C'est décidé. Reprenant une vieille idée de la Convention, Napoléon Bonaparte résout, au lendemain du coup d'Etat, d'installer à Versailles une annexe de l'hôtel parisien des Invalides. Afin d'occasionner le moins possible de dégâts, ce sont les bâtiments les plus communs qu'il entend affecter d'abord à cette vertueuse destination. Les ailes des Ministres sont évidemment de ceux-là ; et les élèves de l'Ecole centrale vont y céder la place à des soldats estropiés au service de la République *. Le musée, en revanche, parce qu'il n'occupe que des appartements d'apparat, est maintenu tel quel ; il pourra, comme prévu, être ouvert au public à la fin de 1801 (an IX).

En avril 1800 (germinal an VIII), Jean Antoine Chaptal, ministre de l'Intérieur, vient en personne visiter les lieux, et juger des aménagement souhaitables. L'intention du Gouvernement est de loger au château quelque deux mille invalides de guerre, ce qui est considérable et inquiète à bon droit l'inspecteur des bâtiments. Mais à l'usage, les craintes de Le Roy se révéleront injustifiées : les soldats mutilés, peut-être intimidés par la richesse du cadre, se feront discrets et respectueux ; à leur départ, après deux ans, la presse locale pourra souligner leur parfaite correction, et l'absence de dégradations consécutives à leur séjour.

Il n'empêche : en affectant à un casernement militaire des lieux jusque-là dévolus, par la Révolution elle-même, à l'étude et aux arts, le nouveau pouvoir vient de dévoiler son essence. Comme d'habitude, Versailles tend un miroir aux élites dirigeantes ; or

---

* L'Ecole centrale du département va s'installer alors, avec la bibliothèque publique, dans cet hôtel des Affaires étrangères qui, sous la Révolution, avait abrité le district.

l'image qu'il renvoie des gouvernants de l'heure est empreinte d'une rigueur martiale inédite en ce pays.

Reprise en main

Ce n'est pas le moindre des paradoxes qu'en rétablissant l'ordre en France le régime consulaire y ait ramené les plaisirs. Au château, cela se traduit par la réouverture d'une salle de comédie jadis aménagée pour Marie-Antoinette dans l'aile Gabriel, et ornée de trompe-l'œil de Hubert Robert et de Jean-Louis Lagrenée. Une fois de plus, l'intention des gouvernants est de « consoler l'intéressante commune de Versailles des pertes que lui a causées la Révolution ». Ainsi les comédiens-français retrouvent-ils une salle où ils ont eu, en d'autres temps, mainte occasion de briller. Ils vont y lancer la saison le 15 octobre 1800 (23 vendémiaire an IX), en donnant la *Zaïre* de Voltaire devant Chaptal, avec Mlle Volnais dans le rôle-titre et Larive dans celui d'Orosmane.

Autre réjouissance bien versaillaise, et qui refait alors surface : celle des eaux jaillissantes qui, en dépit des circonstances, n'avaient jamais vraiment disparu. Sous la Révolution, on avait pu voir le représentant du peuple Crassous faire jouer certaines fontaines pour ses amis ; puis les ambassadeurs de la Sublime Porte s'extasier, en 1797 (an V), du spectacle des eaux sur la perspective. Cependant, les déprédations et le manque d'entretien ont eu raison, surtout dans les bosquets, de nombreux mécanismes ; certaines fontaines se sont trouvées endommagées ; et ce n'est qu'après une révision générale que l'on a pu envisager la reprise timide des « grandes eaux ».

Le maire en a fait l'annonce pour le 19 juillet 1801 (30 messidor an IX), date consensuelle puisqu'elle tombe à la fois un dimanche et un décadi. Tout de suite, le public répond à cette initiative — et pas seulement le public indigène : plus de cinq mille voitures se bousculent aux barrières de la ville ! L'encombrement des chaussées sera tel que certains Parisiens, repartis de Versailles à six heures, ne retrouveront leurs pénates qu'à quatre heures le lendemain matin ! Devant cet engouement, une autre représentation est organisée dès le mois suivant ; elle remporte un nouveau triomphe. Y assistent, cette fois, « le cardinal Consalvi, envoyé du pape auprès du Gouvernement ; Mgr Spinola, archevêque de Corinthe ; Braschi, neveu du défunt pape Pie VI, et le curé Bernier, l'un de ceux qui ont le plus contribué à la pacification des départements de l'Ouest »[2]. La présence de ces dignitaires ecclésiastiques à un divertissement populaire n'est en rien fortuite ; en ces temps de réouverture des églises au culte, il s'agit, pour la hiérarchie catholique, d'encourager les autorités à renouer le plus possible avec les traditions. Or Versailles représente, de ce point de vue, un enjeu hautement symbolique.

Ainsi, au fil des spectacles et des fêtes, le château retrouve-t-il un peu de cette joie de vivre qui l'avait quitté. Les visiteurs ne s'y trompent pas, qui prennent d'assaut, depuis peu, l'hôtellerie fondée par le citoyen Rimbault dans l'ancien hôtel du Gouvernement, rue des Réservoirs. Un petit guide est publié à leur usage, à partir de 1804 (an XI) : le *Cicérone de Versailles*, où se trouvent détaillées les curiosités de la ville et du domaine. L'afflux de « touristes » engendré par la paix de Lunéville avec l'Autriche, puis surtout par celle d'Amiens avec l'Angleterre, mêle à ce mouvement une touche cosmopolite des plus opportunes. Ajoutons au tableau la désinvolture de « conductrices » qui, selon un rapport établi par Lauzan, recrutent « dans le parc des ouvriers sans bas ni souliers, des " bonnes " avec leurs enfants, qu'elles menaient au musée malgré eux, moyennant quelque menue monnaie extorquée par la force »[3] !

De nombreux voyageurs ont laissé des relations de leur passage à Versailles à cette époque. C'est notamment le cas de l'Ecossais Lemaistre dont l'érudit Mareuse, un siècle plus tard, devait traduire la vision taciturne du palais : « Ce magnifique édifice n'a pas du tout souffert pendant la Révolution ; néanmoins, par suite du défaut d'entretien et n'étant plus habité, il conserve un caractère de tristesse qui rappelle forcément les malheurs de ses derniers propriétaires et la fragilité des grandeurs humaines. » Et plus loin : « Nous avons parcouru une longue suite de pièces qui étaient autrefois le siège de la gaieté, de la splendeur, du luxe et de la magnificence royale, et qui sont devenues maintenant le séjour de la solitude et le témoignage de la grandeur déchue. »[4] François-René de Chateaubriand se montre à la fois plus optimiste et moins convenu quand, la même année 1802, il note dans une page grandiloquente de son *Génie du christianisme* : « Ce palais, qui lui seul est comme une grande ville, ces escaliers de marbre qui semblent monter dans les nues, ces statues, ces bassins, ces bois, sont maintenant ou croulants, ou couverts de mousse, ou desséchés, ou abattus, et pourtant cette demeure des rois n'a jamais paru ni plus pompeuse, ni moins solitaire. Tout était vide autrefois dans ces lieux ; la petitesse de la dernière cour (...) semblait trop à l'aise dans les vastes réduits de Louis XIV[5]. »

La grandeur intrinsèque de Versailles : voilà qui serait susceptible d'y attirer le Premier consul, devenu consul à vie le 4 août 1802 (16 thermidor an X), et qu'une étrange pudeur tient éloigné du domaine des rois. L'architecte Huvé, en 1803 (an XII), va suggérer de refaire les façades côté ville, ce qui donnerait, pense-t-il, « plus de dignité à l'ensemble », et le rendrait digne d'héberger le nouveau maître... Mais en fait, tant que Bonaparte ne jouit pas nommément du pouvoir souverain, il ne s'intéresse au palais que de loin. Il faut attendre mai 1804 (floréal an XII) et son accession, par la volonté du Sénat, à la dignité impériale, pour qu'il daigne s'occuper de cette dotation de la liste civile — au reste, calquée sur celle de 1791. Alors seulement, un gouverneur militaire est nommé à Versailles, en même temps qu'un régisseur du domaine.

C'est le 1er novembre de la même année (10 brumaire an XIII) que le général Duroc, promu grand maréchal du Palais, prend officiellement possession de Versailles au nom de l'Empereur. La désignation d'un nouvel architecte attendra quelques semaines encore ; le 13 décembre seulement (22 frimaire), Guillaume Trepsat, chargé déjà des Invalides, est nommé à Versailles en remplacement du malheureux Le Roy, évincé. Par ce choix, le nouvel Empereur a surtout voulu dédommager un homme qui avait laissé une jambe, quatre ans plus tôt, dans l'explosion, rue Saint-Nicaise, de la « machine infernale » armée contre lui. Trepsat, d'ailleurs, paiera cher ce geste d'hommage impérial ; il mettra des années à comprendre que, dans l'esprit de Napoléon, il n'est jamais qu'en titre l'architecte de Versailles.

Au tout début de 1805, un événement marquant vient sanctionner la reprise en main de la demeure royale, devenue impériale. Le pape Pie VII, séjournant en France à l'occasion du couronnement qu'il vient de célébrer à Notre-Dame, a émis en effet le souhait de découvrir Versailles. Il s'y présente en grand équipage le jeudi 3 janvier (13 nivôse), escorté d'un piquet de la garde impériale, et entouré, depuis Sèvres, d'un peloton nombreux de cuirassiers et de dragons. Vers onze heures, au milieu des acclamations d'une cité en liesse, le Saint-Père atteint l'église Saint-Louis, érigée en cathédrale depuis quatre ans, afin d'y entendre le discours de bienvenue de Mgr Charrier de La Roche, et d'y assister au Salut. Puis, ayant reçu, dans les appartements de l'évêché (alors au coin de la rue d'Anjou), tous les corps constitués de la ville, le pape enfin peut se rendre au but véritable de sa visite : la demeure des derniers rois de France.

Plusieurs centaines de personnes se sont entassées dans le Grand Appartement pour y voir Pie VII de plus près, et tenter de baiser l'anneau papal. Le souverain pontife, ayant pris du repos dans l'ancien appartement privé du Roi, se fait alors coiffer de la tiare et revêtir des ornements pontificaux ; puis il entre en majesté dans la Grande Galerie et se dirige lentement vers le balcon du milieu, dont les vantaux vitrés se trouvent déjà grands ouverts. En le voyant apparaître à la balustrade de l'avant-corps, la foule massée sur la terrasse tombe à genoux comme un seul homme. Alors, dans les rayons déjà déclinants du soleil hivernal, le Saint-Père bénit ces hommes, ces femmes et ces enfants prosternés devant ce qu'il représente ; et le pape de s'exclamer, tout ému, en rentrant dans la galerie : « Est-ce là ce peuple français que l'on disait si irréligieux ? »

Gondouin sollicité

Deux mois après cet important pèlerinage, Napoléon se présente enfin sur les lieux, le 13 mars (22 ventôse). Visite privée, visite éclair, venant de Malmaison où il réside depuis fin février. C'est qu'avant de partir pour le couronnement d'Italie, l'Empereur a souhaité voir le domaine, et notamment ces Trianons dont il envisage la remise en état immédiate, et ces fameux jardins auxquels il entend restituer leur canal et leurs principaux bosquets. Il y revient huit jours plus tard avec l'impératrice, et donne en ce sens des ordres à Guillaume

Trepsat. Un concierge, Lagrange, protégé de Joséphine, est nommé dans la foulée.

Soucieux de se montrer entreprenant, Trepsat se lance alors, en plein accord avec M. de Fleurieu, intendant général de la Maison de l'Empereur, dans la réparation des statues du parc les plus abîmées. Mais le pauvre homme n'est pas assez bien en cour pour prendre la mesure des véritables intentions du souverain. Notamment, parce qu'il ne dispose pas de crédits suffisants, il n'ose s'attaquer au palais lui-même, à ses toitures, à ses corniches, à ses murs en mauvais état. S'il fréquentait davantage les hautes sphères, il saurait que l'Empereur, conforté par la victoire d'Austerlitz et le traité de Presbourg, nourrit pour ce palais des ambitions autrement sérieuses.

Ainsi Napoléon va-t-il, dès février 1806, charger Pierre Daru, le nouvel intendant général, de passer commande de soieries pour Versailles, « afin de n'être pas pris au dépourvu si l'on se déterminait à l'habiter. Si l'on commence à s'y mal établir, précise le grand stratège, il en coûtera des sommes immenses et l'on n'y sera jamais bien. En s'y prenant longtemps à l'avance, on peut éviter ces inconvénients ». [6] Heureux de relancer l'activité des manufactures lyonnaises, Daru commande aussitôt les plus riches étoffes, et notamment un brocart or et cramoisi à feuilles de chêne et de laurier, destiné à la salle du Trône (l'ancien salon d'Apollon). Cependant il se garde bien d'engager l'architecte à restaurer les bâtiments : une telle tâche lui paraît démesurée pour cet homme invalide ; il propose d'y affecter plutôt une commission de sept architectes-experts, chargée de proposer des solutions et d'en chiffrer le coût. Peu favorable à ces méthodes collégiales, l'Empereur, à son habitude, ne va pas tarder à trancher dans le vif. Le 11 mars 1806, il charge un consultant extérieur de lui établir, seul, des devis pour la remise en état des maisons et du parc.

Sur qui s'est donc portée, cette fois, la faveur impériale ? L'heureux élu est un homme de soixante-dix ans, peut-être vert pour son âge mais plus très actif... Seulement Jacques Gondouin jouit d'une réputation étonnante ; ancien élève de Blondel, c'est lui qui, dès 1769, prônant parmi d'autres un « retour à l'Antique », en avait imposé les canons dans ses plans pour l'école de chirurgie de Paris. Autant dire que le choix de l'Empereur est tout sauf gratuit : en confiant Versailles à Gondouin, Napoléon manifeste clairement son désir de voir l'esprit gréco-romain l'emporter sur d'autres traditions de l'architecture française ; il entend qu'un « bon goût » à la David vienne corriger ce qui, à l'époque, passe pour le « goût perverti » de Le Vau et d'Hardouin-Mansart !

Or, Gondouin est mieux informé que son collègue Trepsat... Averti dès le 1er mars de sa bonne fortune, il a eu le temps d'établir deux ébauches de projets, qu'il fait parvenir au maître dès le lendemain de sa nomination officielle. La version économique comporterait, côté ville, la construction d'un théâtre en pendant à l'aile Gabriel, et la réfection de la cour royale, devenue impériale, dans un style néoclassique à colonnes. Le rez-de-chaussée du corps central serait réservé à l'Empereur, bureaux côté cours, appartements privés côté jardins. L'impératrice serait installée quant à elle dans l'appartement des reines, et le Grand Appartement retrouverait, dans une conception fort classique, son rôle d'appartement de parade de l'Empereur. Il s'agirait, du reste, de « rendre au palais de Versailles son premier éclat tel qu'il était sous Louis XIV » [7]. Une autre version, plus onéreuse, propose en outre des cours intérieures vitrées et des appartements plus étoffés pour les services d'une Cour impériale en pleine expansion.

Notons que ce premier projet réserve encore une place au Musée spécial de l'Ecole française, qu'on réinstallerait dans l'aile du Midi. Depuis cinq ans, pourtant, la création de Bénézech a subi les pires avanies ; ses richesses ont été pillées pour la décoration du palais des sénateurs au Luxembourg, de celui du chef de l'Etat à Saint-Cloud, et de toutes sortes de maisons civiles ou religieuses à Paris et en province. Plus le temps va passer, d'ailleurs, et plus le musée de Versailles sera considéré comme une réserve où puiser à loisir... Près de cent toiles majeures en seront ainsi soustraites en dix ans ; autant dire qu'à ce rythme, il n'en restera finalement pas grand-chose.

Dans son programme initial, Gondouin n'a pas négligé le domaine, et notamment le Grand Commun, l'Orangerie et le Petit Parc. « Le bosquet des Trois Fontaines, dont les conduites avaient été fondues ou volées, devait être supprimé ; celui de l'Arc de Triomphe privé de ses plombs, fondus en 1793, puis de ses marbres transportés en magasin durant l'an XIII, et qui servait de jardin au préfet logé depuis 1800 au Garde-Meuble, perdait sa dernière parure : la « Minerve » — lisons la France triomphante — destinée à un endroit plus en vue ; l'Ile Royale était comblée [8]. » Dès le 25 févier 1806, au reste, a commencé la reconstitution partielle du domaine : l'achat de la ferme de Galie et de Chèvreloup sera suivi de celui de la ferme de la Ménagerie, naguère offerte à Sieyès à titre de récompense nationale.

En fin de compte, pour l'ensemble des travaux projetés, l'estimation de l'architecte se monte à environ vingt-six millions, hypothèse basse, dont un million et demi pour les eaux. Napoléon, bien sûr, suit tout cela de près. Dès le 19 mars, il fait prier Gondouin de pousser son étude sur ces bases mêmes. Le vieil architecte n'a dès lors plus le choix : il doit se rendre physiquement à Versailles, afin d'y mener une enquête sur le terrain. On l'y trouve dès la semaine suivante, en butte évidemment à l'hostilité d'un Trepsat blessé dans son amour-propre, et bien décidé à lui compliquer la tâche. Aussi les investigations de Gondouin seront-elles menées dans un climat de tension, que rendra plus pénible encore un financement malaisé. A partir de janvier 1807, en effet, dans le contexte soudain moins favorable de la formation de la Quatrième Coalition contre la France, les fonds réservés au Comité consultatif des bâtiments seront gelés ; et l'architecte en sera réduit à devoir avancer lui-même les sommes dues à ses collaborateurs.

Les considérations financières forment, du reste, le principal souci de Gondouin. Son estimation du coût des travaux se révèle difficile, aléatoire ; l'homme d'expérience, en lui, sait bien que chaque opération pourrait s'alourdir de restaurations rendues de jour en jour plus pressantes. Appuyant sur ce point sensible, Trepsat se fait un plaisir, en juin 1807, de dresser un alarmant rapport de sécurité publique, à propos de toitures et de corniches menaçant ruine en divers endroits.

Finalement le 2 octobre, après dix-huit mois d'un travail acharné dont les conclusions remplissent une cinquantaine de volumes in-4°, Jacques Gondouin se déclare en mesure de présenter à l'Empereur un projet complet, fiable et détaillé. Par chance, la situation politique s'est de nouveau éclaircie, grâce au traité de Tilsit avec la Russie et à celui de Fontainebleau avec l'Espagne. C'est justement dans ce dernier palais, et quelques jours seulement après la signature, que le consultant est reçu en audience privée. L'Empereur lui consacre quatre heures bien pleines, en présence du célèbre Pierre Fontaine, architecte attitré de l'Empire et conseiller tout-puissant sur ces matières. Officiellement, la prestation de Gondouin est un succès, auquel Napoléon daigne applaudir ; en vérité, Fontaine n'a pas été convaincu. Naturellement méfiant envers ce palais de Versailles qu'il traitera, dans ses *Mémoires*, de « favori sans mérite », le fondateur du style en vogue pense pouvoir, à moindres frais, proposer une solution plus simple et plus belle.

Quatre jours seulement après l'audience cruciale, Fontaine se fait donc transmettre le dossier complet, auquel on a joint tous les plans établis, au XVIIIe siècle, pour le « grand dessein ». On a même glissé dans cette liasse un projet que Trepsat, tenace, a tenu à transmettre. A partir de ce matériau composite, le maître se fait fort d'établir une synthèse — mais une synthèse à trop bon marché pour satisfaire l'Empereur. Est-ce à dire que le programme de Gondouin est sauvé ? Pas davantage. Le vieil architecte, enfin payé et même gratifié sur le budget de 1808, ne verra jamais prendre corps ces plans qu'il s'était donné tant de peine à concocter... Son projet, comme celui de Fontaine, est enterré.

Les douceurs de Trianon

Au printemps de 1805, ayant à définir l'affectation de Trianon, c'est à sa mère qu'a d'abord songé l'empereur. Letizia Bonaparte, née Ramolino, vient alors de rentrer d'Italie, où elle avait suivi un temps son fils Lucien, disgracié. Le nouveau protocole l'affuble désormais du prédicat d'Altesse impériale, avec le titre de Madame, et lui réserve une Maison constituée. Mais son ambition, soutenue par un entourage corse des plus revendicatifs, ne se satisfait pas d'appellations : outre l'hôtel de Brienne, à Paris, que lui a cédé Lucien, Madame mère entend disposer bientôt d'un palais national où passer la belle saison. L'Empereur lui attribue donc le Grand Trianon, où des travaux ont été menés prestement. Trepsat vient de fermer de vitres le péristyle reliant les deux corps, et il achève la rénovation intérieure de l'aile de gauche en entrant, dite du Dauphin.

Le 6 mai (16 floréal), alors que la Cour est à Milan pour le couronnement d'Italie, Madame vient en personne inspecter à Trianon le logement qu'on prépare en son honneur. D'entrée, tout lui déplaît. « Sa chambre à coucher lui paraît d'une incommodité notoire, note son secrétaire ; il n'y a point de cabinet de toilette contigu, et les femmes de service sont beaucoup trop éloignées. On ne peut parvenir au salon qu'en traversant la chambre à coucher ou en passant par les garde-robes. » Rien ne trouve grâce aux yeux de Son Altesse impériale : les chambres de ses dames donnent directement sur la cour par des portes vitrées, les salons sont pleins de courants d'air, leur orientation au nord est lugubre — en réalité, les salons en question sont orientés au midi et au couchant... Bien ennuyé, l'intendant général Fleurieu transmet ces doléances à l'Empereur, en Italie. La réponse ne se fait pas attendre : « Monsieur Fleurieu, dicte Napoléon, on a indisposé Madame contre le logement qui lui a été préparé dans l'aile dite du Dauphin du Grand Trianon, qui est cependant la partie la plus convenable de ce palais ; je lui ai écrit dans ce sens ; j'espère qu'elle le sentira. Faites venir le secrétaire de ses commandements et dites-lui qu'une partie de ses observations est ridicule, qu'on n'occupe pas un palais comme une petite maison, qu'il faut le prendre tel qu'il est [9]. » Ainsi Mme Bonaparte devra-t-elle se contenter d'une résidence estivale que tant de rois, avant elle, avaient trouvée délicieuse... Avant même qu'elle ait eu, cependant, le temps de s'y accoutumer, une missive de l'Empereur, datée du 24 juin (3 messidor), l'institue propriétaire, à Pont-Saint-Esprit, de l'ancien château du prince Xavier de Saxe ! « Je désire que vous voyiez dans ce que j'ai fait, écrit le fils attentionné, une nouvelle preuve de mon désir de vous être agréable. » [10]

Déjà dans le but de complaire à sa mère, l'Empereur avait attribué le Petit Trianon voisin à Pauline, la fille préférée de Letizia, et réuni leurs deux jardins par un petit pont qui enjambe désormais le chemin creux. Il a fallu, pour installer la princesse, résilier le bail de l'aubergiste, et tout remettre en état. Du moins la sœur ne partage-t-elle pas les réticences de la mère ; l'ancien séjour de Mme Du Barry puis de Marie-Antoinette, convient à merveille à cette jeune femme raffinée qui se calfeutre à plaisir dans sa jolie maison — les mauvaises langues soutiennent qu'elle y cacherait un mal honteux.

En tout cas, c'est là que l'Empereur lui rend visite, le 17 juillet (28 messidor), retour d'Italie. Il veut sans doute lui annoncer lui-même l'affectation à Boulogne, aux grenadiers de la Garde, de son nouvel et non moins encombrant mari, le prince Camille Borghèse. Frédéric Masson * devait donner ce raccourci de la visite impériale : « Les dames et les officiers qui tiennent la table dans la salle à manger, s'affolent en apercevant au milieu d'un nuage de poussière, un escadron de guides. “ C'est l'Empereur ! ” Tous s'envolent pour faire toilette ; on enlève le couvert ; mais, sur une console de l'antichambre, on oublie un huilier. “ Pas d'ordre ici, l'argenterie traîne ”, dit l'Empereur. On a cru qu'il allait entrer chez la princesse qui occupe le tiers entier du bâtiment à droite, point ; il traverse la salle à manger, sort sur le parterre des orangers et se dirige vers le Grand Trianon. L'impératrice, les dames, les grands officiers, les officiers suivent en courant, traversent le palais en acrobates, filent aussi vers le Grand Trianon. L'Empereur y rencontre Trepsat (...), regarde tout, voit tout, trouve tout si fort à son gré qu'il annonce à l'architecte une gratification de huit mille francs [11]. » Puis Napoléon revient causer avec sa sœur. Joséphine suit

* Le grand ami de Nolhac, historien chevronné de l'Empire, prononça une conférence mémorable dans la salle à manger de Trianon, en juin 1910.

comme elle peut ; ne voulant pas troubler l'entrevue qui se tient au petit salon, elle tente de se faire ouvrir la porte donnant directement sur le grand — en vain : sa belle-sœur l'a fait clouer par crainte des courants d'air... Joséphine n'insiste pas, elle s'assied dans un coin. « L'Empereur sort là-dessus, ne comprend rien à cet imbroglio, mais voit l'impératrice assise sur une escabelle d'antichambre, et cela le met si terriblement en colère » qu'il invective en italien l'intendant de la princesse, David de Thiais, qu'il a pris pour un transfuge du palais Borghèse. Le pauvre homme s'excuse en français. « Vous n'êtes donc pas italien ? — Non, sire. — Eh bien, vous êtes un imbécile. »

L'Empereur repassera la semaine suivante, après une inspection à Saint-Cyr, et en profitera pour préciser ses directives : « Mon intention, écrit-il à propos du petit domaine de la feue reine, est qu'il soit parfaitement arrangé, que la salle de spectacle, les petites maisons de rendez-vous, les jardins soient bien entretenus, et surtout les eaux qui sont le principal agrément de cette campagne. » Les parcs de Trianon et de Versailles retrouvent ainsi, peu à peu, leur beauté, au point qu'on n'hésite plus à les faire visiter aux hôtes de marque de la France ; c'est le cas, notamment, de souverains ralliés à la Confédération germanique, comme la reine de Westphalie, en 1807, et le roi de Saxe, en 1809. Cependant, Napoléon ne songe pas encore à résider lui-même en ce « lieu fort joli ». Son premier séjour à Trianon, il ne le fera qu'en décembre 1809 ; encore y faudra-t-il des circonstances très particulières.

Pour les raisons dynastiques que l'on sait, l'Empereur vient alors de répudier Joséphine, qu'il continue d'aimer néanmoins... Elle s'est retirée à Malmaison. Afin de rester à proximité sans pour autant s'installer à Saint-Cloud, trop chargé de souvenirs, Napoléon décide que l'on passera les fêtes de Noël au Grand Trianon. Lui-même s'installe dans l'ancien appartement de Mme de Pompadour, décoré à grands frais pour l'occasion ; et toute la famille est du voyage. Masson : « Pauline y mène la beauté de Mme de Barral, la grâce de Mme de Chambaudouin, la tête sans corps de Mme de Mathis ; Caroline, qu'accompagne la duchesse de Cassano, y porte l'éclat strident de son rire ; Madame, sa noblesse d'attitude ; Jérôme, ses enfantillages ; Murat, ses complaisances et ses rodomontades, et Louis se tient lui-même obligé d'y conduire sa mélancolie, ses inquiétudes et ses désespérances. » Un cénacle choisi accompagne la famille impériale, et chaque jour, de Paris, accourt tout ce que les Tuileries comptent d'entrées officielles... Cela crée les pires encombrements, dans une demeure bâtie jadis pour l'intimité.

Rongé par le remords, l'Empereur entretient avec la Malmaison un échange permanent, par écuyers et pages interposés. Il tente de tromper son chagrin en arpentant les jardins, en jouant aux cartes, en chassant... Enfin, le 25 décembre, il obtient de Joséphine qu'elle vienne dîner à Trianon, avec ses familiers. L'atmosphère est pesante, mais chacun tient son rôle. Et dès le lendemain, Napoléon rentre seul à Paris. Du moins ce séjour a-t-il eu le mérite de hâter les derniers aménagements du Grand Trianon. En mai 1810, Stendhal, protégé de Daru, viendra les visiter. Il en rapportera un sentiment mitigé : « Les Trianons sont jolis, confiera-t-il à son *Journal* ; rien de triste, rien de majestueux. Les ameublements ne sont pas assez beaux pour un souverain qui veut jouer ce rôle, ils manquent quelquefois de la commodité que rechercherait l'homme voluptueux en quittant l'habit de souverain [12]. » L'essentiel est que l'Empereur s'en arrange.

Or, six mois après son triste Noël, le 28 juin, Napoléon est de retour — cette fois au bras de sa nouvelle épouse, Marie-Louise de Habsbourg-Lorraine, fille de l'empereur d'Autriche et petite-nièce de Marie-Antoinette !

Tout de suite, la jeune souveraine s'éprend de ces lieux qu'on lui a dits si chers à sa légendaire parente. Elle y décèle un charme germanique propre à lui rappeler certains séjours de son enfance. « C'est un très petit château de chasse, écrira-t-elle à son père, mais qui ressemble un peu au Laxenburg, et vous pouvez facilement vous imaginer, mon cher papa, que tout ce qui me le rappelle me réjouit infiniment [13]. » Napoléon aime à voir heureuse la nouvelle impératrice ; et il s'ouvre à son tour aux douceurs de Trianon. Le couple impérial y revient dès le 2 août, pour une autre semaine de plaisirs, avec représentations le soir au petit théâtre, chevauchées dans ce qu'il reste du Grand Parc, dîners pittoresques dans les différentes maisons villageoises, et même une représentation des frères Franconi, dans un cirque en plein air installé exprès ! Marie-Louise y applaudit notamment aux évolutions d'un cerf dressé, appelé Coco... Elle apprécie beaucoup le petit domaine de sa grand-tante, qui est maintenant le sien, et prendra prétexte de séjours à Saint-Cloud pour y revenir dès que possible.

Le 10 juillet 1811, d'ailleurs, Leurs Majestés sont de retour à Trianon, pour treize nouvelles journées, en tout petit comité cette fois ; elles vont y mener une vie reposante « avec le dîner servi tour à tour dans les fabriques du Hameau, les promenades en calèche dans les jardins où jouent les grandes eaux, les courses à cheval dans les bois, les parties de billard avec la dame d'atours qui y excelle, les promenades en gondole sur le Grand Canal et, pour finir la soirée, le jeu de loto, le jeu que Marie-Louise aime par-dessus tous les jeux et où doivent, bon gré, mal gré, se passionner toutes les dames [14] ». S'éloigne-t-on un moment ? C'est pour mieux revenir : dès le 24 août, les souverains couchent encore au Grand Trianon ; le lendemain, pour la Saint-Louis, fête de l'impératrice, des festivités importantes ont été prévues dans le parc de Versailles. Stendhal est revenu, ce jour-là, exprès pour assister aux grandes eaux. Il se tient dans la foule, du côté du bassin du Dragon, en surplomb de celui de Neptune, et voit passer la calèche impériale. « Tout le monde s'empressait pour voir Leurs Majestés et pour crier : Vive l'Empereur. Je vis très bien Sa Majesté qui était tête nue. C'est pour la première fois de ma vie que j'ai vu jouer les eaux de Versailles. » D'abord saisi par ce spectacle qui lui donne « la sensation du grand », l'esthète éprouvera, plus tard, le besoin d'ajouter de sa main sur une copie du *Journal* : « Tout cela m'a semblé plat, petit, ennuyeux. » Préjugé, convention, dépit ?

Il est vrai qu'Henri Beyle n'est pas des illuminations données, le soir même, dans les jardins de Trianon : parterres éclairés de verres de couleur, pavillon redessiné en lignes de feu, allées couvertes de tapis, ifs enflammés, arbres illuminés, lac du Hameau constellé de barques de lumière... L'on se croirait revenu trente ans en arrière, quand la reine faisait aux hôtes de la France les honneurs de son séjour enchanteur. Comme à l'époque, des crédits sans limite sont du reste affectés à l'entretien de Trianon : le boulevard de la Reine, devenu celui de l'Impératrice, est ainsi prolongé jusqu'à la perspective ; les treillages et les caisses d'orangers sont refaits à neuf ; suprême raffinement : une flottille neuve est reconstituée à partir des vestiges de l'ancienne, et depuis l'embarcadère entièrement refait de Trianon, l'on peut désormais sillonner le canal sur une galère éblouissante, baptisée bien sûr *Marie-Louise*...

Dufour à pied d'œuvre

Dès avril 1806, pendant que Gondouin préparait un remaniement complet du palais, l'Empereur s'était offert des incursions ponctuelles dans les jardins, afin d'y contrôler certains travaux menés sur des bassins et des fontaines. Le 11 mars 1808, alors qu'il vient de renoncer aux projets plus ou moins dispendieux qu'on lui a présentés, il décide d'expertiser lui-même ces bâtiments qui, dans son esprit, demeurent le grand legs de Louis XIV. Il met pied à terre, en revenant d'une chasse sur les arpents recouvrés de Chèvreloup, au bas des Cent Marches, et entame une inspection en règle. Fidèle à son habitude, il observe l'ensemble, s'intéresse au détail, prend en note une masse d'informations. Devant l'ampleur de la tâche, il accepte de s'y reprendre à deux fois, et revient à la fin du mois pour donner, cette fois, le sentiment de tout connaître.

Or, à l'issue de ces deux visites, le point de vue de l'Empereur sur Versailles a changé. Il lui paraît évident, désormais, qu'avant de songer à construire ici de nouveaux édifices, il convient de consolider ceux qui sont en place. Trepsat jubile. Les ordres impériaux vont entièrement dans son sens ; ils concernent autant le plomb d'une toiture ou le marbre d'une colonne, que des gonds de portes ou des entrées de serrures. Et l'architecte d'exécuter ces directives avec zèle... Six mois plus tard, Napoléon, de retour des fêtes d'Erfurt qui l'ont vu parader avec le tsar devant un « parterre de rois », vient constater les améliorations accomplies. Plus pragmatique alors que ses conseillers, il envisage tout bonnement de faire rafraîchir la décoration intérieure du palais, en vue de l'occuper tel quel, sans autre transformation. Un devis « léger » de trois millions sept cent mille francs est établi dans ce sens, qui réserve un bon dixième à la restauration du décor peint, sous la houlette du peintre Boisfremont.

Mais une fois de plus, les travaux sont retardés : l'année 1809, qui est celle des affaires romaines et de l'annulation du mariage, n'est guère propice à ce genre d'entreprise. Il va falloir le nouveau souffle de 1810 pour relancer l'activité du chantier versaillais. En prévision de l'arrivée prochaine de Marie-Louise en France, Costaz, intendant des Bâtiments, se voit enjoindre de hâter la remise en état du palais ; il ira jusqu'à s'installer à demeure, dans l'ancien Contrôle général, en bas de la rue de la Surintendance (où siège actuellement le Cercle militaire). Apparemment, Trepsat paraît le mieux placé pour diriger le chantier qui s'ouvre ; mais c'est pourtant un autre qu'on y appelle ! Naguère estimé trop court pour la conception d'un grand projet, l'architecte en titre est aujourd'hui jugé trop vieux pour la direction de travaux aussi lourds... Le 8 février 1810, on lui adjoint donc le jeune Alexandre Dufour, déjà inspecteur de Versailles depuis quelques mois. Dans les faits, les rôles sont même inversés : au plus jeune, on confie la restauration de tous les bâtiments ; à l'autre, le simple entretien des Trianons, des écuries et des réservoirs.

Sans perdre de temps, Dufour s'attelle à l'ouvrage. Puisque les façades côté jardins — celles de « l'enveloppe neuve » et des grandes ailes — ne sont remises en cause par personne, c'est par elles qu'il choisit d'attaquer. Obtenant vite un premier budget de plus d'un million, le jeune architecte fait monter rapidement des échafaudages. Mais la difficulté du travail, jointe aux effets d'une grève des ouvriers, retarde l'avancement des travaux ; et lorsque, en juin, l'Empereur émettra le souhait de loger tout de suite au palais sa nouvelle épouse, il faudra bien le décevoir et détourner vers Trianon ses envies de campagne. La tâche de Dufour consiste, à ce stade, à consolider les avant-corps à colonnes, à enduire le parement des attiques d'un badigeon spécial, à réparer, sur les combles, les balustrades menaçant ruine, et à supprimer les fameux trophées qui les couronnaient. Cette dernière amputation, pour cruelle et criante qu'elle soit, ne perturbe pas le jeune homme outre mesure ; Sa Majesté, estime-t-il, « pourrait par la suite occuper nos sculpteurs français à orner cette balustrade de statues ou trophées d'un meilleur goût » [15].

Dans le courant de l'été, alors que les réparations sont déjà bien avancées, l'on s'avise des faiblesses manifestées, sur la face méridionale du corps central, par le mur de la grande salle des gardes. Il faut donc reconstruire entièrement les travées correspondantes, du soubassement à la charpente ! Ce gros œuvre une fois accompli, Costaz confie au sculpteur Boichard le soin de décorer — dans un style militaire assez plat — les écoinçons des trois fenêtres refaites à l'étage noble *. On le chargera de même d'orner du « N » impérial de petits frontons de porte voisins ** ; de sorte que cet ancien élève de Pajou, après avoir gratté des « signes de féodalité » sous la Révolution, se met à sculpter pour Napoléon Ier des emblèmes que Louis XVIII, cinq ans plus tard, le chargera de bûcher à son tour !

Pour faciliter leur travail, les ouvriers sont amenés à ouvrir les fenêtres en façade, parfois même à passer par les intérieurs. Lorsque les travaux atteignent le premier étage, cette contrainte pose un problème sensible : celui de la conservation des toiles exposées dans les salles du Musée spécial. En vue d'éviter tout accident — mais aussi pour ne pas encourir les foudres impériales — l'incontournable Vivant Denon, directeur général des musées, est convié à débarrasser les grands appartements de leurs peintures. Qu'en faire, cependant ? Dufour ne voulant pas d'elles dans la Chapelle et moins encore dans l'Œil-de-bœuf, elles sont mises en instance au foyer de l'Opéra. Elles seront ventilées,

---

* Ces ornements sont toujours en place aujourd'hui, et constituent le seul témoignage du style Empire, visible sur les façades du château.

** Ils se trouvent sous le passage de la cour des Princes au parterre du Midi, ouvert à cette époque à l'emplacement de l'ancienne salle de comédie qui datait de Louis XIV.

au printemps suivant, entre des destinations diverses... Cette fois, c'en est donc fini du beau musée. Sur le coup, peu nombreux sont ceux qui osent pleurer sa disparition. Les idéaux républicains sont passés de mode, et l'on ne songe plus qu'à rendre ces murs à leur vocation première : l'hébergement des souverains et de la Cour.

Ressusciter le Versailles d'autrefois dans ses énormes rouages : telle semble bien, en substance, l'intention de l'empereur. L'école d'équitation, installée en novembre 1794 (brumaire an II) aux écuries, doit donc céder la place aux pages, écuyers et valets de Sa Majesté. Le Chenil, récupéré, accueille une Vénerie toute neuve, avec ses équipages du tir et du vol. Qu'on rende le Grand Commun à sa destination d'origine, et c'est l'économie interne du Versailles royal qui pourrait ainsi revoir le jour. Or, plus le temps passe, et plus l'Empereur se montre soucieux d'inscrire ses pas dans ceux des rois, ses devanciers ; n'a-t-il pas dit « notre oncle » en parlant de Louis XVI ? Insensiblement, le général révolutionnaire se mue en souverain conservateur. C'est lui qui, maintenant, modère les ardeurs novatrices de ses architectes, et les rappelle à l'humilité devant le grand œuvre du passé. A propos de replantations dans les jardins, il note ainsi, en avril 1811, qu'elles devront être « absolument telles qu'elles étaient autrefois et qu'il ne faut conséquemment proposer aucune innovation » [16].

Avec une patience louable, Napoléon persiste, dans le même sens, à reconstituer l'ancien domaine royal à coup de rachats fréquents et coûteux. « Sa Majesté, écrit au préfet Pierre Daru, a formé le projet de rendre à la résidence impériale de Versailles ce qui est nécessaire pour que Sa Majesté puisse l'habiter. Déjà elle a ordonné des travaux considérables pour la restauration du palais. Mais l'exécution de ce projet exige la réunion des parties du Petit Parc qui ont été aliénées et qui doivent compléter cette dépendance du palais [17]. » Cette politique discrète n'exclut nullement la magnificence, bien au contraire. Ainsi, en décembre 1810, deux nouveaux millions sont-ils consacrés au soutien de la soierie lyonnaise, l'Empereur précisant que ces énormes commandes « pourraient servir en grande partie pour Versailles ». Ce ne seront pas moins de quatre-vingt mille mètres d'étoffes unies et façonnées qui seront livrées deux ans plus tard, dont les soixante-huit mille destinés au palais, ne quitteront que sous la Restauration les magasins d'un Mobilier impérial redevenu royal [18].

Dufour, docile et appliqué, œuvre activement à la rénovation des bâtiments anciens ; mais il nourrit en secret des ambitions plus créatives. L'adjoint officiel de Trepsat ne professe, on l'a vu, qu'une admiration limitée pour le siècle de Louis XIV. Et son horizon demeure le « grand dessein » sur lequel ont buté tant de talents avant lui, et de plus confirmés. C'est dans cette optique que le jeune maître, prenant son courage à deux mains, soumet à Costaz, en septembre, un devis de sept millions pour la transformation de la cour de Marbre et l'édification d'un escalier de l'Impératrice, dans une aile faisant pendant à celle de Gabriel. L'intendant des Bâtiments, bien embarrassé, trouve la parade : il s'en remet à l'avis de Gondouin, jamais désapprouvé de manière officielle, et gagne de la sorte un répit appréciable... Tel est, aussi, le privilège de l'expérience !

Chimères impériales

La naissance du roi de Rome, le 20 mars 1811, parce qu'elle semble enraciner l'Empire dans une continuité dynastique, restitue au palais de Versailles une part de sa raison d'être. Cela ne va pas sans conséquences pratiques, les projets les plus ambitieux y retrouvant une actualité. En effet l'Empereur, qui ne veut pas de

Meudon pour son fils, et n'a pas encore de vues sur la colline de Chaillot, a très vite fait le choix pour lui du château des rois ; des constructions surprenantes sont dès lors envisagées à la Ménagerie, puis du côté de la pièce d'eau des Suisses, avant que la tradition ne finisse par l'emporter encore ; car c'est dans l'aile du Midi, de tous temps dévolue aux Enfants de France, que l'on fixera finalement les quartiers d'été du nouveau-né.

Dufour confesse bien quelque réticence envers des aménagements qui ne peuvent que retarder ses autres projets. Aussi s'ingénie-t-il à établir, non sans astuce, une ébauche englobant les transformations demandées dans un ensemble beaucoup plus vaste. Présenté en juillet, son nouveau plan prévoit, côté ville, une aile symétrique à celle de Gabriel ainsi qu'une colonnade cachant les constructions de brique. L'Empereur subodore la manœuvre, naturellement, et tout en la déjouant, clarifie sa position sur Versailles : à ses yeux, les architectes qui se mesurent au « grand dessein » en font ou bien trop, ou pas assez. L'importance des lieux lui paraît justifier une construction de très grande ampleur, « un ouvrage d'ostentation qui ne peut pas être médiocre » ; à défaut, mieux vaudrait ne rien faire du tout, et rétablir autant que possible l'état Louis XIV.

Grisés par ce discours, dont ils ne retiennent que le début, les architectes se surpassent. Fontaine lui-même se prend à vouloir relever le défi ; il va proposer une adaptation des anciens plans de Gabriel — qui sera rejetée comme les autres... On élabore ensuite, forcément, des idées plus laborieuses : arcs de triomphe monumentaux, gigantesques percées comme à Saint-Pétersbourg... Napoléon qui, en ce mois de juillet 1811, séjourne justement à Trianon, se convainc sans peine de l'inanité de telles chimères. Et le désir s'impose à lui, de plus en plus, d'un retour au décor ancien. « Parce que Louis XV a mal dépensé un million cinq cent mille francs, écrit-il, ce n'est pas une raison pour mal dépenser quarante millions. »[19] Et l'Empereur d'envisager purement et simplement la destruction de l'aile Gabriel et le rétablissement des façades brique et pierre dans leur intégrité. A l'époque, un tel parti-pris peut sembler aberrant ; il arrache des haussements d'épaule à Costaz, Gondouin, Fontaine et Dufour, réunis en comité d'urgence. Mais à la réflexion, les plus réticents reconnaîtront un jour la sagesse du point de vue impérial.

Le 15 juillet, profitant d'une visite des bosquets, l'empereur s'entretient longuement avec Dufour. On ignore la teneur de leur échange, mais le fait est que l'architecte se concentre, dans les jours qui suivent, sur l'aménagement de l'aile du Midi. Du moins le feint-il... Car sitôt passé le délai de décence, il revient à la charge avec un autre grand projet d'ensemble que Fontaine, à Compiègne, veut bien présenter au souverain le 7 novembre — sans plus de succès que les fois précédentes ! Refusant de se décourager, Dufour acceptera de retravailler sa copie, encore et toujours ; il ira, cette fois, jusqu'à envisager la destruction des ailes des Ministres et l'édification, vers le nord, d'un pendant au Grand Commun.

En vérité, Napoléon commence à se lasser de ce palais où les grandeurs passées semblent condamner celles du présent. Oscillant entre un conservatisme strict et un certain utopisme, il en vient à regretter que l'Histoire lui ait légué, presque intacte, une charge aussi écrasante. D'où, sans doute, ce passage célèbre du *Mémorial* de Sainte-Hélène, où l'empereur déchu se livre, sous la plume de Las Cazes, aux pires spéculations sur le domaine : « Je condamnais Versailles dans sa création, mais dans mes idées parfois gigantesques sur Paris, je rêvais d'en tirer parti et de n'en faire avec le temps qu'une espèce de faubourg, un site voisin, un point de vue de la grande capitale, et pour l'approprier davantage à cet objet, j'avais conçu une singulière idée dont je m'étais même fait présenter le programme : de ces beaux bosquets, je chassais toutes ces nymphes de mauvais goût, ces ornements à la Turcaret et je les remplaçais par des panoramas en maçonnerie de toutes les capitales où nous étions entrés victorieux, de toutes les célèbres batailles qui avaient illustré nos armes. C'eût été autant de monuments éternels de nos triomphes et de notre gloire nationale posés à la porte de la capitale de l'Europe, laquelle ne pouvait manquer d'être visitée par force du reste de l'univers [20]. »

Il est de bon ton, après cela, de se féliciter que Napoléon Ier n'ait pas eu le temps de mettre à exécution ses menaces. En réalité, à la lueur de tout ce qui précède, on est en droit de se montrer plus circonspect. Le nouvel Alexandre aurait-il à tout prix imposé sa marque à Versailles, ou bien se serait-il coulé dans l'ancien moule ? Nul ne saurait trancher absolument... En fait, dès l'année suivante, la terrible campagne de Russie, en mobilisant les forces vives de l'Empire, va détourner l'attention du stratège sur des questions autrement brûlantes ; et lorsque, à la fin de 1812, il reviendra bride abattue dans un Paris secoué par la conspiration républicaine du général Malet, Napoléon n'aura plus le cœur à disserter d'architecture.

En mars 1813, cependant, avant de repartir pour l'Allemagne livrer de nouveau bataille à toute l'Europe, l'Empereur s'accorde quinze jours de détente avec sa jeune épouse et leur enfant. Or, c'est Trianon qu'il choisit pour abriter ce dernier moment d'un bonheur à la fois doux et amer... Les invités sont très peu nombreux, les réceptions, absentes, les réjouissances, nulles. Seule Marie-Louise paraît se délecter du régime austère de cet ultime séjour : matinées entières consacrées à la lecture ou au travail, sobres promenades à pied, dîners sans cérémonial, causeries fades et couchers de bonne heure ! Comble de la maussaderie : il pleut alors sur les Trianons — comme il pleut sans désemparer sur l'épopée napoléonienne.

3

L'impossible retour

> *Et si l'on eût demandé quel était le voyageur que les gardiens du château conduisaient de salon en salon, de bosquet en bosquet ; quel était cet étranger, cet inconnu à qui ils faisaient voir la chambre de Louis XIV, le cabinet de Louis XVI, l'appartement de Mme la comtesse d'Artois, (...) on eût répondu que ce voyageur, cet étranger, cet inconnu, était le neveu de Louis XVI, le fils de Mme la comtesse d'Artois, le dernier héritier de Louis XIV.*
>
> CHATEAUBRIAND.

Durant la pénible campagne de France, Versailles reçoit des blessés par centaines, acheminés en charrette vers des hôpitaux militaires improvisés en ville et au château. Certains soldats étant touchés par le typhus, rapporté de Russie par la Grande Armée, l'épidémie s'en répand dans les antennes de secours, et notamment dans cette caserne des gardes françaises où l'on a cantonné les cas désespérés. Sur un plan militaire, la Sixième Coalition marque des points chaque jour, et la population s'attend, effarée, à l'irruption prochaine de régiments alliés, et à l'effondrement du régime impérial. Le 29 mars 1814, les Versaillais voient ainsi passer, sur l'avenue de Paris, une dizaine de berlines vertes et de fourgons en provenance des Tuileries :

c'est l'impératrice Marie-Louise qui s'enfuit avec le tout jeune roi de Rome ! Le convoi passe devant les grilles du château et bifurque à gauche vers la route de Saint-Cyr et la direction de Rambouillet. Joseph Bonaparte, naguère encore roi d'Espagne, les suivra de peu, avec toutes sortes de dignitaires, et derrière eux le train des voitures chargées de ces trésors qu'on ne se résout pas à laisser derrière soi ; jusqu'au splendide carrosse du Sacre, chef-d'œuvre ornemental de Fontaine, que les fidèles de l'Empereur emportent avec eux, empli jusqu'au toit de fournitures diverses...

Le 31 mars, à dix heures et demie du soir, se présentent aux barrières les premiers cavaliers prussiens. Leur chef obtient du maire, le chevalier de Jouvencel, l'accès libre à la cité en échange de garanties élémentaires. Des abus de toutes sortes n'en sont pas moins commis, aggravés bientôt par l'entrée en ville de soldats russes. Or, le désordre, une fois semé, s'installe vite ; et cinq jours plus tard, ce sont dix mille soldats du maréchal Marmont, duc de Raguse, qui menacent à leur tour de saccager Versailles : eux n'admettent pas que leur chef, gagné au parti des Alliés, ne les ait conduits là que pour les désarmer ; il faudra toute la persuasion de Jouvencel pour les raisonner.

Au reste, ce n'est pas la colère de soldats isolés qui va freiner la marche de l'Histoire ; et cette fois, il est dit que les Bourbons, chassés de Versailles et de France depuis bientôt un quart de siècle, vont remonter sur leur trône et retrouver leur château. Le 11 avril, alors que Napoléon s'est retiré dans Fontainebleau, la garde nationale de Versailles arbore la cocarde blanche et se rallie au cri de « Vive le roi ! » ; le 14, le maire et ses conseillers les imitent, et font chanter un *Te Deum* à la cathédrale ; la villes s'illuminera même, le 26 avril, pour rendre hommage au débarquement, à Calais, du nouveau souverain.

Déjà le conseil municipal avait adressé à Monsieur, comte d'Artois, lieutenant général du royaume, le message suivant, au nom de toute la ville : « Instruite de votre heureuse arrivée dans la capitale, elle s'empresse aujourd'hui de vous présenter l'hommage de ses sentiments et de la satisfaction qu'elle éprouve de l'approche du digne précurseur de son roi légitime. » Ce morceau de circonstance n'était sans doute pas de pure forme ; en effet pour Versailles, la perspective d'un retour au pouvoir des frères de Louis XVI ne peut que sonner comme une incroyable chance. « Votre Altesse royale va donc, insiste la Municipalité, revoir bientôt sa ville natale ; elle la trouvera dépeuplée et réduite à la plus triste situation ; elle a tout perdu en perdant ses souverains, auxquels elle devait sa création et sa brillante existence : elle espère tout de leur retour. »[1]

Pour le moment, ce sont les alliés étrangers du roi qui paradent au cœur du domaine. Dès le 14 avril, le grand-duc Constantin, frère cadet du tsar Alexandre Ier, s'est installé à Trianon, dans les meubles de l'Empire. Le prince a pu, dans le grand cabinet, admirer les somptueuses pièces de malachite offertes par son frère à « l'usurpateur », aux temps, pas si lointains, où l'on daignait célébrer Tilsit... Le tsar lui-même va se présenter à Versailles le 11 mai, au milieu de tout son état-major. Il y sera rejoint par le roi de Prusse, Frédéric-Guillaume III, lui-même accompagné de ses deux fils. Tandis que les vainqueurs arpentent en bottes les parquets délicats de la Grande Galerie, d'aucuns notent l'air absent du cadet des princes héritiers de Prusse ; ce jeune Guillaume serait bien étonné, si l'on pouvait lui révéler que, cinquante-six années plus tard, il sera de retour en ces mêmes lieux, et pour y être proclamé empereur d'Allemagne !

Un grand espoir

Qu'on le veuille ou non, l'ancien comte de Provence, devenu, sous l'appellation de Louis XVIII,

« par la grâce de Dieu roi de France et de Navarre », est né à Versailles ; et c'est à Versailles qu'il a grandi, étudié, rêvé, aimé et attendu son heure pendant ses trente-cinq premières années. Comment s'étonner, dans ces conditions, qu'il ait souhaité, dès son retour, rendre la vie à sa demeure natale — qui est aussi celle de son frère martyr, celle de son père, le pieux dauphin, et de son grand-père Louis XV... D'ailleurs le souverain se trouve poussé dans cette voie par un cercle de nostalgiques : c'est le vieux marquis de Brézé, qui a repris du service aux Cérémonies ; c'est le duc de Blacas, fidèle entre les fidèles, et qui dirige la Maison du Roi ; c'est surtout le vieux prince de Poix, nommé gouverneur par Louis XVI en survivance de son père, et qui va s'ingénier à rendre son lustre au palais éteint.

La première décision du prince de Poix est d'augmenter considérablement le train de maison. Avec deux cent mille francs de budget annuel, le personnel de Versailles devient, sous son impulsion, le plus fourni de toutes les résidences royales. Dirigée par la famille Boucheman, elle aussi « restaurée », c'est une armée d'une quarantaine de Suisses, d'une trentaine de frotteurs et d'une bonne vingtaine de portiers, tous en grande livrée, qui vient ranimer des salles hier encore presque désertes. Le mobilier également, afflue en masse : les réserves du Garde-Meuble, étoffées par l'Empire à destination, notamment, du roi de Rome, sont mises à contribution — mais aussi les manufactures impériales redevenues royales, et dont il convient de stimuler l'activité. Le but, à Versailles, est de remettre au plus vite la demeure « en état d'être habitée ». La Cour, pense-t-on alors, pourrait l'occuper six mois sur douze, durant les beaux jours ; aussi ne recule-t-on devant aucun sacrifice : par décision du 1er juillet, l'on affecte aux travaux la somme importante de six millions, financée sur la caisse du domaine extraordinaire, et qu'alimentaient hier encore les conquêtes de l'Empire.

Des ouvriers par centaines — ils seront bientôt deux mille — sont mobilisés ; beaucoup sont de véritables artistes, comme Heim, Paulin Guérin, Blondel... Car en dépit des efforts de Dufour, nombreux sont les décors qui tombent en lambeaux ; et le poète Ducis d'affirmer à propos d'une visite à son neveu, justement employé à la remise en état de plafonds peints : « Quand ils sont sur leurs échafauds, s'il leur arrive d'éternuer, de se moucher ou de tousser un peu fort, il leur tombe des Vénus, des Mars, des Renommées avec leurs trompettes, et toute la gloire de ce grand siècle de Louis XIV, obscurcie de poussière et enveloppée de toiles d'araignée. »[2] Notons à ce propos que les ornements du XVIIe font l'objet, dans ces restaurations, d'attentions toutes particulières, de préférence aux décors du siècle suivant, jugés peut-être moins précieux car plus récents et moins imprégnés de grandeur monarchique.

Les emblèmes grattés sous la Révolution sont rétablis dans les endroits où ils feraient trop ostensiblement défaut. Dans le Grand Appartement, dont les murs sont repeints « couleur d'olive » en attendant la livraison des grandes tentures commandées naguère par le Garde-Meuble, les portes retrouvent leurs attributs sculptés ; de même, les pilastres de la Grande Galerie, sont refaits par Feuchères d'après des originaux retrouvés. Les boiseries sont, partout, repeintes et redorées, les plafonds blancs refaits, les parquets poncés et cirés, les châssis de fenêtre remplacés partout où cela s'avère nécessaire. On profite de ce grand ménage pour simplifier l'abord et la distribution des principaux appartements, et pour y supprimer ces « petits arrangements de complaisance » qui, au fil du temps, étaient venus en rogner les superbes volumes. Des réparations sont menées sur tous les fronts à la fois. Par exemple, « presque toutes les pierres d'encadrement des ailes des Ministres sont retaillées. L'aile Louis XV aura sa couverture réparée, la balustrade de pierre y sera terminée et les noms de trois sculpteurs sont avancés pour représenter sur le fronton *La France et la Religion soutenant les Armes du Roi* (modèle de Rousseau ou de Lange) sculpture par Rousseau, ou Boichard, ou Lange [3]. » Ainsi, dès ce premier été — et en dépit d'une grève des ouvriers bien mal venue —, le chantier de Versailles a-t-il retrouvé son aspect de ruche bourdonnante.

Le roi Louis XVIII l'honore d'une visite triomphale le 10 août, pour le vingt-deuxième anniversaire du maudit sac des Tuileries. Les spectateurs qui l'ont connu du temps de sa jeunesse n'en finissent pas de commenter l'obésité qui le rend déjà presque impotent. La semaine suivante, c'est la duchesse d'Angoulême qui ose une visite plus discrète — et autrement émouvante. La fille de Louis XVI et de Marie-Antoinette essaie de retenir ses larmes, en revoyant le théâtre de ses bonheurs d'enfant et de ses peines d'adolescente. Elle fixe un long moment des yeux ce balcon de la cour de Marbre où elle a dû, le Six-Octobre, avec sa mère et son petit frère, affronter la fureur des émeutiers. Aujourd'hui l'on s'empresse de lui aménager un pied-à-terre dans les anciens cabinets de la Dauphine *. A travers Madame Royale, c'est toute la société d'Ancien Régime qui, de retour d'émigration, vient confronter à Versailles des souvenirs plus ou moins cuisants.

Si le roi s'en remet à la vieille garde de rendre au palais son ancien éclat, il sait aussi — et c'est là son discernement — faire confiance à certains pontes du régime honni, pour apporter leur pierre à l'édifice. Ainsi désigne-t-il Fontaine pour succéder à Fontaine, Dufour pour remplacer Dufour... Le premier suggère à Blacas une idée toute simple pour résoudre une bonne fois la question des façades, côté ville ; et c'est

* Un appartement est prévu dans celui du Dauphin pour le duc d'Angoulême, un autre dans l'ancien appartement de Madame Adélaïde pour Monsieur, comte d'Artois.

le second qui va la mettre en œuvre. Il s'agit bêtement de construire à gauche, en bout de la Vieille aile enfin consolidée, un pavillon de pierre à colonnes et fronton, symétrique à celui dont Gabriel avait fiché son aile neuve, à droite. Certes, la solution recèle peu d'élégance ; et les deux pavillons, une fois terminés, risquent fort d'écraser sous leur masse des architectures de brique et de pierre beaucoup plus frêles d'apparence. Seulement n'est-ce pas au fond le but secret de Pierre Fontaine, « qui espérait ainsi rendre inévitable la reprise du chantier [4] » ? Près de deux siècles plus tard, il faut admettre que le grand architecte a fait, si c'est le cas, un bien piètre calcul.

Pour les Versaillais, la démolition du pavillon de la Vieille aile n'en est pas moins perçue comme un symbole de renouveau. Un grand espoir s'est emparé de la population, qui n'est pas forcément partagé dans le pays. A Paris notamment, si certains approuvent la volonté du souverain de ressusciter le foyer des Bourbons, d'autres commencent à murmurer contre des dépenses somptuaires, et qui trahissent des vues jugées contraires à l'esprit de la nouvelle Charte. D'immenses commandes n'en sont pas moins passées en février 1815, pour un montant global de cinq millions et demi ; elles portent notamment sur quarante-trois grands tableaux, demandés à une trentaine de peintres plus ou moins bien en cour... Et l'estimation du budget alloué aux travaux de Versailles pour l'année qui vient est de six autres millions de francs, dont la moitié pour la remise en état des seules écuries ! De tels chiffres donnent une idée de la détermination royale concernant le domaine ; et l'on ne sait, en vérité, jusqu'où serait allée la réinstallation de la Cour à Versailles, si l'évasion de Napoléon de l'île d'Elbe, et sa remontée victorieuse vers la capitale, courant mars, n'avait brutalement mis un terme au beau rêve.

Le coup d'arrêt

Le 19 mars 1815, Louis XVIII se voit contraint, une fois encore, de prendre le chemin de l'exil ; il part pour Gand dans la soirée, libérant les Tuileries à temps pour son rival. L'Empereur est de retour à Paris dès le lendemain. A Versailles, la nouvelle frappe de stupeur des habitants qui s'étaient faits à l'idée d'un rétablissement prochain de la Cour royale. Prudence oblige, le maire Jouvencel — qui d'ailleurs avait été nommé par l'empereur en 1813 — se fend d'un nouveau message d'allégeance. « Sire, pénétrés d'admiration et de respect pour Votre Majesté impériale qui vient de ressaisir si merveilleusement les rênes du gouvernement, les membres du Corps municipal de votre bonne ville de Versailles viennent apporter au pied du Trône le tribut de leurs respectueux hommages et l'assurance du plus entier dévouement. » Cela n'empêche aucunement les « volontaires royaux » de fleurir un peu partout dans la ville, tandis que de maigres noyaux bonapartistes se manifestent de leur côté, notamment à la manufacture d'armes et dans les ambulances militaires.

Dans un accès de franchise, l'adresse à l'Empereur a mentionné « l'affliction profonde » des habitants devant l'arrêt des travaux au palais. Napoléon affecte de s'en soucier, et reçoit Jouvencel aux Tuileries pour lui proposer, en attendant la relance d'un grand chantier sur de nouvelles bases, une reprise de la rénovation du bras sud du Grand Canal — où l'on se rappelle le chantier de charité de Louis XVI —, ainsi que de la terrasse de Latone et des Bains d'Apollon. Surtout, l'Empereur promet au maire la réouverture prochaine du Musée spécial de l'Ecole française ! Ce retournement des choses prêterait à sourire, s'il ne traduisait la volonté pathétique des différents gouvernants de dédommager toujours une ville dont ils savent le sort irrémédiablement lié à celui du château.

Au demeurant, l'Empereur a, pour l'heure, des préoccupations plus graves. Mis « hors la loi » par le traité de Vienne, il engage déjà l'offensive en Belgique contre une Septième Coalition, et joue là son va-tout. L'Europe retient son souffle, et les Versaillais plus que d'autres. Enfin le 19 juin, soit trois mois après le coup de force, la nouvelle de la défaite impériale, la veille, à Waterloo, achève de semer le trouble — y compris chez les royalistes. En effet, tout le monde sait bien que les troupes alliées vont faire mouvement sur Paris, et que leur état d'esprit sera nettement moins conciliant que l'année précédente...

Le samedi 1er juillet, à cinq heures du matin, une patrouille prussienne se présente à Versailles par le nord, à la grille Saint-Antoine. Elle exige le passage pour aller reconnaître, au sud, la route de Rambouillet ; le maire s'en défait en lui proposant de passer plutôt par le parc. Mais deux heures plus tard, c'est toute une colonne armée qui réclame l'ouverture de la ville — et l'obtient. A neuf heures, huit escadrons d'un régiment de Brandebourg et d'un régiment de Poméranie, ainsi que des hussards, défilent sous les regards anxieux de la population, et gagnent la place d'armes par la rue des Réservoirs. Les Prussiens ordonnent immédiatement des réquisitions massives, assorties de menaces de mort : « S'il le faut, j'agirai par la force, lance le général von Sohr à Jouvencel ; j'irai jusqu'à la fusillade. » [5]

Qu'on ne s'y trompe pas : cette fois, les Alliés ne sont pas à Versailles en mission d'occupation, mais bel et bien en ordre de combat ; d'ailleurs le jour même, ils tentent une percée contre des troupes impériales rescapées de Belgique, et galvanisées par le général Exelmans. Or l'affrontement, à Vélizy et Villacoublay, tourne vite en faveur des Français, et les assaillants, défaits, ne peuvent que refluer en masse dans Versailles. Comme sur un champ de bataille, les habitants voient courir en tous sens des Prussiens couverts de sang et de poussière. C'est une indescriptible mêlée. A la Vénerie, le baron d'Hénencourt aura l'émotion de voir revenir seuls, sans cavaliers, des chevaux confisqués dans ses stalles le matin même ! Afin de couvrir la retraite de leurs frères d'armes, les soldats de l'arrière-garde de von Sohr se massent bientôt sur la place d'armes. Or, derrière les grilles cadenassées du palais, se trouve un bon millier de gardes nationaux versaillais, dont on ne sait si les penchants monarchistes l'emporteront sur la solidarité nationale. Il semble bien que, finalement, ils aient quand même opté pour les Prussiens, au point de faciliter leur évacuation... Furieux, le général Exelmans « déclare au brasseur Haracque, chez lequel il s'est arrêté avenue de Paris, qu'il n'a qu'un seul regret : c'est de n'avoir pas le temps de livrer Versailles aux flammes [6] ». Heures dangereuses... Du moins l'assaut des « Grognards » jusque dans Versailles aura-t-il offert à Napoléon, au milieu de la débâcle, une dernière victoire. Et désormais « c'est en montrant, sur la carte d'Europe, Versailles et non Waterloo, que l'on pourra s'exclamer avec Jules Claretie : " Ci-gît l'Epopée ! " [7] ».

Outré de ce revers imprévu, Blücher investit la cité des rois dès le lendemain, dans la ferme intention de se venger. Et ce n'est qu'à l'entremise d'un conseiller municipal de ses connaissances, Simon de La Mortière, que Versailles devra de n'être pas saccagée. Multipliant les réquisitions, le maréchal fait bivouaquer ses troupes sur les vastes avenues menant au château. Durant de longues semaines, les fontaines du parc devront jouer pour les Prussiens, ainsi que les théâtres. « Des tracasseries de tous ordres s'abattirent sur la ville. En témoigne ce billet qui figure encore aux archives municipales : " Monsieur le maire est invité à procurer tous les jours, pour le commandant de la Place, six douzaines d'huîtres pour huit heures du matin. — Versailles, le 18 juillet 1815 ". [8] » Des Anglais viendront bientôt s'enversailler à leur tour, et des dizaines de milliers de soldats alliés traverseront la ville dans les mois qui suivent. Le maréchal ne quittera lui-même Versailles que le 12 octobre, et certains de ses régiments y resteront jusqu'à la fin de l'année [9]. Cependant Louis XVIII, rentré aux Tuileries « dans les fourgons de l'étranger », règne à nouveau depuis le 8 juillet. Le 15, l'ex-empereur s'est embarqué de l'île d'Aix pour Sainte-Hélène, au soulagement général. Et le 18, une délégation de la Municipalité est admise au pied du Trône, pour les hommages de circonstance au roi tant aimé...

Les Cent Jours sont donc terminés. Mais dans la destinée du château, ils vont peser beaucoup plus lourd qu'on n'aurait pu le penser. En fait, ils marquent un coup d'arrêt. L'on aurait pu croire que Louis XVIII, une fois remis sur le trône, allait reprendre ses projets d'installation de la Cour à Versailles — il n'en est rien. Tout concourt au contraire à détourner le souverain de ce projet. D'abord, les moyens financiers lui font à présent défaut ; les dépenses d'une campagne inutile, jointes aux sept cents millions de dommages de guerre réclamés cette fois par les Alliés, éprouvent le Trésor. Et puis l'atmosphère a changé... Les hommes clés ne sont plus là : le duc de Blacas vient d'être nommé ambassadeur à Rome, le prince de Poix, très diminué, va s'éteindre en 1818... Surtout, dans l'esprit même du roi, la confiance s'est fissurée. C'en est fini de l'idée d'une Restauration allègre, unissant les Français dans la renaissance des antiques traditions. Le climat d'hypocrisie et de division, mis au jour par le retour inopiné de l'Aigle, a eu raison de la foi de Louis XVIII en son propre destin.

Par scrupule et pour l'honneur

Une anecdote assez piquante donne la mesure de la crise de légitimité traversée par la Monarchie restaurée à l'issue des Cent Jours. Elle trahit aussi la haine que l'on voue, dans l'entourage royal, à cet « usurpateur » infatiguable. Vers la fin des années 1940, Marguerite Jallut * devait exhumer des archives du service d'Architecture une lettre de Dufour à l'intendant des Bâtiments de la Couronne, datée du 12 décembre 1815, et relative à l'une des peintures représentant, au plafond du salon d'Apollon, *Auguste faisant bâtir un port à Mycènes*. « Quelqu'un, explique l'architecte, a cru remarquer que la tête d'Auguste ressemblait à Napoléon. Il l'a dit à son voisin, celui-ci à un autre, et de bouche en bouche, le bruit a couru et court plus fort que jamais, que le peintre restaurateur de ce tableau, a altéré le caractère de la tête originale pour la faire ressembler à Buonaparte [*sic*], de sorte que tous ceux qui viennent visiter le château demandent à voir cette tête... [10] » Convaincu de l'innocence de son restaurateur, Dufour veut savoir quel parti adopter. Heureusement, le baron Mounier lui répond, six jours plus tard, « qu'il est inutile de s'occuper de cet objet, et que ce bruit ne méritant aucune attention sérieuse, ne manquerait point de tomber de lui-même ». Dans un autre cas, il aurait sans doute fallu, à cent vingt ans de distance, retoucher l'œuvre de Lafosse, coupable de prescience involontaire ! Il est possible que la décision de ne rien faire ait été, du reste, dictée par un souci d'économie.

En effet, l'époque est aux vaches maigres. Des coupes sombres ont été faites dans le budget du personnel ; ainsi l'effectif des Suisses, par exemple, repasse-t-il de quarante à six ! Les devis des travaux sont eux aussi révisés à la baisse. Ne seront maintenus qu'un petit nombre de chantiers importants, menés à terme par scrupule et pour l'honneur. C'est le cas, en

---

* Spécialiste émérite de Marie-Antoinette, elle sera, dans les années 1950, la première femme à porter, au musée de Versailles, le titre de conservateur.

1816, de la restauration de la cour de Marbre, aboutissant à la suppression des avant-corps latéraux à colonnes *. Dans le parc, un jardin du Roi est fondé à l'emplacement de l'ancienne île Royale, asséchée sous l'Empire. L'idée, un brin nostalgique, est d'y évoquer le souvenir du château d'Hartwell, où Louis XVIII avait séjourné dans les derniers temps de son exil. Le monarque l'inaugure lui-même le 25 juin, avec les princes ; et c'est ainsi que la famille royale continue d'honorer la demeure de ses inspections. La duchesse d'Angoulême n'est-elle pas revenue à Versailles dès le 14 août 1815, accompagnée de son mari et de son beau-frère ? En 1817, alors qu'on restaure la Chapelle, l'édification du pavillon symétrique à celui de Gabriel, sur la cour d'Honneur, progresse à vue d'œil ; il prendra le nom de son architecte, Dufour **. En avant de la Grande Cour enfin repavée, la grille d'Honneur, accidentée lors d'un transport de bois de charpente, sera refaite en 1817 et 1818. Le ferronnier Mignon et le doreur Lorch rendront leur éclat au trophée, aux armes de France et aux pilastres ornés de lyres, de lys et de soleils, sur des dessins de Dufour. Mais ces quelques efforts ne suffisent pas à cacher la déréliction générale ; et le budget des travaux versaillais continue de chuter, « pour tomber à très peu de chose après 1821 [11] ».

A la mort du prince de Poix, c'est son gendre, le marquis de Vérac ***, qui lui a succédé au château. La place est moins exaltante, évidemment, qu'à l'époque où l'on croyait encore au retour imminent de la Cour ; pour le nouveau gouverneur, elle aurait même tout de

* Ils ne seront rétablis qu'en 1980.

** Il sera terminé en 1829, quoique l'ossature en place, du côté de la cour des Princes, trahisse l'intention de souligner le caractère inachevé de cet édifice.

*** Son portrait par Robert Lefèvre entrera dans les collections du musée en 1995.

la sinécure, si le palais n'abritait maintenant un certain nombre de locataires assez retors. Car le roi, désireux de venir en aide à d'anciens émigrés, leur a réservé dans le château quelques logements secondaires, disponibles pour un loyer modique — et d'ailleurs impayé. Or, le moins qu'on puisse dire des nouveaux occupants, c'est qu'ils ont conservé l'impertinence de leur première condition. Aussi les tracas de M. de Vérac ne cessent-ils jamais : un jour, c'est du linge que l'on a fait sécher à des fenêtres donnant sur l'extérieur ; une autre fois, ce sont des animaux de ferme, dont une vache, que l'on installe dans les combles pour y disposer de produits laitiers...

L'une des locataires du roi est passée à la postérité, grâce à une étude fameuse que devait lui consacrer G. Lenotre. De 1824 à 1832, elle habitera « cour de Marbre, escalier 13, porte 66, au deuxième étage ». Il s'agit de la demoiselle Savalette de Lange — ou plutôt de la personne qui se faisait passer pour cette fille d'un trésorier de Louis XVI, afin d'obtenir logement et pension. Car, à sa mort sous le Second Empire, il devait s'avérer que la prétendue demoiselle, fort bien reçue de la bonne société versaillaise, était en fait un homme ! L'Etat n'en acceptera pas moins sa donation d'un couvre-lit en dentelle, censé provenir de Louis XIV... On ne sait si un tel personnage tranchait vraiment sur cette coterie étrange et vieillissante.

Signe d'éloignement, l'on en vient à se concentrer, au tournant des années 1820, sur la remise en état de la statuaire du parc, il est vrai fort endommagée. C'est au sculpteur Jean Lorta qu'incombe, à cette époque, la restauration de statues mutilées autour du bassin d'Apollon et de celui du Miroir, notamment. Plusieurs statues antiques, de provenances diverses, dont certaines issues de Marly, viennent alors occuper, de façon plus ou moins appropriée, des socles restés vides depuis les enlèvements de la Révolution. Tâche patiente et discrète, aux antipodes des travaux spectaculaires lancés en 1814, dans le feu de la première Restauration.

En 1818, le roi, malgré les difficultés qu'il éprouve maintenant à marcher, a fait encore les honneurs de la maison au général Wellington, vainqueur de Waterloo et chef des troupes d'occupation sur le départ. Louis XVIII, que son hôte appelle « my dear lord », a paru prendre plaisir à faire le commentaire ; ce n'en sera pas moins la dernière visite de l'ancien comte de Provence au domicile de ses ancêtres. Car le voyage depuis Paris n'est plus envisageable pour cet homme diminué au physique et au moral, surtout après l'assassinat, par Louvel — un Versaillais ! — le 13 mars 1820, de son neveu Berry. Chateaubriand se fera l'hagiographe de ce prince, immortalisant d'ailleurs ses impressions sur le séjour ancestral. « Il fut extrêmement frappé de trouver le château tout brillant d'or, de glaces et de peintures, mais inhabité, et debout dans une espèce de désert, comme les palais enchantés des *Contes arabes*. (...) Mgr le duc de Berry regardait avec étonnement la façade de ce palais, semblable à une ville immense ; ces vastes rampes conduisant à des bocages d'orangers ; ces eaux jaillissantes au milieu des statues, des marbres, des bronzes, des bassins, des grottes, des parterres ; ces bosquets remplis des prodiges de l'art. »

Et le grand prosateur de prêter à son héros la vision idéalisée d'un Versailles avant tout louis-quatorzien : « Il se représentait les fêtes brillantes données dans ce palais et dans ces jardins, encore peuplés des ombres des Montespan, des Nemours, des La Vallière, des Sévigné, des Condé, des Turenne, des Catinat, des Vauban, des Colbert, des Bossuet, des Fénelon, des Molière, des Racine, des Boileau, des La Fontaine. » La nostalgie commence à faire effet, accolant à l'image de Versailles un panthéon idéal ; tant il est vrai que la plupart des personnages cités ici appartiennent à la légende.

Dans l'esprit des premiers Romantiques, Versailles est indissociable de son bâtisseur. « Hors de là, point de royauté, écrira Musset de son côté ; c'est là que la majesté de Louis XIV respirait à l'aise, et tenait ses courtisans à vingt pas de distance lorsqu'elle se promenait dans ces allées magnifiques ; c'est du haut de ces perrons massifs que le maître apparaissait quelquefois aux regards des curieux, que des piques dorées écartaient des grilles ; c'est dans ces salles immenses, sur ces parquets superbes que craquait le talon rouge, que glissaient silencieusement quinze aunes de satin vert, ce qui signifiait une robe du matin ; c'est là qu'est l'empire, la dignité ; là qu'aurait dû se promener, au cœur du royaume de Charlemagne, Bonaparte en cheveux blancs. » Encore ce romantisme-là, comme celui de Chateaubriand, appartient-il à la première manière, volontiers « restauratrice »... Plus tard, lorsque le courant se fera « progressiste », Versailles perdra toute grâce à ses yeux, pour n'être plus, au mieux, qu'une vieille chose ennuyeuse. D'ailleurs Musset lui-même a pris la peine de préciser : « La première fois que je vis Versailles, comme je n'étais pas encore romantique, je trouvai le palais, l'escalier et les jardins dignes d'un roi [11]. » Autant dire qu'une fois converti au courant en vogue, il ne les trouverait plus dignes de rien.

Le temps des remords

Le goût a tellement évolué, depuis l'Empire ! A l'époque, les tenants du tout-antique nourrissaient encore un certain respect pour l'inspiration classique de Versailles ; et si certaines fioritures leur paraissaient décadentes, ils pouvaient envisager du moins de les retrancher pour adapter l'ensemble au « bon goût ».

C'est à quoi Gondouin, Fontaine et même Dufour, avaient aspiré. Mais pour les Romantiques, ce palais n'est plus qu'un vieil endroit passé de mode : trop régulière à la fois et pas assez ancienne, sa veine s'oppose doublement à l'esprit pittoresque et archaïsant de la vogue néogothique. « Tu n'es que surannée et tu n'es pas antique [13] » résumera un Théophile Gautier, prêt à jeter aux orties cette architecture aussi plate, à ses yeux, que les jardins qui la prolongent. C'est à peine si le romantisme militant des défenseurs d'*Hernani* trouverait encore du charme aux frondaisons du parc, devenues altières après cinquante années de libre croissance.

Tel est l'empire de la mode... N'oublions pas que l'époque, en peinture, est aux suavités « troubadour » d'un Revoil et d'un Ducis ! Le frère de Louis XVIII lui-même, toujours à la pointe du goût, s'est entiché d'un ancien protégé de l'impératrice Joséphine, le brillant Fleury Richard, qui ne peint guère que des scènes médiévales. C'est dire si l'inspiration gothique prévaut désormais jusque dans les milieux les plus autorisés. La désaffection de l'époque pour les meilleures créations du règne de Louis XVI aboutira, en 1826 et 1827, à la vente des derniers chefs-d'œuvre du Garde-Meuble, opération inouïe à une date si tardive, et qui, selon Christian Baulez, « fut presque aussi néfaste que celles de la Convention et du Directoire. Ce qui restait de l'ancien mobilier de Versailles, poursuit l'actuel conservateur en chef, fut alors appauvri d'un monumental baromètre que Louis XV avait commandé en 1772 et d'un non moins exceptionnel cabinet-secrétaire à musique que Louis XVI avait acheté à D. Roentgen pour 80 000 livres en 1779 [14]. »

On ne s'étonnera donc pas que lorsque, en septembre 1824, Artois succède à son frère sous le nom de Charles X, il ne manifeste aucune intention de revenir à Versailles. Ceux qui connaissent ses préférences savent bien qu'il n'y ramènera jamais la Cour — ce qui n'empêche pas la Municipalité de frapper, bonne fille, une médaille « Au Roi qu'elle attend » ! En vérité, le nouveau monarque à des raisons profondes de se tenir éloigné du grand château. Contrairement à son frère, lui se sent coupable d'avoir émigré dès les débuts de la Révolution, comme de s'être montré impuissant à secourir ses proches — et notamment sa chère belle-sœur. C'est ainsi, Charles X est pétri de remords ; et c'est pour s'épargner de tristes souvenirs, qu'il évite aussi soigneusement Versailles... Tout au plus le voit-on chasser de temps à autre sur le domaine, lors de tirés aussi réguliers que ponctuels. L'archiviste Vincent Maroteaux nous apprend ainsi qu'en 1827 le roi et le dauphin parcourent le Petit Parc à huit reprises, alignant des tableaux de plus de mille pièces chaque fois. Cela ne va guère plus loin, sauf une fois, quand le vieux monarque accepte de montrer aux Versaillais sa silhouette élancée, svelte encore, au milieu de toute sa famille ; c'est le 6 août 1826, une date à marquer d'une pierre blanche ! Car le reste du temps, Sa Majesté se garde bien d'honorer les lieux de sa jeunesse ; jamais, depuis le Consulat, Versailles ne s'était trouvé à ce point délaissé.

Seule exception, d'ailleurs tardive, à cet éloignement : le grand raout organisé, en juin 1830, pour les Bourbons de Naples, père et belle-mère de la duchesse de Berry, et qui reviennent alors de Madrid. Le roi François Ier et son épouse, la reine Isabelle, sont en visite officielle en France, et le roi s'est mis en tête de les traiter à la manière ancienne. Les bals parés succèdent donc aux grands soupers, aux Tuileries, à l'ambassade d'Espagne, au Palais-Royal même. « Le roi Charles fait beaucoup de politesse à son cousin, note la duchesse de Maillé, ce qui m'étonne car lorsque je lui en ai entendu parler, c'était un peu comme du cousin de province [15]. » La vérité, c'est que Charles X voudrait faire oublier le climat de tension suscité, dans le royaume, par l'hostilité de l'opinion au ministère Polignac. A Versailles, ce qu'il reste de courtisans est donc invité à renouer avec les fastes d'antan. Les souverains visitent le château en procession, puis ils se font présenter le Corps municipal. Le roi de France, toujours fringant malgré ses soixante-treize ans, monte à cheval pour la revue militaire, avant de rejoindre ses hôtes dans la calèche qui les emmène, au milieu des grandes eaux, jusqu'à Trianon où l'on dîne. La fête est superbe, la presse en renvoie des échos flatteurs ; son déroulement servira, pour les temps à venir, de modèle aux solennités du même ordre.

Ces réjouissances paraissent d'autant plus rares, avec le recul, qu'elles comptent parmi les dernières du règne de Charles X. Un mois plus tard, en effet, le souverain, sans doute euphorisé par la nouvelle de la prise d'Alger, va signer, en vertu de l'article 14 de la Charte, des ordonnances jugées « liberticides ». Une nouvelle révolution — celle des Trois Glorieuses — en sortira ; or, elle se révélera, pour Versailles, au moins aussi déterminante que la première.

Dans la nuit du vendredi 30 au samedi 31 juillet, après trois journées d'insurrection parisienne, le roi est contraint, pour sa sécurité et celle de ses proches, de quitter le château de Saint-Cloud, où il résidait, et de s'éloigner de la capitale. A la tête d'une cohorte de voitures surchargées, que suivent douze attelages d'apparat, cent trente chevaux de trait et cent chevaux de selle, ainsi que quatre compagnies de gardes du corps, Charles X traverse Ville-d'Avray ; il parvient, peu après quatre heures du matin, au sommet de la butte de Picardie. Le marquis de Vérac, toujours gouverneur du château, l'y attendait pour lui dire que les gardes nationaux versaillais, arborant à leur chapeau la cocarde tricolore, occupent d'ores et déjà la place d'armes. Impossible, dans ces conditions, de s'installer au château ; la seule destination possible demeure Trianon.

Moins d'une heure plus tard, dans l'or pâle des premières lueurs, le souverain déjà presque en exil retrouve le séjour favori de sa jeunesse, lorsqu'il était « l'idole de la Cour » et le beau-frère préféré de Marie-Antoinette... Un demi-siècle a passé depuis lors, six régimes se sont succédé ; et le Grand Trianon, avec son péristyle vitré, est maintenant décoré dans le goût de l'Empire ! A peine s'est-on posé que la duchesse de Berry, adepte des récits fantasques à la Walter Scott, « survient dans le salon revêtue d'un large pantalon et d'une redingote verte à collet de velours. Ses cheveux sont cachés par un feutre orné d'une boucle d'or... et elle a passé deux jolis petits pistolets à sa ceinture [16] ». La princesse peut voir venir l'ennemi... Cette apparition déride un instant le vieux roi qui, pour le reste, ne cherche même plus à dissimuler son abattement. Il est question de reprendre la route en direction de Rambouillet, mais Charles X, qui a confié ses troupes au dauphin pour mieux lui abandonner l'état-major de Saint-Cloud, ne veut pas faire mouvement sans l'en avertir. Les fidèles tournent donc en rond, au milieu des parterres roussis du Grand Trianon... Personne ne sait combien l'attente pourrait durer. Alors, en vue de nourrir la suite, on fait abattre les vaches de la laiterie royale !

Un peu plus tard dans la journée, tandis qu'à Paris le duc d'Orléans, qui n'est pas encore Louis-Philippe Ier, se rend à l'Hôtel de Ville pour y recevoir l'accolade de La Fayette — toujours lui —, le dauphin surgit à Trianon, à la tête de son armée, talonné par des gardes nationaux de plus en plus menaçants. Cette fois, il est grand temps de lever le camp. Mais le roi Charles ne s'y résout toujours pas. Il entend la messe, tient conseil, arpente les lieux presque inchangés de sa jeunesse... Et quand vraiment il ne peut plus faire autrement, il s'arrache, lui, le dernier frère de Louis XVI, à ce domaine préservé qui, en quelque sorte, est peut-être à ses yeux le dernier jardin de l'ancienne France.

*

A la faveur du changement de régime, certains écueils vont resurgir. Il sera question tour à tour, comme trente-cinq ans plus tôt, de livrer le palais au pic des démolisseurs, de le consacrer à un établissement d'enseignement, d'y réinstaller des invalides de guerre... Projets fumeux et sans véritable substance, avatars affadis des vieilles idées de la Révolution. Il appartiendra au souverain constitutionnel de clore la discussion en faisant rentrer Versailles dans la dotation de sa liste civile. Quant à l'usage qu'il lui réserve, il est original et fort. Aussi bien est-ce, pour le domaine, une époque qui s'achève — époque dangereuse, sans doute, mais pas forcément plus néfaste que celle qui va suivre... Il importe, à ce propos, d'enterrer une bonne fois certaines idées qui ont la vie dure, à propos de Versailles entre 1789 et 1830. Car s'il y a eu désaffection, celle-ci ne s'est en rien traduite par le saccage, le mépris et l'abandon que l'on a souvent dits.

Non, la Révolution n'a pas saccagé le château. Dans l'ensemble, elle l'aurait plutôt préservé d'altérations plus funestes. Certes, l'attentisme de la Constituante, le sectarisme de la Convention, l'avidité du Directoire ont eu des conséquences diverses, parfois dommageables pour son décor — et surtout pour son contenu. Mais si les révolutionnaires ont combattu le symbole politique et l'instrument de domination, ils ont en contrepartie respecté largement le chef-d'œuvre artistique, et tiré des partis inégaux, certes, mais souvent intéressants, de ses inépuisables richesses. « A l'angoissante question que posait Louis Courajod sur le péril des œuvres d'art sous la Révolution, écrit ainsi Anne Leclair, les historien d'art du début du [XXe] siècle n'ont pu que constater des pertes irréparables provoquées par la dilapidation et la dépossession des monuments, la vente des meubles, la fonte des objets d'or et d'argent. La génération actuelle des conservateurs et des historiens préfère se livrer à des analyses plus positives comme celles de la création d'un patrimoine et de sa redistribution dans d'autres mains : celles des musées, premier emblème culturel de la Révolution [17]. »

Non, l'Empire n'a pas méprisé le domaine. Certes, le nouveau maître se sentait mieux à Fontainebleau qu'à Versailles ; mais alors que « Napoléon perçait sous Bonaparte », des projets de plus en plus ambitieux ont été mûris pour rendre au château de Louis XIV un lustre digne de son passé. Et l'empereur qui, lors de ses quelques séjours à Trianon, avait pu juger par lui-même des charmes de l'endroit, aura respecté, dans les faits, l'œuvre de ses prédécesseurs, au point de la restaurer, de la consolider et de constamment la défendre — y compris à l'encontre de ses propres architectes !

Et non, la Restauration n'a pas abandonné la demeure des Bourbons, loin s'en faut. Sans l'interruption brutale des Cent Jours, il est même à peu près certain que la Cour serait venue s'y réinstaller ; d'ailleurs cette rupture elle-même n'a pas empêché Louis XVIII de conduire à terme l'essentiel d'une entreprise de rénovation menée sur un grand pied. On devait perdre plus ou moins, par la suite, le souvenir de ce premier grand chantier de la première Restauration ; il n'en fut pas moins décisif pour la préservation des lieux. En vérité, seul Charles X s'est volontairement tenu à l'écart du château de ses pères. Mais il est vrai que ce prince croyait beaucoup aux fantômes et aux spectres ; or, ceux qui pouvaient alors hanter les bosquets de Versailles devaient avoir quelques reproches à lui faire.

Deuxième partie

LE DÉTOURNEMENT

4

Toutes les gloires de la France

> *Qui pleure aux mélodrames ? qui prend au sérieux la Légion d'honneur ? qui devient actionnaire des entreprises impossibles ? qui lit Paul de Kock ? qui a fait le succès du* Postillon de Longjumeau *? qui court voir et admirer le Musée de Versailles ?... l'épicier, l'épicier, toujours l'épicier !*
>
> BALZAC.

Après les six années d'inertie du règne de Charles X, les Versaillais voient plutôt d'un bon œil l'intronisation, en août 1830, de ce « roi des Français » qu'on leur a décrit dynamique. Nombreux sont ceux qui, tablant sur le goût des Orléans pour l'Histoire, espèrent voir le nouveau souverain s'aventurer de temps à autre chez Louis XIV. D'ailleurs quand, en novembre 1831, le préfet de Seine-et-Oise formule ses directives pour le château, il ordonne qu'on réserve le Grand Appartement à l'usage éventuel du roi. Pour le reste, lui-même envisage de rendre le site à sa vocation de refuge des arts et de l'étude ; il s'agirait de fixer au palais un musée allégé de l'Ecole française, ainsi qu'une académie d'agriculture et une bibliothèque publique.

Ce qu'ignore le préfet, c'est que le roi, de son côté, nourrit déjà pour Versailles des ambitions tout autres. Le

2 mars 1832, Louis-Philippe fait voter une loi qui, soustrayant le domaine au contrôle du Parlement, en fait une dotation de la Couronne. Est-ce à dire qu'il caresse déjà l'idée de son grand musée ? Il semble que cela ne soit venu qu'un peu plus tard ; ainsi le comte de Montalivet, intendant général de la liste civile, précise-t-il : « Dans les derniers mois de l'année 1832, le roi m'avait entretenu de ses projets sur Versailles. Mais il ne les a définitivement arrêtés que dans les premiers jours du mois de juin 1833. » [1] De fait le souverain, après quelques visites discrètes au début de l'année, ne revient officiellement à Versailles que le 19 juin. Les intentions qu'il exprime alors sont transmises au directeur des Bâtiments par l'architecte Frédéric Nepveu *. Elles seront confirmées, le 8 août, sous la forme d'un projet de galeries présentant, à l'intérieur du château, « tous les souvenirs historiques nationaux qu'il appartient aux arts de perpétuer ».

L'idée d'une galerie historique était dans l'air depuis un certain temps, comme devait en témoigner une étude fouillée de l'historien berlinois Thomas Gaehtgens. Dès 1816, un certain Laurent-Pierre de Jussieu, neveu du grand botaniste, avait formé le projet d'un *cours d'histoire générale par tableaux*. Convaincu, comme d'autres avant lui, de la vertu formatrice des images, il se proposait de réunir, à des fins didactiques, une série de peintures illustrant — Restauration oblige — la fidélité du peuple français à ses monarques... Après tout l'époque, motivée par le progrès des connaissances positives, ne se grise-t-elle pas de séries, de florilèges, de catalogues imagés ?

Les chaînons qui relient Jussieu au roi-citoyen s'appellent François Guizot et Augustin Thierry ; le premier, fondateur de l'école historique française, est depuis 1832 ministre de l'Instruction publique. Il avait, dès 1830,

* Ce sont les rapports de ce disciple de Percier et Fontaine, détaché à Versailles depuis 1820, qui permettront de retracer la genèse et les développements du grand projet de Louis-Philippe.

imaginé de créer à Versailles un « musée des traditions et des mœurs de la France ». Mais sa proposition, reprise devant la Chambre en 1831, n'a pas été suivie d'effet ; Guizot le regrette d'autant plus que, dans son esprit, le moment est venu d'abreuver la « classe moyenne » de cette histoire nationale qu'il conçoit comme un long préambule au régime actuel, fondé sur la Charte, le suffrage censitaire et le libéralisme économique. Quant à Thierry, lui-même conçoit la Monarchie de Juillet comme « l'aboutissement providentiel » de l'histoire de France.

« Lors de votre dernière visite à Versailles, Sire, vous avez daigné développer, devant les personnes qui vous accompagnaient, le plan que vous avez formé. Vous nous avez dit que, sans priver le Louvre de la collection des chefs-d'œuvre de la peinture et de la sculpture, et des objets anciens que la Couronne y possède aujourd'hui, vous vouliez que Versailles présentât à la France la réunion des souvenirs de son histoire, et que les monuments de toutes les gloires nationales y fussent déposés et environnés ainsi de la magnificence de Louis XIV... » [2] Telles sont les premières lignes d'un rapport de Montalivet que le roi, lors de son voyage estival en Normandie, va prendre le soin d'officialiser : il y appose sa signature à Cherbourg, le 1er septembre 1833. Ainsi Louis-Philippe a-t-il entériné la création, à Versailles, de galeries d'un genre nouveau, pour des peintures et des sculptures exclusivement dédiées à l'épopée nationale. C'est, pour le palais, le signal d'un bouleversement majeur — le plus important depuis la Révolution.

La danseuse du roi-citoyen

Louis-Philippe est né en 1773 ; quoique élevé au Palais-Royal, à Paris, et au pensionnat de Mme de Genlis, à Bellechasse, il a vaguement connu le Versailles royal — assez en tout cas pour percevoir l'hostilité qu'y suscitait son père, le futur Philippe-Egalité. Depuis lors, à la fois fasciné par la grandeur louis-quatorzienne et rebuté par les petitesses qu'elle peut cacher, il a nourri pour cette maison des sentiments ambigus ; on en trouvera la trace dans toutes ses décisions relatives à Versailles. Ainsi, c'est le respect du roi des Français pour la mémoire de Louis XIV qui le convainc d'épargner le Grand Appartement et la Galerie, désormais appelée « galerie des Glaces » ; mais c'est son mauvais souvenir de la Cour, en revanche, qui va l'amener à s'attaquer aux appartements des frères de Louis XVI — ces princes arrogants qui l'ont précédé sur le trône.

Au lendemain de « l'ordonnance de Cherbourg », c'est par l'aile du Midi que commencent les grandes démolitions. En prévision d'une première inspection, le 12 septembre, les appartements de Madame Elisabeth, du comte et de la comtesse d'Artois sont détruits, dépouillant Versailles de milliers de mètres carrés de boiseries magnifiques ! Cela, sans que l'on sache exactement quoi mettre à la place. Ce sera d'ailleurs une constante dans les travaux de Louis-Philippe à Versailles, que leur évolution à vue, au juger, en fonction de l'effet produit. « Le plus grave, c'est lorsque le roi change d'avis, note un historien de la période ; (...) il y aurait un livre à écrire sur l'histoire des escaliers de Versailles et sur les ordres et les contre-ordres du roi, car il ne juge que ce qu'il voit et ordonne souvent la démolition de ce qui vient d'être fait [3]. » Les conséquences en sont d'autant plus lourdes que l'activité, sur place, devient vite énorme ; rien que pour les seize premiers mois du chantier, les travaux représenteront cent quatre-vingt-trois mille journées œuvrées !

Un exemple du flottement royal : la destination des treize salles créées au rez-de-chaussée de cette aile du Midi. Fin septembre 1833, il est prévu qu'elles accueilleront des effigies de grands hommes, militaires et civils ; Nepveu envisage d'y loger quelque cinq cent trente portraits ! Il faut aller vite, le roi s'étant promis d'ouvrir ces salles au public au printemps suivant. Mais bientôt, l'on se ravise : alors qu'est lancée, juste au-dessus, la construction de la galerie des Batailles, il se révèle que plusieurs grandes compositions militaires — d'anciennes commandes impériales — ne pourront y loger. Pourquoi ne pas les descendre au rez-de-chaussée, quitte à repousser les portraits vers le corps central du château ? C'est entendu. L'inauguration est remise à plus tard, et l'on présente, en juin 1834, à la place des portrait prévus, un certain nombre de ces grandes peintures évoquant des batailles napoléoniennes. Le roi est presque satisfait, n'étaient les encadrements qui lui déplaisent. Il va donc hésiter encore sur le parti à prendre, avant de décider, en septembre 1834, que « les tableaux de batailles et autres appartenant à l'Empire resteraient exposés dans ces salles, mais en faisant partie de la boiserie ». Autrement dit, ils seront enchâssés dans des panneaux d'encadrement *...

C'est le faible du roi pour ces habillages moulurés qui vaudra leur monotonie aux galeries versaillaises. En attendant, pour l'architecte, cette option représente une source abondante de conflits avec la direction des Musées ; en effet la taille des tableaux, une fois livrés, correspond rarement à celle des encadrements prévus. Certaines toiles doivent être agrandies, au risque de déséquilibrer leur composition ; d'autres sont impitoyablement réduites. Bientôt las de ce jeu de massacre, Frédéric Nepveu en vient à la solution de châssis mobiles, avec languettes et crémaillères, lui permettant d'ajuster à volonté le cadre à l'œuvre... Pour le reste, ce système d'encadrement intégré ne présente pas que des inconvénients. L'architecte a compris, en effet, qu'il pou-

* Cet ensemble créé en 1834 est toujours en place aujourd'hui. Et l'enfilade de ces treize salons est sans doute la plus juste évocation qu'on ait conservée de l'œuvre de Louis-Philippe à Versailles.

vait se contenter de plaquer le panneau sur la boiserie ancienne, ce qui permettait de la préserver pour des temps meilleurs *... C'est ce qu'il fait au rez-de-chaussée du corps central, notamment dans l'appartement occupé, sous Louis XV et Louis XVI, par Madame Victoire, et qui a conservé des ornements de cette époque.

Mais d'où proviennent donc ces milliers de peintures dont Louis-Philippe a choisi de remplir ses galeries ? En général, il s'agit d'œuvres dispersées jusqu'ici dans toutes sortes de fonds publics, et qu'un travail de fourmi permet d'exhumer des réserves où elles croupissaient. Autant dire que la conversion du palais en galeries s'accompagne d'une enquête iconographique sans précédent. Une fois les documents réunis et ordonnés, il reste naturellement à combler des manques ; et ce sera l'objet des nombreuses commandes passées par Louis-Philippe à tous les artistes disponibles : Delacroix, Gérard, Horace Vernet ou Ary Scheffer, certes, mais aussi Couder, Gudin, Langlois, Philippoteaux, entre autres sommités... Bien des contemporains se sont gaussés de ces commandes de peinture « au mètre carré », pour lesquelles la valeur artistique importait moins que la rapidité d'exécution. Mais il faut comprendre que le but alors poursuivi est de constituer, non pas un musée de beaux-arts, mais une sorte de compilation exhaustive de vues documentaires. « Mes successeurs remplaceront des toiles, admet le roi, mais j'ai d'abord voulu remplir des cadres. »

Le centre et le gros morceau de cette tranche initiale, c'est assurément la galerie des Batailles, qui doit occuper, sur deux étages, la longueur complète de l'aile du Midi. Pour ses concepteurs, il s'agit d'édifier la galerie la plus spacieuse et la mieux éclairée du XIXe siècle. Ses dimensions sont pharaoniques : cent vingt mètres

* Cela devait permettre, au début du XXe siècle, de retrouver presque intacts, dans les appartements dits « du XVIIIe siècle », un certain nombre de panneaux anciens.

de long pour treize de large ; sa conception d'ensemble, avec une verrière au zénith et une armature de métal soigneusement dissimulée, se veut du dernier cri. Son programme iconographique, compliqué par la nécessité d'inclure des compositions déjà peintes *, alimentera le débat pendant près de deux ans. Finalement, en juin 1835, on lance l'exécution de ce projet qui doit mettre en valeur trente-trois tableaux immenses, représentant des victoires militaires françaises, de Tolbiac à Wagram **. Ils pourront, dès l'automne de 1836, être installés dans leur écrin or et ivoire, en carton-pierre.

La galerie est encadrée, au sud, par une vaste salle terminale consacrée aux « glorieux événements » de 1830 — ce doit être le couronnement du parcours —, au nord, par un escalier des Princes réaménagé et décoré sur les dessins de l'irremplaçable Fontaine. Le palier haut de cet escalier donne, à droite, sur l'ancien passage des Princes, devenu la salle de 1792, ornée principalement des copies de deux toiles commandées à Horace Vernet dès 1821 pour le Palais-Royal. Elles représentent ces victoires républicaines de Valmy et de Jemmapes, auxquelles a participé le jeune duc de Chartres, futur Louis-Philippe. Quant à la salle voisine dite « du Sacre », consacrée aux gloires impériales, elle a permis au roi de confier à Nepveu un projet enfin digne de ses talents supposés d'architecte : les voussures de l'ancienne salle des Gardes ont en effet dû être remaniées entièrement.

Tous ces chantiers, bien que cantonnés aux inté-

---

* Il s'agit de l'*Entrée d'Henri IV à Paris* et la *Bataille d'Austerlitz*, de Gérard, ainsi que la *Bataille de Fontenoy*, d'Horace Vernet.

** Une œuvre se détache nettement de ces compositions froides ; c'est la célèbre *Bataille de Taillebourg*, d'Eugène Delacroix, dont l'intensité dramatique et la hardiesse de palette tranchent vivement sur l'ensemble.

rieurs, entraînent un chamboulement complet de l'architecture. Leur principe directeur, admis et ratifié par Fontaine, est d'uniformiser des volumes autrefois conçus, tout au contraire, dans un esprit de variété. C'est dire si le contre-pied architectural est complet. Un exemple de la brutalité des partis pris : durant l'hiver de 1834, on abaisse le niveau de la cour de Marbre et des salles qui l'entourent, dans le but de rétablir partout le plain-pied — quitte à créer, sous les colonnes d'avant-corps, des socles démesurément hauts. Dès lors, c'est l'ancien Petit Appartement de Marie-Antoinette, au rez-de-chaussée sur cette cour, qui est condamné au profit de salles d'exposition ; mais au lieu d'en profiter pour rétablir la transparence primitive entre ville et jardins, Nepveu préfère exécuter des percements latéraux « qui permettent à l'œil de pénétrer de la cour des Cerfs dans la cour du Dauphin »[4]... Au sud, pour créer un passage vers l'escalier de marbre, on déplace un gros mur d'époque Louis XIII, ce qui provoque aussitôt un tassement des refends extérieurs. Quatre colonnes de l'ancien vestibule de marbre, remises à jour par ces travaux, sont ôtées dans la foulée, pour être remplacées par d'énormes poutres bien visibles.

L'historien de l'art Pierre Francastel devait écrire : « Détruisant le palais pour réaliser leur dessein, le roi et ses conseillers nous paraissent comme atteints d'une véritable aberration, mais il faut bien voir encore qu'ils étaient tout simplement dans la tradition d'une époque que nous jugeons aujourd'hui seulement révolue. (...) Fontaine et Nepveu étaient, en tant que techniciens, dans l'état d'esprit des hommes du grand siècle qui brisèrent les cathédrales gothiques, placèrent dans le chœur des autels rococo, au talent près [5]... » Au talent près ! Et à cela près, aussi, que la notion de monument historique devait, précisément, voir le jour sous la Monarchie de Juillet ; il est vrai qu'elle concernait surtout, à l'époque, le patrimoine médiéval.

Faut-il redire que le roi, déjà sexagénaire, prend la peine de suivre lui-même tous les travaux, et de fort près ? Le *Journal* de Nepveu permettra de comptabiliser, sur l'ensemble du règne, tout près de quatre cents tournées d'inspection royales à Versailles ! Autant dire que, dans les premières années, le roi est là presque chaque semaine, arpentant le chantier en maître d'œuvre concerné, passionné même. Les sommes gigantesques englouties dans l'opération — plus de vingt-trois millions en tout — ne sont-elles pas intégralement prélevées sur sa liste civile ? De toute évidence, la conversion du palais de Versailles en galeries historiques est la grande affaire du roi-citoyen, son ambition personnelle en même temps que son délassement ; sa danseuse, diraient certains... Quand d'autres iraient à la chasse ou au bal, lui vient ici respirer l'odeur du plâtre et du mortier, viser ou rectifier des plans, superviser des accrochages... Aussi les galeries seront-elles bien sa création en propre, comme le palais lui-même avait été celle de Louis XIV ; il ne peut qu'en assumer la responsabilité.

Le goût de l'ancien

La présence régulière du souverain sur le chantier n'est pas sans poser quelques problèmes, notamment en termes de sécurité. Jusqu'en 1837, les bâtiments sont fermés au public, ce qui facilite les choses ; par la suite, il faudra clore les galeries à chaque inspection. Et l'on surprend, dans les correspondances du temps, des allusions à ces déplacements inopinés : « J'ai (...) vu Versailles, les extérieurs seulement, note ainsi une jeune visiteuse en décembre 1838. Le roi étant attendu, on nous en a fermé les portes. Vous l'ai-je dit, et nos fureurs royales [6] ? » Pas question, pour autant, de coucher à Versailles ! Les visites de Louis-Philippe au château des rois sont strictement diurnes. Cet homme, qui adopte le drapeau tricolore et rétablit le Panthéon, abolit l'ancienne étiquette et remplace les fleurs de lys par le coq gaulois, ce prince, qui ne règne plus sur des sujets mais se contente d'administrer des citoyens, ne veut surtout pas que l'opinion puisse le soupçonner de chausser les pantoufles de Louis XVI.

Néanmoins, à chacune de ses visites, il doit pouvoir faire tranquillement le point avec ses collaborateurs. Il lui faut donc un pied-à-terre où recevoir, se reposer, dîner à la mi-journée, voire même souper. C'est à ces fins que l'on prévoit à son usage, dès le début des travaux, un « appartement de jour » dans l'ancien appartement intérieur du Roi. Les petits cabinets de Marie-Antoinette sont, de leur côté, aménagés pour accueillir les patientes attentes de la reine Marie-Amélie. Si ces deux logements nous intéressent, c'est qu'ils sont les premiers, à Versailles, à faire l'objet d'un essai, même approximatif, de « remeublement » ! En effet, plutôt que de placer là des meubles au goût du jour, Louis-Philippe, en cela précurseur, va tenter d'accorder le mobilier de ces pièces à leur décor ancien. Le Garde-Meuble est mis à contribution — notamment le pittoresque magasin des rebuts —, mais aussi les antiquaires de Paris et de Versailles, encore riches des ventes révolutionnaires, et quelques intermédiaires officieux comme Mme de Sampayo.

Daniel Meyer, naguère conservateur à Versailles, devait étudier dans le détail le mobilier du château sous Louis-Philippe [7], notamment grâce à un inventaire établi en 1840. Or, sa description des « appartements de jour » réserve une place non négligeable au mobilier « d'époque » : deux meubles à hauteur d'appui « de style Louis XIV » sont ainsi placés dans la petite salle à manger * (ancienne salle à manger des Retours de chasse) et

---

* On peut noter que la même pièce recevra, en 1835, un grand secrétaire commandé par Charles X onze ans plus tôt à la manufacture de Sèvres, et dédié à « L'histoire du château de Versailles ».

le salon des aides de camp (ancienne antichambre des Chiens) ; un régulateur « saisi chez les Noailles à la Révolution » est également installé dans cette dernière pièce. Deux encoignures de Levasseur se retrouvent dans le cabinet d'angle du Roi, et une table à écrire du même ébéniste, dans la bibliothèque « dorée » de la Reine ; ces trois meubles proviennent de chez Mesdames, à Bellevue. Jadis exécutées pour la princesse de Condé au Palais-Bourbon, deux commodes de Leleu sont posées, quant à elles, l'une dans le cabinet de la Cassette, chez le roi, l'autre, chez la reine, dans le salon des huissiers (ancienne garde-robe de Marie-Antoinette)... Et l'on pourrait prolonger cette liste, où se remarquent notamment les estampilles de Carlin et de Riesener.

Ce goût de l'ancien qui, sous le Second Empire, s'emparera de toute la bonne société, s'exprime donc, dès le milieu des années 1830, dans l'entourage de Louis-Philippe ; il faut y voir sans aucun doute une manifestation de cet attrait pour l'imitation qui va pousser, paradoxalement, le créateur des galeries à tenter une restitution vague des « pièces d'étiquette » de l'ancien appartement du Roi : antichambre de l'Œil-de-bœuf, chambre de Louis XIV et cabinet du Conseil. Pas de panorama militaire ici, nulle cimaise à touche-touche, aucune allégorie facile ! Dans la grande chambre, en particulier, le roi s'efforce de restituer un décor, sinon Louis XIV, du moins en accord avec l'idée qu'on se fait alors du grand siècle. Il fait tendre l'alcôve de somptueux brocarts commandés par Louis XVIII pour la salle du trône des Tuileries, commande chez Alphonse Jacob un grand lit à la duchesse * et six fauteuils cossus, auxquels il joint deux torchères dites « aux enfants », rescapées de la commande de 1769 pour la Grande Galerie. Désormais et pour des décennies, la chambre ainsi parée

* Depuis l'automne 2000, ce lit est exposé de nouveau ; on peut le voir dans le salon de Mercure, jadis appelé « chambre du Lit ».

— du reste assez digne de son ancien prestige — va devenir le modèle d'un « style éclectique » assez grandiloquent.

A l'évidence, le souvenir de Marie-Antoinette est moins cher au roi des Français que celui du « Roi-Soleil ». L'appartement de la Reine est, en tout cas, traité sans ménagements. La chambre se verra dépouiller de quatre panneaux de boiserie et de deux trumeaux latéraux. Ces chefs-d'œuvre de l'art rocaille — d'un goût « dégénéré » si l'on en croit Fontaine — sont remplacés par de bien plats cartons de tapisseries signés Van der Meulen... Quant aux deux pièces précédentes, l'antichambre du Grand-Couvert et le salon des Nobles, elles subissent un sort analogue, en dépit des protestations de Nepveu que ce vandalisme organisé commence à dégoûter. L'homme, de nature bilieuse, a du reste mauvais caractère ; mais il a beau regimber pour la forme, il est assez docile au fond, et finit toujours par s'exécuter. L'on expédiera donc les merveilleuses boiseries au magasin du Grand Séminaire (c'est-à-dire dans les réserves de l'ancienne Surintendance)... Seuls seront sauvés les plafonds peints : ne sont-ils pas en grande partie hérités du XVIIe siècle ?

De plus en plus possédé par son dessein, Louis-Philippe manifeste bientôt le désir de disposer, au plus près, d'une villégiature où venir passer plusieurs jours d'affilée. Comme l'empereur avant lui, il jette son dévolu sur le Grand Trianon, tandis que le Petit est affecté à son fils aîné, le duc d'Orléans. Des travaux importants sont menés en 1836, afin de rendre cette résidence estivale plus confortable en toute saison. A l'époque de l'éclairage public au gaz et du daguerréotype, il paraît normal que les souverains ne soient pas les derniers à jouir des bienfaits de la modernité ! Les appartements du roi et de la reine sont augmentés, gratifiés de plusieurs pièces de service. L'ensemble des logements est simplifié, et le creusement d'un immense sous-sol permet de concevoir des dégagements, d'installer un système de chauffage et d'aménager des cuisines efficaces, qui remplacent celles de l'aile sud. En contrepartie, l'aération de ce souterrain exige la suppression du magnifique perron sur les jardins *. Enfin la galerie jusqu'à Trianon-sous-Bois est restaurée, et une belle salle à manger créée à son extrémité. Tous ces travaux, effectués sous le contrôle de Fontaine, respectent les décors de l'Empire, en les rénovant lorsque nécessaire. Ils feront de Trianon une villégiature agréable — en vain : le roi et sa famille y passeront trois semaines en tout et pour tout !

Le premier séjour a lieu dès l'été 1837, à l'issue des cérémonies du mariage du duc d'Orléans avec la princesse Hélène de Mecklembourg-Schwerin. La famille royale est alors requise à Versailles ; car Louis-Philippe, voulant donner de l'éclat aux fêtes accompagnant cette union, a retardé l'inauguration de son nouveau musée, pour la faire coïncider avec elles.

L'Inauguration

Les Versaillais l'appellent l'Inauguration, sans avoir besoin de préciser laquelle, un peu comme les Parisiens, en 1900, parleront simplement de l'Exposition. Il faut dire que les festivités des samedi 10 et dimanche 11 juin 1837, comptent parmi les plus importantes qu'ait connues la cité royale. Le premier jour, celui de l'inauguration elle-même, a été conçu par le roi comme la réunion des élites nationales autour du Trône. Le deuxième, celui de l'ouverture au public, s'est présenté comme une réjouissance populaire, cimentant la réussite du projet conciliateur de la Monarchie de Juillet.

Les contemporains, conscients de l'importance de

* Il ne sera rétabli qu'en 1925.

l'événement, ont répondu en masse à l'invitation du roi. Il est vrai qu'en ayant tenu son œuvre à peu près secrète, Louis-Philippe a su piquer la curiosité publique. L'un des rares privilégiés admis à découvrir les galeries en avant-première aura été le plus illustre vieillard de l'époque : le prince de Talleyrand, qu'accompagnait la duchesse de Dino. Faut-il regretter qu'aucun scribe n'ait jugé bon de relater l'échange entre ces deux brillants causeurs ?

A l'approche de l'Inauguration, il a fallu travailler nuit et jour, jusqu'à la dernière minute ; et certaines peintures ne sont pas sèches à temps. Qu'importe ! A dix heures précises le samedi matin, les galeries s'ouvrent aux premiers visiteurs — tous invités. Louis-Philippe a distingué des dignitaires du régime, naturellement, ainsi que des célébrités et de grands noms de l'aristocratie, mais également des journalistes, des artistes et quelques écrivains en vue. Et l'on peut croiser dans la foule Alfred de Musset, Honoré de Balzac, Alphonse Karr, Alexandre Dumas ou Victor Hugo.

Comme devait le révéler Adèle Hugo, ces deux derniers ont bien failli ne pas venir. En effet deux jours avant, se voyant évincé des promotions de la Légion d'honneur, Dumas, de dépit, a renvoyé son carton ; et Hugo a fait de même, par solidarité. Il a fallu l'intervention personnelle du duc d'Orléans auprès de son père pour que, l'impair une fois réparé, les deux écrivains acceptent de prendre la route de Versailles. L'auteur de *Notre-Dame de Paris* ne regrettera pas le déplacement ; il va se découvrir en effet une admiratrice en la personne de la nouvelle duchesse d'Orléans, ce qui lui ouvrira bientôt les portes du cercle royal.

Pour la circonstance, Dumas et Hugo ont tous deux revêtu des uniformes de gardes nationaux. Il faut dire que, par souci d'élégance, l'habit bourgeois n'a pas été souhaité. C'est donc une foule brillant d'uniformes brodés et festonnés, dont beaucoup sont de pure fantaisie, qui va découvrir, ébahie, le fruit des cogitations royales. Les plus émus sont sans doute les vétérans de l'Empire, particulièrement soignés par les choix iconographiques. Jules Janin : « Nous avons vu pleurer de vieux généraux devant “ les grandes chose qu'ils avaient faites ”, comme disait Napoléon dans la cour d'un autre château royal [Fontainebleau]. Larrey pleurait en voyant revivre sous ses yeux la Grande Armée, en retrouvant ses héros d'Aboukir, ses ambulances héroïques et ses intrépides blessés. Charlet ne pleurait pas, mais sa moustache se hérissait de plaisir et d'émotion ; jamais il n'avait vu tant d'illustres grognards... » [8] Les nostalgiques de la Révolution vont se montrer plus circonspects : cantonnée aux campagnes nationales de 1792 à 1795, son évocation se trouve réduite à la portion congrue. Même la Révolution modérée a été passée sous silence ; et l'on ne trouve, dans toutes ces galeries, aucune trace d'un quelconque serment du Jeu de Paume, ni de la prise de la Bastille, ni même de la nuit du Quatre-Août... Jusqu'aux journées d'Octobre qui ont été ignorées — un comble en de tels lieux !

Sur le coup de deux heures et demie, la famille royale quitte Trianon pour le palais. Massée sur son parcours, la population acclame les souverains et les jeunes mariés, mais aussi le roi et la reine des Belges et le reste de la famille. Les hourras vont redoubler quand les deux reines et les princesses, vêtues et parées en plein jour comme pour les plus grandes soirées, descendront de voiture. Le roi gagne les galeries par l'escalier de Marbre. Pendant plus d'une heure, Louis-Philippe va connaître alors le goût du triomphe. Faisant assaut d'enthousiasme, tous les invités qui parviennent à l'approcher dans les différentes salles et dans la galerie des Batailles se confondent en compliments. Visiblement ému, le souverain remercie simplement et paraît apprécier l'hommage.

A quatre heures, un très grand dîner est servi, pour

mille cinq cents convives, dans la galerie des Glaces et le Grand Appartement. « Le coup d'œil était admirable, assure un historien de ces journées. Les tables étincelaient d'or et d'argent, de cristaux et de fleurs, et elles étaient chargées d'un double service d'une recherche exquise ; d'innombrables corbeilles de fruits étaient rangées avec art le long des surtouts brillants ; et les fleurs, les fruits, les bronzes, les statues d'albâtre, reflétés dans les murailles de glace de la galerie, multipliaient à l'infini le prestige de cette merveilleuse scène. Dix mille assiettes de porcelaine de Sèvres et six mille couverts circulaient sans encombre et sans interruption entre les mains de plus de six cents serveurs [9]. » Rien que dans la galerie, huit tables de soixante couverts ont ainsi été dressées, dont celle du roi ; les princes président dans les autres salons : le duc d'Aumale au salon d'Apollon, le duc de Nemours au salon de Mars, le prince de Joinville au salon de Vénus...

La famille royale s'étant retirée, après dîner, dans les cabinets de la Reine, les convives vont se précipiter vers la salle de l'Opéra, entièrement badigeonnée de rouge à croisillons dorés. Il s'agit d'obtenir une bonne place pour le spectacle. Quand le roi s'y présente lui-même, à huit heures — c'est-à-dire avec une heure de retard sur l'horaire —, ceux qui n'ont pu entrer encore sont priés d'attendre un moment dans la galerie de pierre. Puis on rouvre les portes, et c'est la bousculade. « Il restait à traverser une longue galerie dont le parquet ciré et luisant comme un miroir avait une telle transparence qu'on s'y serait jeté à la nage, raconte Mme Hugo ; on y glissait comme sur la glace ; c'était un vrai casse-cou, surtout pour les vieux ; les maréchaux, les cordons bleus, les dignitaires, les personnages vénérables, pressés et heurtés sur cette surface dangereuse, perdirent l'équilibre et s'étalèrent. Il en tomba bien une vingtaine. M. Victor Hugo en ramassa plusieurs ; mais voyant M. d'Argout allongé sur le parquet, il se souvint que c'était lui qui avait interdit *Le Roi s'amuse*, et l'y laissa [10]. »

Pas de Victor Hugo à l'affiche ce soir, mais du Molière. Le roi a voulu l'intégrale du *Misanthrope*, par les comédiens-français. Cette représentation marque une innovation dans l'histoire de la mise en scène : ce sera la première, depuis le début du XVIIIe siècle, donnée en costumes d'époque Louis XIV ! Suit un acte de *Robert le Diable*, de Scribe et Meyerbeer, avant un divertissement de circonstance imaginé par le même Scribe, et plaçant, en regard, une fête au grand siècle « à la gloire de Louis XIV » et la présente fête « à toutes les gloires de la France ». Les effets de scène, l'ardeur des comédiens, chanteurs et danseurs veulent compenser la faiblesse de l'argument ; et le final arrache des hourras à l'assistance qui, debout, acclame Louis-Philippe. Celui-ci, plus ému que jamais, quitte alors l'Opéra pour une ultime promenade aux flambeaux dans ses galeries.

Le lendemain, l'ouverture au public sera précédée de la remise au roi, par les autorités locales, d'une médaille frappée par la cité reconnaissante. Pour les habitants — ils sont quelque trente-cinq mille * alors — l'installation des galeries est une aubaine. Ils sont innombrables à suivre la revue, sur la place d'armes, des bataillons de la garde nationale. Les portes des galeries ne s'ouvriront à la population que vers deux heures, une fois le roi rentré à Trianon pour le Conseil des ministres. Les eaux vont jouer dans le parc et, le soir, la suite royale reviendra au palais pour y contempler, depuis la galerie des Glaces, un grand feu d'artifice tiré à partir de neuf heures. Le bouquet final, qui comprend près de cinq mille fusées, déchaîne l'enthou-

* Versailles comptera environ 44 000 habitants en 1867, 60 000 en 1911, 72 000 après la dernière guerre. De nos jours, la population s'est stabilisée autour de 100 000.

siasme de la foule massée sur cette allée royale que tout le monde ne nomme plus que le « Tapis-Vert ».

Avant de se retirer pour de bon, le roi félicite Nepveu en public, en précisant que l'architecte « ne devait pas songer à se reposer de ses fatigues et qu'il n'y avait encore que les deux tiers de la besogne de faits ». [11]

Le roi est servi

Par son éclat, sa réussite et l'avalanche d'éloges qu'elle a pu susciter, l'Inauguration peut être considérée comme « le plus beau jour » de la Monarchie de Juillet. Dans les mois qui suivent, les galeries historiques vont attirer vers le château des visiteurs qui ne demandent qu'à être éblouis. Ils seront assez nombreux pendant quelques années, et justifieront même la création, entre Paris et Versailles, d'une nouvelle compagnie de messageries publiques, *Les Industrielles*, qui viennent seconder les fameuses *Gondoles* et les *Accélérées*. Bientôt, en 1839 et 1840, la création de deux lignes ferroviaires reliant Versailles aux rives droite et gauche de la capitale, facilitera encore l'afflux des visiteurs *. Qui vient visiter le Musée ? « L'épicier », répond Balzac ; mais les rapports de police précisent que les femmes sont en majorité, parfois accompagnées d'enfants. Pas dupe de l'effet de mode, le dessinateur Grandville, dans ses *Petites misères de la vie humaine*, a gentiment croqué l'ennui des bourgeois du dimanche, bâillant à s'en décrocher la mâchoire devant les alignements uniformes du panthéon versaillais...

Le jour même de l'Inauguration, les auteurs y sont

* Au soir du dimanche 8 mai 1842, jour de grandes eaux, sur la ligne de la Rive Gauche, surviendra dans le sens de Paris la première catastrophe ferroviaire de l'Histoire. Cet accident fera quarante-trois morts, dont le navigateur Dumont-d'Urville.

ÉVÉNEMENT DU 6 OCTOBRE 1789.

Les événements des 5 et 6 octobre 1789
vont marquer la mémoire nationale, comme en
témoigne cette vignette à la fois épique et naïve.

Le Débuché au Grand Trianon (par Jean Bidauld et Carle Vernet) immortalise les chasses de l'empereur sur le domaine.

Le célèbre Fontaine
(peint par Joseph-Désiré Court)
supervise les travaux menés
par son jeune confrère Dufour;
ici, la démolition du pavillon de
la Vieille-Aile (par Pierre Drahonet).

De l'inauguration de la galerie des Batailles (en 1837, par Jean-Auguste Bard) à celle de la grande salle des Croisades (en 1844, par Prosper Lafaye), Louis-Philippe suit jusqu'au bout son dessein. © *haut* : Châteaux de Versailles et de Trianon, RMN – G. Blot ; *bas* : Châteaux de Versailles et de Trianon, RMN

Le 25 août 1855, pour la soirée offerte à la reine Victoria, le Garde-Meuble de la Couronne a pris soin de remeubler avec faste les anciens salons royaux.

Dès septembre 1870, les Prussiens installent leurs canons sur la place d'armes et leurs lits d'hôpital dans la Grande Galerie (huile sur toile de Victor Bachereau).

A la fin de sa vie, le vieux Pierre de Nolhac (croqué par son fils Henri) raconte avec humour l'agitation de ces grands jours versaillais que furent, vers 1900, les élections présidentielles.

Evénement-phare d'une époque, le congrès de la Paix, réuni au château en juin 1919, n'aura pas les effets positifs qu'en attendent ses instigateurs.

tous allés plus ou moins de leur couplet. Viennet, dans son *Journal*, laisse entendre qu'ils s'y étaient vu convier : « C'est bien beau, dis-je à la reine, c'est bien beau. — Oui, répondit la reine, et j'espère que nous aurons des vers. Cette réponse m'a fort embarrassé, car il suffit qu'on m'en commande pour qu'il me soit impossible d'en faire. On dit que Victor Hugo a pris les devants... » [12] En tout cas, le jeune maître donne le ton, c'est bien le moins. « Ce que le roi Louis-Philippe a fait à Versailles est bien, lance Hugo. Avoir accompli cette œuvre, c'est avoir été grand comme roi et impartial comme philosophe ; c'est avoir fait un monument national d'un monument monarchique ; c'est avoir mis une idée immense dans le passé, 1789 vis-à-vis de 1688, l'empereur chez le roi, Napoléon chez Louis XIV ; en un mot, c'est avoir donné à ce livre magnifique qu'on appelle l'histoire de France cette magnifique reliure qu'on appelle Versailles. » Quant au correspondant du *Constitutionnel*, il en cherche ses mots : « Je suis encore tellement ému de toutes les magnificences dont je viens d'être le témoin, écrit-il, mes souvenirs se pressent dans ma mémoire et s'y accumulent avec une telle rapidité, que j'éprouve un certain embarras, en commençant ma lettre, et que j'ai tout au plus assez de sang-froid pour me recueillir. » [13]

Le roi est servi ; mais il sait qu'on ne l'est jamais si bien que par soi-même ! Soucieux de sa postérité, il finance donc personnellement pour moitié, et à hauteur d'un million de francs, un superbe ouvrage de Gavard, *Galeries historiques de Versailles*, comprenant treize volumes de planches composées par diagraphie ; puis il charge son propre aide de camp, le comte Alexandre de Laborde, du soin de traduire sa philosophie des lieux. Et cela va donner le fameux *Versailles ancien et moderne*, publié en 1841, où celui qui avait eu la confiance de l'empereur se fait l'interprète du roi-citoyen, en même temps que son thuriféraire. On peut y lire des passages à peu près aussi neutres que celui-ci : « Ce fut donc une grande, une glorieuse pensée, que de créer un Panthéon historique, où se développerait aux regards comme à l'imagination l'histoire entière de la France (...). Mais pour exécuter cette noble entreprise, que de libéralité, que de persévérance, que d'abnégation même il fallait dans celui qui l'avait conçue. (...) On attendait un souverain qui eût le sentiment de la patrie assez vif, assez profond, pour confondre dans son cœur tout ce qu'elle avait produit de grand, et qui peut-être même avait le droit de réclamer personnellement une sorte de part à ces différents genres d'illustration [14]. » Ce souverain, inutile de le nommer...

En dehors des éloges de commande — aussi sincères soient-ils —, des échos plus mitigés se font entendre. La duchesse de Maillé note ainsi : « En accordant à Louis-Philippe que ce musée est une belle idée, je ne puis m'empêcher de remarquer avec quelle lésinerie c'est exécuté. (...) Partout on voit l'intention de l'économie, ainsi que les embellissements du château. La galerie décorée en carton-pierre sert merveilleusement à faire ressortir la magnificence consciencieuse de tout ce qui a été décoré par Louis XIV. » Plus dur encore, l'auteur — certes légitimiste — d'une brochure intitulée *Versailles dévoilé par la mode* : « C'est la confusion dans le chaos, écrit-il, l'ordre dans le désordre, (...) un labyrinthe coloré, un dédale de peinture ; ici, la chronologie suivie, plus loin, la chronologie abandonnée... Histoire si l'on veut, mais histoire incohérente, pleine de redites et pleine de lacunes, histoire embrouillée dont les pages se suivent comme les figures d'un jeu de cartes mêlé par des laquais ivres. » [15] Quant aux peintures d'histoire elles-mêmes, leur qualité est loin de faire l'unanimité, même en dehors des cercles d'initiés. Charles Baudelaire, qui n'a pas dix-sept ans alors, note dans une lettre à son beau-père : « Je ne sais si j'ai raison, puisque je ne sais rien en fait de peinture, mais il m'a semblé que les bons tableaux se comptaient ; je dis peut-être une bêtise, mais à la réserve de quelques tableaux d'Horace Vernet, de deux ou trois tableaux de Scheffer, et de la *Bataille de Taillebourg*, de Delacroix, je n'ai gardé souvenir de rien. » [16]

Au fil du temps, les mauvaises critiques iront *crescendo*, jusqu'à faire oublier le concert de louanges des premiers mois ; et les galeries deviendront la risée du public cultivé. Les censeurs ne sauront plus où donner du fiel, dénonçant tour à tour qui la disposition de tableaux accumulés comme dans une collection de timbres, qui la platitude et la redondance des motifs décoratifs. A la fin, c'est la thématique même du Musée qui sera mise en cause. « J'avais parcouru la galerie des Batailles, la salle des Maréchaux, celles des diverses campagnes, notera Ernest Renan en 1849 ; j'avais vu des sacres de rois ou d'empereurs, des cérémonies royales, des prises de villes, des généraux, des princes, des grands seigneurs, des figures sottes ou insolentes, quand tout à coup je me pris à me demander : où est donc la place de l'Esprit... Mais où est donc la galerie des Saints, la galerie des Philosophes, la galerie des Poètes, la galerie des Savants, la galerie des Penseurs ?... C'en est fait, me disais-je, l'esprit est déshérité... » [17]

Ce rejet des galeries de Versailles, grandissant avec la désaffection de l'opinion pour le régime lui-même, a pu se montrer aussi excessif que les éloges inconsidérés qu'elles avaient d'abord fait naître. En vérité, la création du roi Louis-Philippe n'était jamais que le reflet des qualités et des défauts de son temps. Comme devait si bien l'exprimer Gabriel de Broglie dans une conférence sur *Louis-Philippe et Versailles*, « on peut sourire au système de classement de milliers de figures comme un jeu des familles, à l'idée de rassembler, non pas les souvenirs de l'histoire de France, mais l'image des souvenirs, comme un panorama ou un musée de cire. Le XIXe siècle croyait à l'intérêt des collections, des galeries, des magasins, des dictionnaires, à la nécessité de rassembler toutes les connaissances sur un sujet. Il est vrai que, en dehors de quelques créations originales comme la galerie des Batailles, c'est une œuvre de surface qui a été réalisée, et, à l'échelle des grands chefs-d'œuvre de l'humanité, une œuvre médiocre. Il y a du flaubertisme dans l'entreprise de Louis-Philippe. Qui s'en étonnerait ? »

Jusqu'à la fin

Des critiques moins piquantes viennent sous la plume de visiteurs étrangers qui, attirés par un renom séculaire, découvrent le palais chamboulé. Le jeune William Talmadge note, au sortir d'une visite des galeries, en août 1838 : « Les lieux sont vastes au-delà de toute imagination anglaise, on peut à peine les concevoir selon leur but comme un lieu de résidence. » Et pour cause ! « Et si toutes ces pièces étaient garnies de meubles de l'époque, en harmonie avec les grandes galeries de marbre, les salons somptueux et les pièces dorées, cela dépasserait toute imagination »[18]. Ainsi naissent ces contresens qui, au fil des générations, feront perdre au public l'intelligence des lieux.

Ce n'est certes pas ce qui embarrasse Louis-Philippe. A peine éteints les feux de l'Inauguration, on l'a vu presser Nepveu de hâter la poursuite des travaux. Les efforts se concentrent à présent sur l'aile du Nord, autour du thème des Croisades ; on y travaillera jusqu'en 1845 et même au-delà, au rythme des ordres et des contre-ordres du souverain. L'intérêt du public pour le Moyen Age, dont Mérimée puis Viollet-le-Duc s'efforcent de sauver les vestiges, pousse le souverain à concevoir un ensemble digne de la populaire *Histoire des Croisades*, de Joseph Michaud. L'ambition sous-jacente est ici de satisfaire, après les bonapartistes, la frange légitimiste de l'opinion — une première salle consacrée aux Croisades, dans l'aile Gabriel, ayant été jugée trop modeste.

Puisque l'on dispose, dans l'aile du Nord, de toute la place souhaitable, l'intention du roi est d'y créer un ensemble prestigieux, digne pendant au nord de la galerie des Batailles au sud. Le thème décoratif en est fourni par l'authentique porte de l'hôpital de l'ordre de Saint-Jean de Jérusalem, à Rhodes, présent fort opportun du sultan Mahmud II. Louis-Philippe impose que le décor des nouvelles salles soit calqué sur les ornements de ces vantaux de bois sculpté ; et c'est ce qui va donner à ce coin des galeries la cohérence et l'originalité qui le distinguent du reste, et le sauvent de l'habituelle monotonie. Afin de rendre plus explicite l'hommage aux grandes familles, celles qui remontent aux Croisades voient leur blason reproduit en bonne place.

Dans les rangs d'une noblesse chatouilleuse, c'est à qui va vouloir faire, dès lors, la preuve de son ascendance chevaleresque. « Pauvres familles ! devait écrire Claire Constans. Elles sont trompées et grugées par un homme d'affaires érudit nommé Courtois qui veut tirer fortune de la vanité de plus d'un noble. En 1842, il met sur le marché parisien un stock de plusieurs centaines d'actes, dûment munis de sceaux et attestant nombre de participations aux Croisades. L'opération se fait par vagues successives, et l'une d'elles comportant en nombre un type de documents dont, avec perspicacité, les historiens viennent de relever l'absence, on murmure rapidement à l'imposture. Il n'empêche ; le peintre Jorand dessine cette série de cent soixante-seize écussons et les réalise ensuite sur fond de bois peint au naturel et rehaussé d'or [19]. »

Quant aux nostalgiques de la Révolution, s'ils font figure de parents pauvres, ils ne sont pas complètement oubliés ; le cinquantenaire de la réunion des états généraux, en mai 1839, leur offre l'occasion d'une belle célébration, dont l'épicentre est une salle décorée tout exprès, à deux pas du salon d'Hercule. Plus de cinquante mille visiteurs prendront d'assaut le parc ce jour-là, pour ce qui restera la première commémoration publique, à Versailles, des événements de 1789. Et l'on peut penser, alors, que la Monarchie libérale a gagné son pari versaillais : créer un temple où soient célébrés les grands moments de l'histoire nationale, hors des distinctions partisanes. Cependant, à travers le pays, les critiques à l'encontre du régime se font sans cesse plus virulentes ; et ce n'est pas la grande soirée donnée, le 9 juin 1844 à l'Opéra royal, pour les industriels ayant participé à l'exposition des Champs-Elysées, qui risque de calmer les censeurs d'un gaspillage des fonds publics ! Par ailleurs économe, le roi veut continuer de briller quand il est à Versailles. Il aime commenter son œuvre à des classes entières d'élèves — souvent de jeune militaires — venus contempler sur toile les exploits de leurs aînés ; et il ne se lasse pas d'organiser des visites privées où lui-même et ses invités parcourent les galeries, dans des chaises montées sur des plateaux roulants que traînent des laquais.

Une tradition veut que, lors d'une visite en famille, le roi se soit soudain éclipsé. Après un long moment, son entourage étonné aurait entendu un huissier crier : « Messieurs, le Roy ! », tandis que s'ouvrait une porte à deux battants. C'est alors que la compagnie, sidérée, aurait vu Louis-Philippe apparaître dans la tenue de Louis XIV, plus vrai que nature, de la perruque aux talons rouges ; et tout le monde de s'extasier sur la ressemblance frappante entre les deux monarques... Louis-Philippe était allé, non sans humour, au bout de sa logique.

Au reste, la tentation était grande de récupérer les anciennes gloires en vue d'y associer certains événements modernes. En 1842, Louis-Philippe imagine ainsi de vouer à la récente conquête algérienne plusieurs grandes salles, au premier étage de l'aile du Nord. C'est Horace Vernet qui se voit confier la plupart des commandes nécessaires ; ses quatorze tableaux couvriront plus de trois cents mètres carrés ! Le plus remarquable est sans doute *La Prise de la Smalah d'Abd-el-Kader par le duc d'Aumale, à Taguin, 16 mai 1843*, toile panoramique de plus de vingt et un mètres, exposée d'abord au Salon de 1845 ; le fils de Louis-Philippe y domine la mêlée, dans une pose qui n'est pas sans rappeler la geste impériale. L'artiste, en tout cas, sortira grandi de cette commande ; et c'est vrai que ses compositions sont, dans l'ensemble, réussies. N'en déplaise à Delacroix, elles se veulent dénuées du moindre orientalisme, et témoignent d'une maîtrise volontairement froide. Horace Vernet, en digne petit-fils de Joseph, s'y montre un excellent paysagiste. Le tour de force technique fait par ailleurs l'unanimité ; et le maître, qui s'est ménagé un atelier près du château, à l'hôtel des Postes de la rue Saint-Julien, se verra décerner, pour son exploit, la croix de la Légion d'honneur. C'est à cette occasion qu'il va peindre son célèbre portrait de groupe : *Louis-Philippe et ses fils à cheval devant la grille d'honneur du palais de Versailles*.

Ainsi l'œuvre se densifie-t-elle au fil des ans. Cependant, parmi les rares critiques susceptibles d'atteindre la tranquille assurance du roi-citoyen, il en est une qui, souvent formulée, l'amène à réfléchir sur le sens profond de sa création ; et c'est celle qui reproche à ses galeries de montrer trop exclusivement des faits militaires et des hommes en armes. Conscient de ce travers, Louis-Philippe essaie, sur la fin, de le corriger. Il projette sérieusement de consacrer, dans les parties encore inemployées de l'aile du Midi, des salles entières aux « vertus civiles » de la nation. Peut-être même pourrait-on souligner cet aspect dans les nouvelles pièces installées sous les combles...

Car de nombreuses salles de musée continuent d'être aménagées dans les attiques. On en trouvera partout, sur l'aile du Nord côté jardins, sur l'aile du Midi le long du comble oriental de la galerie des Batailles, et jusque au sommet du corps central, où deux ensembles de salles, l'attique Chimay au sud, l'attique Richelieu au nord, jointes par un corridor sur le pourtour de la cour de Marbre, doivent créer cette circulation ininterrompue dont a toujours rêvé Louis-Philippe. Seul l'attique Chimay verra le jour, avec une verrière zénithale trop visible depuis le parterre du Midi * ; on y accédera par un étrange escalier de stuc, dans le prolongement de celui de la Reine. Pour le relier à l'attique du Midi, Nepveu, qu'on a connu mieux inspiré, va jusqu'à créer un passage contournant la voussure de la salle du Sacre, ce qui rend nécessaire la construction, en hors-d'œuvre sur la cour royale, d'une tourelle sur trompe, inspirée de l'architecture Renaissance du château d'Anet ** ! Le roi trouve l'idée si décorative et si conforme à l'esprit des antiques volières de la cour de Marbre, qu'un pendant au nord est envisagé dans la foulée. Quant au nouvel escalier dit « des Ambassadeurs », bâti au nord à l'emplacement d'une cour intérieure, il sera interrompu au niveau du premier étage ; en effet l'attique Richelieu, qu'il devait permettre de desservir, ne sera jamais aménagé — et c'est ce qui sauvera quelques rares appartements de Cour, tels ceux de Mme de Pompadour, de Mme Du Barry ou du comte de Maurepas...

Autant dire que la révolution de 1848, comme les journées d'Octobre et comme la chute de l'Empire, va faire figure de bénédiction pour Versailles. Sans elle, il est plus que probable que la manie de Louis-Philippe, après avoir sacrifié tant de décors intérieurs, se serait attaquée aux lignes extérieures. Tant il est vrai que le roi ne se lassait jamais de transformer sa création, de la

---

* Elle sera remplacée par une autre, plus discrète, à la fin des années 1920.

** Cet incroyable ajout ne sera détruit qu'au début du XXe siècle.

peaufiner, de l'étendre... Ses moindres loisirs y passeront jusqu'à la fin ; il y est encore, à soixante-quatorze ans, le 24 décembre 1847, pour une ultime visite à la veille de son dernier Noël en tant que roi des Français. Dès février, la révolution éclate en effet, et le roi, parti des Tuileries dans un brougham de fortune, gagne à la hâte Saint-Cloud, première étape vers la Normandie... Par Ville-d'Avray, le roi des Français — qui semble suivre les traces de Charles X en fuite — rejoint le Grand Trianon, « où un Versaillais ami prête à l'ex-souverain les mille deux cents francs qui lui manquent pour louer deux grandes berlines capables de conduire tout son monde à Dreux. En attendant les voitures, tristement, Louis-Philippe erre dans les appartements déserts (...). Il traverse le salon Rond, si beau avec son cercle de colonnes corinthiennes, le salon de Musique devenu salle de billard, le salon de famille couronné d'une corniche portant son chiffre. [20] » En route pour l'exil, le roi déchu peut du moins se féliciter d'avoir mené à terme son grand œuvre versaillais. Mais au fait, y a-t-il à ce point de quoi pavoiser ?

Bilan des années Louis-Philippe

A la lueur de ce qui précède, il peut paraître inconcevable que tant d'auteurs, dont certains excellents, aient pu prétendre — et continuent d'affirmer — que les travaux de Louis-Philippe auraient, d'une manière ou d'une autre, sauvé Versailles. Que leur répondre ? D'abord que, d'un point de vue matériel, le château était, quand le roi des Français l'a pris à sa charge, en excellent état. Napoléon Ier puis surtout Louis XVIII y avaient amplement pourvu ; à telle enseigne que, de 1833 à 1847, l'on ne puisse relever, dans les comptes rendus, aucune intervention de sauvegarde. Que cela soit donc clair, une fois pour toutes : si l'ampleur du chantier de Louis-Philippe a pu, après coup, donner le sentiment d'une rénovation générale, ce sentiment relève de l'illusion.

Le danger — si danger il y eut — venait des hommes et non des éléments. Et il est vrai que, vers 1830, le château n'était pas à l'abri d'affectations indignes de son passé. Pis : des voix marginales s'étaient élevées pour réclamer de nouveau sa liquidation. Cependant, la simple intégration du domaine à la liste civile aurait suffi à le mettre hors d'atteinte. Du point de vue de la survie du château, la conversion ultérieure des appartements en galeries était tout à fait superflue. Or, on vient d'en décrire les conséquences : bouleversement de la distribution générale, évidage des ailes et uniformisation des volumes ; surtout, destruction irréversible d'ensembles décoratifs majeurs ! Hormis ceux du pavillon d'Orléans, presque tous les appartements princiers auront été ravagés.

D'un point de vue esthétique, le bilan s'avère dès lors calamiteux. N'a-t-on pas substitué partout de l'ordinaire à l'extraordinaire ? Sans parler des collections entassées dans le musée — la plupart des œuvres de qualité provenant d'époques antérieures —, la décoration des galeries devait imposer partout un académisme ingrat, où la surcharge le disputerait à la platitude. Certains fleurons nous en sont parvenus, comme la gigantesque galerie des Batailles, les pittoresques salles des Croisades ou celles, plus banales, de 1792, du Sacre ou de 1830. Ce sont des curiosités pour la muséologie, parfois des prétextes à la rêverie... Mais tout snobisme mis à part, on ne peut, en comparant ces tristes réalisations aux merveilles qu'elles sont venues remplacer, que déplorer des pertes sèches. C'est un fait qui paraît difficilement contestable : dans leur entreprise de restructuration, Louis-Philippe et ses hommes auront manqué d'humilité, de recul et, tout simplement, de goût. Pierre Francastel : « La grande erreur intellectuelle du roi et de Nepveu fut de prétendre d'un coup substituer au patient effort des générations, solidaires jusqu'alors en dépit de leurs différences, une conception absolue et diamétralement opposée à l'esprit de ce monument. »

Ensuite, mais ensuite seulement, on peut admettre qu'il y avait de l'audace à vouloir enseigner l'Histoire par l'image, de la grandeur à tenter de réunir les Français autour d'un florilège de hauts faits — avant tout militaires, il est vrai. Seulement c'était une ambition et une idée à courte vue, puisque fondées sur un état flottant des sensibilités ; une ambition et une idée, surtout, qui n'avaient guère leur place à Versailles — sauf à reconnaître franchement que leur but final était d'en dévitaliser le symbole... Ce fut en tout cas leur unique résultat. En convertissant le palais des rois en galeries d'histoire, la Monarchie de Juillet est parvenue, sans coup férir, à vider de sa substance le plus important emblème de l'absolutisme, à tuer dans son cœur même le nerf de la Monarchie de droit divin. Le nouveau régime y a physiquement supprimé des symboles vivants qui lui semblaient morts ou morbides, des allégories bien parlantes, mais qui paraissaient muettes à son ignorance — ou à sa mauvaise foi délibérée ! Tant pis, si l'anéantissement d'un tel ensemble supposait de lourds dégâts ; la raison d'Etat ne connaît pas ce genre de regret.

Un monument résume à lui seul la perversité de l'entreprise. C'est l'immense bronze de Petitot et Cartellier représentant Louis XIV à cheval, et placé au centre de cours encombrées, par ailleurs, d'énormes statues de généraux venues du pont de la Concorde. Ce monument équestre (bien connu des touristes du monde entier) voulait sans aucun doute saluer la mémoire du Grand Roi, véritable génie des lieux. Mais n'est-il pas singulier, dans le même temps, qu'un hommage aussi peu discret — tellement conforme à l'impression de morgue et de superbe que l'on voulait donner alors de l'Ancien Régime — bouche entièrement la perspective et dépare l'harmonie des façades, tout en rendant plus difficile la restitution éventuelle de la seconde grille, enceinte vitale du sanctuaire monarchique ? Et s'il s'était agi, plus ou moins consciemment, de stigmatiser l'ancien monarque en feignant de l'encenser ; et si l'on avait souhaité abattre son encombrant héritage, tout en donnant le sentiment de lui rendre la vie ? A cet égard, l'action du roi-citoyen sur l'horloge de la cour de Marbre paraît encore plus ambiguë. Placée au centre du palais, côté ville, cette horloge inerte avait eu pour fonction quasi mystique, avant la Révolution, d'indiquer l'heure de la mort du dernier roi. L'une des volontés de Louis-Philippe fut de briser ce symbole, en mettant l'horloge en marche ! Des trésors d'invention furent déployés, en 1838, afin d'équiper son cadran d'un mécanisme propre à en animer l'aiguille *... Ainsi modifie-t-on l'esprit de certains lieux, ainsi transforme-t-on, par touches plus ou moins sensibles, les fondements spirituels d'une société.

* Assez étrangement, ce mécanisme d'époque Louis-Philippe a fait l'objet, de juillet à décembre 1999, d'une restauration menée grâce au mécénat de la société *Chronopost*.

5

La Fête impériale

Je ne crois pas que sur la terre
Il soit un lieu d'arbres planté
Plus célébré, plus visité,
Plus décrit, plus lu, plus chanté,
Que l'ennuyeux parc de Versailles...

MUSSET.

Louis-Philippe emporté par le vent de l'Histoire, ses galeries historiques entrent en hibernation, pour sombrer assez vite dans un oubli qui va durer cinquante ans. Cela ne veut pas dire que le château, ou ce qu'il en reste — notamment ses jardins —, n'intéresse plus le public... Mais c'en est fini, tout au moins, de l'époque des grandes réalisations et des célébrations tapageuses. Avec la IIe République, Versailles retombe entre les mains des trois fonctionnaires en charge de son quotidien, à savoir le régisseur du château, le conservateur du musée et l'architecte du domaine. Le premier, auquel ses tâches administratives laissent du temps libre, se pique de commenter lui-même certaines visites ; ses bourdes sont passées à la postérité : « Il y en a qui disent *Du Guesclin*, lance-t-il par exemple, d'autres *Dugay-Trouin...* » Le vieux peintre aixois François-Marius Granet, en charge du musée, s'en offusque souvent. Le roi des Français avait détaché à Versailles ce conservateur du Louvre, par ailleurs artiste de talent, fidèle à David et au néo-classicisme. Eudore Soulié, qui lui succède en 1850, est lui aussi un transfuge du grand musée parisien ; mais il ne peint pas. Excellent connaisseur de l'Ecole nationale, il consacrera sa carrière à établir le catalogue exhaustif des galeries, tout en entretenant avec la princesse Mathilde des relations suivies. Sa première occupation, dès son entrée en fonctions, est de débarrasser un grand nombre de toiles — plus de cinq cents, à l'en croire — de cette moisissure qu'on appelle le chanci, et dont il faut incriminer l'absence de chauffage et le défaut d'entretien qui sont souvent le lot des révolutions.

Dans ces années transitoires, l'architecte du domaine est Charles-Auguste Questel, né en 1807. Habile technicien, il est l'auteur d'ouvrages aussi variés que la cathédrale de Nîmes ou la prison de la Santé, à Paris. C'est dire si l'homme est expérimenté. Sous son contrôle, Versailles va recevoir, enfin, ces petits soins que l'ambition myope de la Monarchie libérale avait négligés. L'on nettoie, l'on consolide... A Trianon, en 1851, est édifiée, à l'emplacement d'un ancien corps de garde, une remise où exposer les voitures « de gala » de la Cour, devenues inutiles à la République — et c'est l'embryon d'un musée des carrosses. La même année, un nouvel escalier, au bout de la galerie de pierre de l'aile du Nord, rend plus facilement accessible le foyer de l'Opéra.

En février 1850, si l'on en croit Dussieux, le député Vergeron se promène avec un ami sur la terrasse du parterre d'eau, quand soudain une faille, en s'ouvrant sous leurs pas, les précipite tous deux dans un trou de sept mètres ! Il n'y aura pas de blessé ; mais l'Assemblée, émue par cette mésaventure de l'un de ses membres, vote aussitôt un budget de trois cent mille francs pour la réfection des réservoirs souterrains du parterre, depuis trop longtemps privés d'entretien. « On se rendra compte de l'intensité du mal, en sachant que ces réservoirs contiennent 3 436 mètres cubes d'eau et que, depuis vingt ans, ils se vidaient en six jours, tant leur maçonnerie était en mauvais état [1]. » Pour le reste, on ne peut pas dire que le domaine fasse l'objet, sous la IIe République, de travaux ambitieux et suivis.

L'époque, au vrai, se révèle pleine de contradictions. Ainsi la révolution douce de février 1848 a-t-elle fait naître, chez nombre d'écrivains et de penseurs, des espérances républicaines que la fermeture des ateliers nationaux, en juin, puis le scrutin du 10 décembre, qui porte à la présidence le prince Louis-Napoléon Bonaparte, neveu de l'ancien empereur, ne vont pas tarder à décevoir. L'amertume guette George Sand ou Alfred de Vigny, bien sûr, mais aussi Michelet, jusqu'alors à peu près équitable dans ses écrits, et qui se découvre soudain la fibre d'un militant. Le célèbre historien va reporter sur Versailles sa haine des institutions monarchiques. Et la place qu'il réserve au château, dans le tome XII de son *Histoire de France*, est tout sauf équivoque. « En 1661, affirme-t-il par exemple, à l'avènement de Colbert, il n'y avait qu'une Cour, toute petite et qui tenait dans Saint-Germain. Depuis 1670, Colbert fut condamné à faire ce monstrueux Versailles. » Plus loin : « Versailles, que l'on croyait fini, va croissant, s'augmentant comme par une végétation naturelle. Il pousse vers Paris des appendices énormes, vers la campagne l'élégant Trianon, les jardins de Clagny, l'intéressant asile de Saint-Cyr ; enfin, ce qui est le plus grand dans cette grandeur, le Versailles souterrain, les prodigieux réservoirs, l'ensemble des canaux, des tuyaux qui les alimentent, le mystérieux labyrinthe de la Cité des Eaux. » [2] *La Cité des Eaux*, Henri de Régnier reprendra la formule pour en faire, après 1900, le titre de son dernier grand recueil...

God Save the Queen

Avec ou sans Michelet, Versailles continue d'épouser les aléas de l'Histoire ; dès le 11 avril 1849, le prince Louis-Napoléon, président de la République, y surgit en chaise de poste, par l'avenue de Saint-Cloud. Les autorités locales le reçoivent au château, pour une remise de décorations sans éclat ; puis l'évêque bénit des drapeaux remis, le matin même, à la garde nationale. Et parce qu'on n'imagine plus la moindre solennité sans l'onction des fontaines, on fait donner les grandes eaux. Le 5 juillet suivant, le prince-président est de retour, en train cette fois, puisqu'il vient inaugurer la gare ferroviaire de Chartres (devenue la gare des Chantiers). A ses côtés, Horace Vernet rayonne — preuve, s'il en fallait une, que certains artistes survivent à la chute de leurs bienfaiteurs ! Ce jour-là, les valets de pied du président revêtent l'ancienne livrée impériale ; et les observateurs qui relèvent ce détail en concluent sans peine que le régime ne tardera pas à évoluer.

Cependant, avant la proclamation formelle du Second Empire, le chef de l'Etat aura le temps de venir quatre fois au moins à Versailles : le 12 avril 1850, il y accompagne sa tante Stéphanie de Beauharnais, grande duchesse douairière de Bade — la mère probable du célèbre Gaspard Hauser ; le 2 juin, il reçoit des ministres à Trianon, après avoir assisté aux courses de Satory ; le 6 juillet de l'année suivante, il visite l'institut agronomique installé à la Grande Ecurie et, le 10 octobre, il passe encore des troupes en revue dans les environs. De sorte que les Versaillais s'habituent à ces visites espacées, mais régulières, du président ; et que le coup d'Etat du 2 décembre 1851 ne leur paraît pas devoir changer le destin du palais. Certes, la nouvelle loi sur la liste civile maintient d'emblée Versailles dans la dotation de la Couronne ; mais l'exemple de Charles X a montré que cela n'induisait pas forcément de conséquences...

Une fois encore, c'est l'arrivée d'une souveraine qui va changer la donne. A peine a-t-il épousé la belle Eugénie de Montijo, que l'empereur, le 1er février 1853, lui fait les honneurs du domaine. Déjà fascinée par le souvenir de Marie-Antoinette, la jeune impératrice se fait montrer tous les portraits disponibles de l'infortunée reine de France. Par la suite, même si le couple impérial affiche une prédilection très nette pour Compiègne, chasses et promenades ramènent régulièrement les souverains à Versailles, pour des heures souvent légères, jamais ennuyeuses. Il n'y aurait pas là de quoi nourrir la chronique, si l'idée n'avait germé, assez vite, d'utiliser le décor somptueux hérité de l'Ancien Régime pour y donner des soirées magnifiques.

La première grande fête est prévue pour l'été de 1855, à l'occasion de la visite de la reine d'Angleterre à l'Exposition universelle. C'est peu dire que dans cette perspective, la Maison impériale mobilise de grands moyens. L'idée sous-jacente est la résurrection de ce grand siècle dont le style inspire directement les ornemanistes du moment. Christophe Pincemaille devait souligner ce « besoin d'un retour aux sources ». « Ce cadre permettait de se situer au cœur même de la matrice qui inspira la décoration des bâtiments officiels sous le Second Empire, le style Louis XIV remis à la mode, explique-t-il. (...) Mais là où la profusion des ors, les marbres polychromes, les marqueteries Boulle ne sont que trompe-l'œil et déploiement de matériaux de substitution, à Versailles, au contraire, rien n'est faux, tout est vrai [3]. » En vérité, c'est plutôt du règne de Louis XV que Questel va s'inspirer, puisqu'il copie les décors extérieurs de sa fête sur ceux imaginés, en août 1739, pour le mariage de Madame Première avec l'infant d'Espagne. Mais l'époque n'est pas à cela près ; l'essentiel est d'éblouir — et l'on éblouira.

Le soir du 25 août, le landau de Victoria et du prince consort Albert franchit la grille du château un peu après dix heures. Les ailes des Ministres et les Ecuries ont été illuminées de centaines de lampions ; des rampes à gaz, innovation de l'Exposition, soulignent l'architecture des façades. Côté jardins, de majestueux portiques barrant la perspective au bout du parterre d'eau étincellent de verres de couleur, auxquels répondent, sur les bassins eux-mêmes, trente-deux *putti* montés sur des dauphins dorés, et portant des torchères et des guirlandes vénitiennes. Le feu d'artifice, tiré par les Ruggieri depuis la pièce d'eau des Suisses, embrase tout un côté du ciel, tandis que retentissent deux cents coups de canon. La population s'est tassée sur les volées des Cent-Marches et sur le parterre du Midi. Le spectacle, éblouissant, est couronné par l'embrasement d'une architecture de lumière représentant le château de Windsor — tandis que, du fond de l'Orangerie, montent les accents de deux orchestres entonnant *God Save the Queen*.

Les intérieurs ont fait l'objet d'une véritable transfiguration *. Des photographies célèbres — et qui sont les premières jamais prises à Versailles — nous montrent des salons croulant sous les cristaux et les fleurs fraîches, gerbes de fuchsias et murs de roses blanches, de verveines et de géraniums. Le parquet de la Grande Galerie a été discrètement étayé pour le bal. Quand elle y fait son entrée, la reine Victoria ne peut cacher son

---

* La décoration de la Grande Galerie et des principaux salons sera maintenue en place jusqu'au dimanche suivant, afin que le public puisse en profiter à son tour.

étonnement : une cinquantaine de très gros lustres, en plus des torchères et des girandoles, et tous reliés entre eux par des guirlandes de fleurs, jettent une lumière de jour sur les pierreries dont fait assaut l'assistance ; c'est d'ailleurs la première fois que sont réunis les deux plus gros diamants du monde, le Koh-i-Noor, que la reine porte à sa coiffure, et le Régent, que l'empereur a fait sertir à la garde de son épée. Dans les angles, les tribunes de quatre orchestres sont dissimulées par des massifs de pivoines, de dahlias et de lauriers-roses. L'impératrice ne dansera pas : elle attend un heureux événement... Alors Victoria redouble de grâce et d'allant.

Pour le souper — décliné dans trois menus en fonction de la catégorie des invités —, Questel a su tirer parti de la salle de l'Opéra, éclairée pour la circonstance par des lustres à gaz. Une aquarelle d'Eugène Lami donne une idée de ce qui restera comme un des beaux « coups d'œil » du Second Empire. Le prince Albert, de retour à Londres, pourra écrire à son oncle Léopold, roi des Belges : « Si nombreuses étaient les impressions causées par les contrastes entre le passé et le présent, qu'on restait pensif et silencieux plus qu'on n'aurait dû l'être... De même en soupant dans le théâtre de Versailles, où avait eu lieu le fameux banquet des gardes du corps, nous étions assis dans la même loge où Marie-Antoinette s'était montrée à eux. Victoria a fait sa toilette dans le boudoir de la reine !... »[4] L'un des convives montre moins de respect ; c'est Bismarck, déjà, qui n'apprécie guère tout ce faste français et trouve que, de face, Napoléon III « ressemble à un rat » ; dans quinze ans, devenu chancelier de Prusse, il sera de retour à Versailles, et pour une fête autrement martiale... Mais les souverains britanniques ont généralement plus de fair play que les attachés prussiens ; et cette nuit-là, en se retirant, au Grand Trianon, dans la chambre que Louis-Philippe avait dédiée, dix ans auparavant, à sa fille la reine des Belges, Sa Très Gracieuse Majesté a dû penser que Versailles était le plus royal des palais royaux. Or, c'était un empereur de fraîche date qui lui en avait fait les honneurs.

Neuf ans plus tard, à l'été de 1864, une autre grande fête nocturne sera donnée en l'honneur de don François d'Assise, époux de la reine Isabelle II d'Espagne, venu inaugurer la ligne ferroviaire reliant Madrid à Paris. L'impératrice ayant été fort bien reçue en Espagne, son pays natal, lors d'un récent voyage privé, elle entendait rendre la politesse à son hôte, d'une dynastie d'ailleurs issue de Louis XIV, et le traiter aussi bien que l'avait été Victoria. Le programme sera légèrement différent, toutefois ; la reine d'Espagne n'étant pas du voyage, on remplacera le bal par une représentation de *Psyché*, l'œuvre préférée du Grand Roi, avec les ballets.

La princesse de Metternich a raconté une visite d'Eugénie dans le palais en pleins préparatifs : « L'impératrice s'occupa d'abord de l'arrivée au théâtre, car on devait commencer la soirée par le spectacle... On parla d'augmenter l'éclairage, qui paraissait insuffisant à S.M. ; on décida de mettre des fleurs des deux côtés de la scène, on désigna la place des deux cents gardes qui devaient se tenir contre les portants ; on inspecta les loges ; on inscrivit le nombre de fauteuils dorés recouverts de velours rouge, ainsi que des tapis, qu'il fallait apporter... Arrivée dans la galerie des Glaces, l'impératrice vit que l'éclairage, là encore, était absolument insuffisant, et on prit note pour des lustres et des torchères en quantité. S.M., se tournant vers le général Rolin, lui dit alors : “ Nous souperons ici par petites tables après le spectacle ” et s'adressant à l'architecte elle lui demanda combien de personnes pourraient être placées. Il lui répondit : “ De cinq à six cents. — Très bien, dit l'impératrice, nous aurons de quarante à cinquante tables. Cela fera très bien ”. (...)

S.M. sortit sur la terrasse où l'artificier Ruggieri et une horde de gaziers et d'autres individus attendaient sa venue. L'impératrice commanda alors cet admirable feu d'artifice et cette illumination unique dont j'ai gardé l'impérissable souvenir, et qui sont ce que j'ai vu de plus beau dans le genre de toute ma vie. » [5]

Cette fête, donnée dans la nuit du 20 août, sera digne de la précédente. La presse madrilène, par la voix du *Contemporaneo*, mettra l'accent sur l'enthousiasme populaire : « L'empereur resta au balcon avec le prince à cause de la grande humidité qu'il y avait dans les jardins, mais l'impératrice, appuyée au bras du roi, se perdit dans la foule et alla assister aux feux d'artifice de l'autre côté des bassins. Il est difficile de rendre l'impression que produisaient les feux de Bengale, la lumière électrique, les jets d'eau dans le vent ainsi que les jolis ballons et fusées basses ou hautes qui s'élançaient de toute part. (...) La foule applaudissait sans cesse ; les vivats à l'empereur et à l'impératrice remplissaient constamment l'espace [6]. » Comment s'étonner, après cela, que le public eut pris goût aux Fêtes de Nuit versaillaises ?

Essor du tourisme

Trois ans avant la réception de Victoria et Albert, les entrepreneurs parisiens Peyre et Meissonnier avaient déjà demandé au préfet l'autorisation d'organiser dans le parc une soirée de bienfaisance avec illuminations, tonnerre et éclairs obtenus par « le procédé électrique ». Le maire, Vauchelle, s'y était opposé, au prétexte que « ces fêtes ne font que surexciter outre mesure l'amour du plaisir, et soustraire les populations aux habitudes d'une vie régulière et utilement occupée » [7] ! On ne devait pas rire tous les jours à Versailles sous le mandat de ce retraité des Armées... L'exemple des festivités impériales aidant, une nouvelle demande est formulée, en 1859, par une société privée composée de l'ancien maire Ranvin, du négociant Shemit Maréchal et de leurs associés ; les statuts en sont approuvés le 29 août de la même année, et le maire en titre, Rémilly, en est président de droit. La *Société des Fêtes versaillaises* est née ; elle organisera bientôt au moins une « Fête de Nuit » par an, ainsi que des bals, des régates et même des joutes sur le Grand Canal !

Le but avoué de telles festivités est d'attirer dans la ville des visiteurs utiles au commerce, tout en organisant des charités au profit des plus démunis. La véritable cheville ouvrière en est le président de la commission exécutive, un certain Jaime qui restera en place jusqu'en 1870. La première Fête de Nuit, retardée d'abord par la campagne d'Italie, a finalement lieu, le 3 août 1862 ; elle prend pour cadre le bassin de Neptune et servira de point de départ à toutes celles qui suivront. L'architecte Girault et les artificiers Torré et Morel fils font assaut d'audace et ne lésinent pas sur les lampions et les terrines de suif, les gondoles illuminées, les milliers de fusées tirées — jusqu'à plus de vingt mille ! Le succès ne se fait pas attendre, et justifie amplement les efforts consentis. Désormais, il est entendu que le château de Versailles n'est plus réservé aux réjouissances des seuls souverains, mais que le peuple y a sa part ; c'est l'idéal de la Révolution aiguillonné par les bonnes affaires.

Alléché par ces fêtes, par les grandes eaux et, de façon subsidiaire, par les galeries de Louis-Philippe, véhiculé surtout par des lignes de chemin de fer performantes, un public sans cesse accru vient maintenant à Versailles, notamment le dimanche, à la belle saison. L'hôtel de l'Europe, le Petit Vatel et l'hôtel de France affichent souvent complet, et les restaurants, dont Le Chien qui fume et le fameux Lasue pratiquent des tarifs au moins équivalents à ceux des établissements parisiens. A compter du 1er janvier 1857, la veuve Calame, toujours propriétaire du célèbre hôtel des Réservoirs, en loue le fonds pour vingt ans à Louis Henri Grosseuvre et à sa femme, Rose. Le savoir-faire du couple opère des miracles ; d'adresse réputée, les Réservoirs vont devenir un endroit en vogue, fréquenté toute la semaine par des célébrités qui n'hésitent plus à faire le chemin depuis Paris. En 1866, ces habiles gérants étendront leur emprise en achetant au département les immeubles voisins, au 9 et au 11 de la rue, là où se trouvait jadis le Garde-Meuble royal.

Les étrangers un peu fortunés qui descendent chez Grosseuvre, y trouvent tout ce qui peut faciliter leur séjour. Au reste, des manuels imprimés dans différentes langues font de Versailles le complément indispensable de toute visite de la capitale, et des guides professionnels se spécialisent dans une histoire locale que la jeune Académie provinciale — elle s'intitule encore Société des Sciences morales — commence tout juste à défricher. En un mot, le site s'est ouvert au tourisme, avec ses bons et ses mauvais côtés. En vue de l'Exposition universelle de 1867, l'Anglais Thomas Cook règle « avec le secrétaire privé de Napoléon III les modalités du premier voyage collectif à l'étranger de cinq cent soixante-dix-huit sujets de Sa Majesté britannique. Vingt mille autres traverseront la Manche après eux pour visiter Paris et Versailles, soigneusement mis en garde, dans une notice par le grave Mr Cook. “ En matière de goût et de courtoisie, nous pouvons beaucoup apprendre des Français ; mais sur certaines questions de moralité, nous avons aussi pas mal de suggestions à leur faire ” [8]. »...

Cette année-là, parmi la foule des visiteurs étrangers, se remarque un incroyable défilé de têtes couronnées. « Il vient tant de princes qu'on va devoir les coucher à deux dans le même lit », lance Prosper Mérimée. Le nouveau roi des Belges Léopold II ouvre la marche en mai, accompagné de son épouse, la reine Marie-Henriette. Puis c'est, un dimanche de juin, la réception du roi de Prusse Guillaume Ier et du tsar Alexandre II, encore sous le choc de l'attentat manqué contre sa personne au bois de Boulogne, la semaine précédente. La princesse Clotilde, fille du roi d'Italie et cousine par alliance de l'empereur, se présente avec son frère et sa belle-sœur à la fin du même mois. Le 9 juillet, c'est au tour du sultan de Constantinople, Abdul Aziz, pour qui l'on a décoré la Galerie « à l'orientale », mais qui préfère la visite de Saint-Cyr. Huit jours après, ce sont la reine Marie-Louise Auguste de Prusse et le futur empereur Frédéric III, avec le futur Guillaume II alors âgé de huit ans, juste avant l'ancien roi Louis Ier de Bavière, qui avait dû abdiquer, près de vingt ans plus tôt, en faveur de son petit-fils. Charles XV de Suède, un Bernadotte, est à Versailles début août, la reine Sophie des Pays-Bas à la mi-octobre — elle reviendra dix jours plus tard pour une seconde visite. De même, le 30 octobre et le 2 novembre, l'empereur François-Joseph s'y reprend-il à deux fois pour mieux profiter des galeries et des jardins... L'on est obligé d'en passer.

Tout ce beau monde ne manque pas de faire un détour, dans la suite des galeries d'Afrique, par la salle de Crimée et d'Italie, où de grandes toiles de Beaucé, de Pils et d'Yvon, notamment, célèbrent les faits d'armes du Second Empire. Mais comment expliquer que toutes ces visites n'aient donné lieu, sur place, à aucune grande fête ? Les souverains se sont-ils succédé à intervalles trop rapprochés ? A-t-on voulu éviter de prêter le flanc aux comparaisons malveillantes ? En fait, sous des dehors toujours brillants, le régime traverse alors des moments pénibles. Depuis deux ans, la santé de l'empereur est vacillante. Le ministère Rouher ne cache plus ses embarras et le Corps législatif commence à regimber. A l'extérieur, surtout, au souvenir cuisant de Sadowa, attisé par les déconvenues de la conférence de Londres, est venue s'ajouter la nouvelle de l'exécution, le 19 juin, de l'empereur Maximilien du Mexique ! Autant dire qu'en dépit de l'Exposition, le climat n'est guère à la fête, et que le couple impérial doit se faire violence pour continuer de donner le change et faire bonne figure devant ses prestigieux invités. Du reste, l'impératrice a trouvé la parade ; à tous ceux qu'elle honore d'un crochet par Versailles, elle ne parle qu'au passé, de Trianon et de Marie-Antoinette...

Le dada de l'impératrice

C'est sans doute en partie à l'influence d'Eugénie que le Second-Empire doit de s'être entiché de pastiche et de reconstitution, au point d'avoir fait du néo-Louis XIV, du néo-Louis XV et du néo-Louis XVI des styles de référence, détachés de leurs époques respectives. Dans les résidences de la Couronne, le mobilier du Premier Empire et de la Restauration, quasi omniprésent jusqu'alors, paraît à son tour démodé ; et n'était une certaine révérence purement dynastique, il ferait partout place à des modèles d'inspiration XVIIIe, authentiques ou copiés. L'impératrice ordonne d'ailleurs au Garde-Meuble des rachats importants, comme la table de Riesener offerte à Marie-Antoinette par Fontanieu en 1781, ou celle de Weisweiler livrée en 1784 pour le cabinet intérieur de la Reine à Versailles. Dans ces deux cas, l'intérêt pour les objets se double d'une passion pour leur destinataire ; on sait le culte voué par Eugénie à l'infortunée princesse, et sa persévérance à rassembler des objets l'ayant touchée de près ; n'ira-t-elle pas jusqu'à revêtir, pour un grand bal costumé, une robe de velours écarlate, bordée de fourrure sombre, contrefaisant celle de la reine sur son plus célèbre portrait par Mme Vigée-Lebrun ?

Si le dada de l'impératrice a pu prêter à sourire, notamment dans le sillage des frères Goncourt, il n'en a pas moins été bénéfique à Versailles. En 1867, c'est précisément ce penchant pour Marie-Antoinette qui va rendre possible la première tentative de reconstitution jamais envisagée *. Elle aura le Petit Trianon pour cadre. La notice publiée par M. de Lescure à ce sujet précise qu'une commission spéciale, présidée par le général Lepic, surintendant des palais, « a été chargée de rechercher et de réunir tous les meubles et objets répondant au but que se propose Sa Majesté. Déjà l'empereur et l'impératrice ont mis à la disposition de la commission tout ce qui, dans leur collection privée ou dans les magasins du Garde-Meuble, pourrait convenir au cadre qu'elle doit remplir. La commission fait appel aux amateurs et collectionneurs qui voudraient concourir au succès de cette exposition rétrospective, déjà assurée des libérales communications des principaux cabinets de Paris... » [9] Ces derniers sont notamment ceux de Feuillet de Conches, de Léopold Double, de lord Hertford...

Le 21 mai 1867, au lendemain d'un feu d'artifice gâché par la pluie, l'impératrice a donc la joie de découvrir le petit château de la reine, rendu partiellement à ses grâces d'antan [10]. On a placé dans le bel escalier de Gabriel une lanterne qui provient d'ici — précisément, du salon de Compagnie. L'ancien billard de la reine a, quant à lui, retrouvé sa vraie place, et constitue le clou de la visite. Mais on peut également admirer, parmi les trésors réunis, le magnifique serre-bijoux de Schwerdfeger, dont une légende tenace voudrait faire un don de la Ville de Paris à la reine ;

---

* Signalons, pour être juste, que le château de la Malmaison a fait l'objet, au même moment, d'une tentative similaire.

Eugénie l'a fait exprès sortir du tout récent musée des Souverains, au Louvre. Dans le salon de Compagnie sont exposées les deux belles tables rachetées par le Garde-Meuble, ainsi que la console du cabinet de la Méridienne. Bien sûr, ces meubles qui, tous, ont fait la joie de Marie-Antoinette, se trouvent environnés d'autres, contemporains pour la plupart, mais étrangers à la reine — pour ne rien dire de certains plus discutables, comme un coffre en laque réputé avoir appartenu... au cardinal de Richelieu ! Dans l'ensemble, l'hommage n'en est pas moins poignant ; il touchera beaucoup l'empereur d'Autriche, lors de sa visite automnale.

Cette exposition rétrospective ferme ses portes le 11 novembre 1867, et les objets prêtés par les particuliers repartent alors. D'autres, en revanche, et notamment ceux qui proviennent du Garde-Meuble, resteront à Versailles ; si l'impératrice récupère ses deux tables, elle ne réclame pas le chef-d'œuvre de Schwerdfeger *. Tout n'est donc pas perdu pour le château. Sans fausse modestie, la souveraine peut se flatter d'avoir mené à bien son joli projet ; une délégation du Corps municipal est même venue, en août, jusqu'à Saint-Cloud, la remercier « pour la création d'une galerie historique qui attire à Trianon un nombreux concours de visiteurs » [11]. Au vrai, là n'était sûrement pas sa motivation première. Ce « musée-reliquaire », c'est un hommage posthume que l'impératrice a voulu rendre à celle dont elle est persuadée de partager un jour le triste sort. « Je finirai comme elle », répète-t-elle à qui veut l'entendre... On sait depuis que si l'Histoire s'est mon-

* Prêté en 1900 pour figurer, dans le cadre de l'Exposition universelle, à l'exposition rétrospective de l'Art français, il sera retenu plusieurs mois par le Louvre, avant d'être récupéré à grand-peine par les conservateurs versaillais.

trée cruelle envers l'impératrice, elle l'a moins été qu'avec son héroïne *.

En attendant, la fête continue... Le couple impérial fréquente encore le domaine pour des parties de chasse ou de campagne. Ainsi le 13 novembre 1867, de dix à quinze heures, l'empereur, accompagné du prince de la Moskowa, vient-il tuer quelque sept cents pièces à Trianon ; et le 27 mai 1868, Leurs Majestés et le jeune prince impérial offrent, toujours à Trianon, un souper de quarante couverts, suivi d'une belle promenade sur la flottille du canal. C'est un fait : en dépit des fatigues qui pèsent et des menaces qui planent, les familiers de Napoléon III savent se divertir. Adolphe de la Rüe, inspecteur des forêts de la Couronne et organisateur des chasses, en a laissé, dans ses Mémoires, un touchant témoignage. Il raconte, non sans nostalgie, une certaine chasse andalouse au sanglier, dans le parc de Versailles... Conduits en chars à bancs jusqu'à la plaine de Chèvreloup, cent cinquante invités avaient pu, ce jour-là, admirer les cavaliers, dont l'empereur et son épouse eux-mêmes, armés de longues piques en vue de rabattre les sangliers vers un groupe de dix veneurs « en brillants costumes andalous, tous montés sur des chevaux richement harnachés [12] ». Cette chevauchée n'ayant cependant guère tenu ses promesses, on avait fini la journée par une course de quatre vaches landaises, enfermées depuis la veille à l'étable de Trianon... Voilà bien le Second Empire, maladroit et pittoresque tout à la fois, et dont le bilan versaillais oscille entre de merveilleux souvenirs et le constat maussade d'un certain immobilisme.

* Trois ans plus tard, quand Eugénie, instituée régente, entendra monter l'insurrection à l'issue du désastre de Sedan, elle aura le temps de s'enfuir — dans des conditions terribles, certes, mais pas fatales.

6

Versailles investi

Dans tout ce bas monde, un sentiment irraisonné rend Versailles responsable de tout le mal qu'a fait le comité — un sentiment très difficile à détruire et qui fait regarder les Versaillais comme des Prussiens par ces malheureuses victimes de la Révolution.

E. DE GONCOURT.

La nouvelle du désastre de Sedan, après un mois seulement de combats franco-prussiens, saisit les Versaillais dans l'après-midi du 3 septembre 1870. Ainsi donc, cette armée française, que l'on pensait invincible, serait vaincue... Le 5, alors qu'est déjà déchu le régime impérial, des mesures militaires sont prises par Rameau, nouveau maire, pour protéger la ville — non pas d'une attaque armée, ce qui serait irréaliste, mais de troubles civils toujours possibles en pareilles circonstances. Au château, la perspective d'une invasion prussienne est officiellement envisagée le 6 septembre, et l'on ferme, dès le lendemain, les grilles de tout le domaine ; un plan est alors mis en œuvre pour préserver les fleurons des collections. Le 9, Félix Ravaisson, conservateur des Antiques du Louvre, est à Versailles pour désigner à l'évacuation un certain nombre de joyaux, dont, bizarrement, une cinquantaine de portraits du XVIe siècle, provenant en majorité de la collection Gaignières, et six bustes en marbre ; tous prendront, dans les quarante-huit heures, le chemin du Louvre. Curieuse conception, du reste, de l'évacuation préventive, que celle qui vise à concentrer les chefs-d'œuvre à l'endroit même où l'ennemi les attend !

Une lutte avec le temps s'engage, visant à évacuer les œuvres tant qu'est maintenu le contact avec la capitale. Le 12 septembre, c'est au tour de *L'Entrée des Croisés dans Constantinople*, de Delacroix, de partir pour Paris, en compagnie d'un antique de Trianon et de « cinq petits fragments ». Deux jours après, le *Couronnement à Notre-Dame*, de David, suit la même route... D'autres toiles sont déposées et soigneusement roulées, notamment *L'Assaut de Constantine*, d'Horace Vernet, et la *Bataille d'Aboukir*, de Gros ; mais faute de convoi disponible, elles resteront sur place. « Je continuerai jusqu'au dernier moment à faire enlever des boiseries, dans lesquelles ils sont encastrés, les tableaux du musée de Versailles qui, par leur valeur ou par les sujets qu'ils représentent, seraient de nature à exciter des sentiments de convoitise ou de désordre » [1], écrit le fidèle Eudore Soulié, dans une note au secrétaire général des musées nationaux — et non plus impériaux, déjà... La rumeur se répand bientôt d'une arrivée imminente de l'ennemi ; chaque minute de liberté supplémentaire est vécue comme une grâce ; un habitant du nouveau quartier du parc de Clagny, Auguste Renoult, notera dans son journal : « Comme des condamnés à mort, on se sent presque heureux d'un sursis de vingt-quatre heures [2]. »

Au tournant de la campagne, une ambulance internationale hollandaise s'était établie au sein du palais, dans l'enfilade au rez-de-chaussée de l'aile du Midi, côté jardins ; par précaution, des planches avaient été clouées devant les grandes toiles, dans les salles où se trouvaient ses quinze lits. Mais le lundi 19 septembre un peu après midi, « une ambulance prussienne, composée d'un grand nombre de voitures conduites au grand trot, déboucha par la rue des Chantiers, et sans s'arrêter, sans demander aucun renseignement, se dirigea tout droit vers le château, dont elle prit immédiatement possession, au nom du 5e Corps. Elle y installa les blessés allemands qu'elle ramenait du combat de Châtillon [3] ». Cette ambulance, sous l'autorité d'un médecin militaire prussien, le docteur Kirchner, va repousser l'infirmerie hollandaise vers les salles des Maréchaux, dans le corps central, pour installer petit à petit ses propres lits — il y en aura bientôt quatre cents — dans toutes les parties du château, hormis les attiques, les salles d'Afrique, l'appartement dit « d'étiquette » et les cabinets du Roi et de la Reine. Cette fois l'envahisseur est dans les murs, pire qu'en 1814, pire même qu'en 1815 — et sans la caution d'un Louis XVIII ! Du reste, dans l'après-midi de ce même lundi, les troupes ennemies prennent possession de la ville, tandis que le prince royal installe son quartier général à l'hôtel de la préfecture, avenue de Paris, presque en face de l'hôtel de ville ! Ironie de l'Histoire : ces bâtiments tout neufs, élevés entre 1864 et 1867 par l'architecte versaillais Amédée Manuel, étaient la fierté du régime qui vient de s'écrouler...

Une photographie [4] retrouvée en 1939 montre la place d'armes couverte de pièces d'artillerie prussiennes : y sont alignés en ordre parfait environ quatre cents canons courts montés sur affûts à deux roues, quatre cents autres, longs, montés sur affûts à quatre roues, ainsi que deux cent cinquante obusiers et des pièces de marine. A cent trente ans de distance, l'image est encore impressionnante. C'est dire si le climat est lourd, en ce mois de septembre 1870, lorsqu'un ballon en provenance de la capitale assiégée traverse le ciel de l'ancienne cité royale. Les Versaillais le saluent et le fêtent ; ils le suivent des yeux jusqu'à ce qu'il ait complètement disparu. Pour cette foule désorientée, il est le symbole poignant d'une liberté perdue très vite.

L'heure des Prussiens

D'emblée, bien que la paix soit encore loin d'être faite, l'occupant se sent à l'aise à Versailles ; il y trouve ses marques et prend des habitudes. La quiétude légendaire de la ville tend à rassurer ses stratèges, sans doute inquiets de leur propre témérité ; après tout, ne se lancent-ils pas, avec deux cent mille hommes, dans un siège de capitale qui en réclamerait un bon million ? Emile Delerot, le bibliothécaire adjoint de la Ville, qui s'est fait le chroniqueur pointu de cette période *, dépeint donc des Prussiens sur le qui-vive, tour à tour las et nerveux, suffisants et préoccupés. Delerot raconte aussi la vie au sein de l'ambulance qui, dans les commencements, n'occupe encore que des salles du rez-de-chaussée. « Comme le temps était très doux, on laissait ouvertes les portes et fenêtres qui donnent sur la terrasse, et les blessés qui pouvaient se soulever sur leur lit avaient ainsi la vue des jardins. Ceux qui avaient assez de force pour faire quelques pas venaient s'asseoir sur des fauteuils placés sur le terre-plein de la terrasse, ou se promenaient devant la façade du palais [5]. » Le dimanche 25 septembre, après un office luthérien tenu en plein air au Quinconce du Midi, le prince royal, accompagné de son état-major et des princes déjà sur place, visite les blessés ; il cause avec eux « assez longuement et leur montrant une bienveillance cordiale sans affectation ». Le lendemain, l'héritier du trône se paiera même le luxe d'une revue militaire dans la cour du palais, avec distribution de Croix de fer sur le soubassement de la statue du Grand Roi !

Pour Eudore Soulié, s'ouvre la période la plus pénible de sa carrière. Non seulement on l'a contraint à procéder

* L'ouvrage qu'il en tire sera vendu, trois ans plus tard, « au profit des Alsaciens-Lorrains ».

à l'enlèvement des planches qui, dans les salles de l'Empire, protégeaient les grandes toiles, mais c'est maintenant l'ensemble du musée qui, privé de ses gardiens, se révèle infiniment vulnérable. Le 28 septembre, le conservateur adresse au prince royal une missive où se trouvent consignés de menus dommages, causés aux collections au cours de la première semaine d'occupation. Dans l'heure même, il reçoit en retour la visite du comte d'Eulembourg, maréchal de la Maison du Prince, et du docteur Hassel, chargés d'étudier avec lui, et en présence de Schmidt, le régisseur, certaines mesures de protection. Il en ressort que, désormais, les galeries non occupées par l'ambulance seront ouvertes de dix heures à midi et de trois à cinq heures seulement ; et surtout, qu'un certain nombre de surveillants seront détachés du service hospitalier, afin de reprendre au musée leurs fonctions habituelles. Ces mesures auraient été plus efficaces, sans doute, si une sourde lutte n'avait, en sous-main, opposé depuis longtemps conservateur et régisseur ; mais cette mésentente intime est une tendance lourde des rapports de force au sein du château depuis Louis-Philippe.

Le 5 octobre, au son des tambours et des trompettes, le roi Guillaume lui-même fait en ville une entrée qui se voudrait glorieuse — comme une lointaine réponse à l'arrogance supposée de Louis XIV. Désormais et pour quelques mois, Versailles devient, de fait, capitale de fortune de la Prusse. Pour autant le souverain qui, à une heure et demie sonnante, est apparu sur la terrasse du parterre d'eau pour y savourer, en maître cette fois, ces grandes eaux qu'il n'avait toujours goûtées qu'en invité, ne s'installe pas au château ; il prendra ses quartiers à la préfecture ; quant au chancelier de la Confédération, le comte von Bismarck, il s'est réservé, rue de Provence, l'hôtel de Jessé, encore plus modeste mais autrement facile à protéger... En fait, les visites royales au palais seront fréquentes, ne serait-ce que pour des raisons religieuses. En effet, dès le

9 octobre, le clergé de la paroisse Notre-Dame ayant vivement protesté contre l'affectation d'une église catholique à un autre culte, il a été décidé que l'office dominical de la Cour se tiendrait dans la Chapelle royale ! Qui eût dit qu'à près de deux siècles d'écart, dans un concours très versaillais de courtisans et de grands officiers, des « huguenots » se réuniraient, pour prier, dans le sanctuaire de leur plus grand persécuteur ?

D'autres occasions vont ramener la Cour de Prusse chez le Roi-Soleil, à commencer par des fêtes volontiers démonstratives. Les grandes eaux sanctionnent ainsi, le 18 octobre, l'anniversaire du prince royal, qui coïncide avec celui de l'antique victoire allemande de Leipzig, puis, le 21 novembre, l'anniversaire de la princesse royale, fille de Victoria. Cette dernière fête se déroule dans un climat détendu, et l'on y voit le roi et sa cour s'amuser à parcourir, à cheval, toutes les allées du parc. C'est qu'entre-temps, le 27 octobre, la situation stratégique a basculé : le maréchal Bazaine, en capitulant dans Metz, a mis un point final aux espérances françaises ; et désormais, la capitale seule est encore en mesure de faire face à l'envahisseur. A neuf heures, le matin du 30 octobre, Adolphe Thiers, l'« historien national », ancien chef de gouvernement de Louis-Philippe, parvient à Versailles à l'issue d'une infructueuse tournée diplomatique des capitales d'Europe. Bientôt muni, par le Gouvernement de la Défense nationale replié à Tours, des pouvoirs adéquats pour négocier un armistice, il va batailler pied à pied, à l'hôtel de Jessé, huit jours durant. Mais Bismarck est un adversaire retors, qui sait mettre en confiance son interlocuteur pour mieux l'enfermer dans ses limites... Et quand il repart pour Tours, le 7 novembre au petit matin, M. Thiers n'a rien obtenu.

Les Prussiens jubilent, ils ont tout leur temps ; et d'autant plus qu'à Versailles, ils se sentent maintenant chez eux. Voici ce qu'on peut lire, dans une édition du journal illustré *Daheim* — « le Foyer » — de novembre

1870 : « On éprouve un sentiment étrange, et qui élève intérieurement, quand on se promène, entouré des enfants de notre sol, dans cette ville où autrefois Louis XIV a tressé les mailles du filet gigantesque qu'il avait jeté sur l'Europe. Partout on croit apercevoir des visages amis ; de tous côtés retentissent des accents familiers à notre oreille, des plaisanteries de notre pays. Les restaurants sont pleins de " nos soldats " ; ce sont " nos cavaliers " qui trottent sur les places. Les casernes, avec leurs inscriptions " Garde impériale " ; " Artillerie impériale ", sont pleines de nos dragons, de nos chasseurs ou de nos fantassins. Les employés de notre télégraphe se sont installés et logés dans les plus belles de ces casernes, et sur l'avenue de Paris nous retrouvons nos malles-postes peintes en jaune, que nous connaissons si bien. Ajoutons que nos compatriotes se sont mis parfaitement au courant des êtres de la ville et qu'il s'y retrouvent aussi bien que s'ils étaient à Berlin. » [6]

Avec la préparation des fêtes de Noël, l'occupant va trouver une occasion spéciale de manifester dans Versailles la joie d'être prussien. Depuis quelques années déjà, les Parisiens et les habitants des grandes villes de France avaient adopté la coutume germanique de l'arbre de Noël. Mais ils n'en avaient conservé que le caractère décoratif et festif. En décembre 1870, les Versaillais vont prendre la mesure de la dimension patriotique et sentimentale qu'attachent les natifs à cette coutume ; les nombreuses maisons hébergeant — de gré ou de force — des officiers et des soldats se voient en effet parées de sapins tout illuminés. Au château même, plusieurs arbres sont décorés dans les différentes salles de l'ambulance, notamment celles où sont cantonnés les patients les plus gravement atteints, « pour que personne ne fût privé ». Au rez-de-chaussée, dans la « salle Louis XIII » entièrement festonnée — c'est-à-dire le grand salon aménagé par Louis-Philippe à l'emplacement de la galerie basse —, est dressée une immense table ornée elle-même de trois arbres de Noël, pour la remise de présents aux blessés aptes à se déplacer. « Après qu'ils eurent bien joui de l'illumination, et après que la distribution des cadeaux eût été faite, vint un repas où ne manquaient ni la salade nationale au hareng, ni les bols de punch [7] », note un historien allemand.

Cette période de trêve est également propice aux œuvres charitables organisées par les ressortissants de différents pays étrangers au conflit, à commencer par les Britanniques. Empêchés d'entrer dans Paris assiégé, nombreux sont ceux qui trouveront à Versailles un dérivatif où dispenser leurs bienfaits. John Furley, représentant de la *Société internationale anglaise*, devait laisser des souvenirs nostalgiques de cette période ; il y évoque tantôt les jardins en plein jour, où des cavaliers « galopaient dans tous les sens pour voir les parterres, les bassins et les statues de ce parc, dont ils avaient si souvent entendu parler et qu'ils pouvaient maintenant comparer à Sans-Souci et à Potsdam » ; tantôt l'ambulance hollandaise en pleine nuit, où « les lignes perpendiculaires dorées, qui çà et là accrochent un faible éclat de lumière, indiquent les cadres des tableaux du musée, et les lignes horizontales blanches représentent les lits sur chacun desquels est étendu un blessé »... Parmi les pensionnaire de cet étrange hôpital, « il y en avait un qui ne doit pas être oublié, raconte Furley. Je veux parler d'un intelligent bouledogue, aimé de tout le monde (...). Cet animal populaire et sagace avait reçu le nom de *Bismarck*. Deux raisons justifiaient ce baptême. D'abord il était de cette couleur brune particulière qui s'appelle " couleur Bismarck ", et de plus il avait un goût extrêmement développé pour s'annexer tout ce qu'il convoitait. » [8]

L'événement du siècle

La politique du « chancelier de fer » va bientôt trouver, à Versailles, au château, dans la Grande Galerie même, son plus éclatant couronnement : le mercredi 18 janvier 1871, en présence des souverains allemands ou de leurs représentants, le roi de Prusse Guillaume Ier va devenir empereur d'Allemagne. La date n'a pas été laissée au hasard ; le 18 janvier est en effet le jour anniversaire de la monarchie prussienne. La veille au soir, on a vu affluer au grand quartier général de nombreux officiers convoqués secrètement — pas question en effet de révéler aux Parisiens que la plupart des corps d'armée assiégeants allaient être privés, un jour entier, de leurs chefs... Cette discrétion particulière explique pourquoi, aux yeux des contemporains et notamment des Versaillais, un si grand événement ait presque pu passer inaperçu. Les solennités ont été voulues si ramassées qu'on n'a même pas pris le risque de fermer la circulation sur la place d'armes ; de sorte qu'à midi, quand l'escorte du roi Guillaume se rend au palais, elle doit passer au milieu des moutons, des bœufs et des chariots d'approvisionnement qui encombrent son chemin !

Sous le regard triste d'Eudore Soulié, la galerie des Glaces — que les Prussiens appellent « galerie de Verre » — a été sobrement aménagée pour la circonstance. Au centre, adossé aux fenêtres (c'est-à-dire au couchant), l'on a installé un autel pour la cérémonie religieuse ; au fond, devant l'arcade du salon de la Guerre (soit à l'exact opposé de la traditionnelle tribune royale), se trouve une estrade garnie de porte-drapeaux et couverte d'altesses germaniques : il y a là le prince royal, le prince Charles de Prusse, le prince Adalbert, le grand-duc de Saxe-Weimar, le grand-duc d'Oldenburg, le grand-duc de Bade, les ducs de Saxe-Cobourg, de Saxe-Meiningen, de Saxe-Altenbourg, les princes Léopold et Othon de Bavière, le prince

Guillaume de Wurtemberg et le duc Eugène, les grands-ducs héréditaires, le prince héréditaire Leopold de Hohenzollern, le duc de Holstein, entre autres têtes couronnées... Après le service divin, le roi Guillaume adresse à ses hôtes une courte allocution ; puis le chancelier von Bismarck donne lecture de la proclamation de Sa Majesté au nouveau peuple allemand. « Nous acceptons la dignité impériale dans la conscience de Notre devoir de protéger, avec la fidélité allemande, les droits de l'Empire et de ses membres, de sauvegarder la paix, de défendre l'indépendance de l'Allemagne appuyée sur la force réunie de son peuple », lit le propre artisan de cette unité.

Louis XIV *gouvernant par lui-même*, entouré des ors du grand siècle, lui sert de témoin malgré lui. « J'ai éprouvé à plusieurs reprises, écrira Bismarck à sa femme, le désir de me transformer en bombe et d'éclater rien que pour voir l'édifice s'écrouler en morceaux. »[9] Curieux aveu. A la fin de la cérémonie, le grand duc de Bade ayant acclamé Guillaume comme empereur d'Allemagne, l'assemblée entière répète trois fois l'acclamation. L'écho de ces voix martiales résonne sous la voûte où Le Brun avait illustré, jadis, la suprématie de la France sur tant de principautés désunies... Un roi était entré dans la Galerie, c'est un empereur qui en sort ; et tous ceux qui ont assisté à cette mutation sont convaincus d'avoir vécu l'événement le plus important du siècle.

Dix jours plus tard, alors que, du côté de Sèvres, le bruit du canon se fait encore entendre et que les Parisiens ont tenté des percées vaines mais non dépourvues de courage, Jules Favre, au nom du Gouvernement de la Défense nationale maintenant à Bordeaux, après avoir, depuis le 23 janvier, rencontré plusieurs fois le chancelier rue de Provence, accepte d'apposer sa signature au bas d'un acte décrétant un armistice de trois semaines. C'est le temps nécessaire pour procéder à des élections nationales, le 8 février, instituant une assemblée propre à traiter de la paix. Les conséquences de cet aveu de faiblesse ne se font pas attendre : la pression physique et psychologique de l'occupant grimpe, du jour au lendemain, de plusieurs degrés, dans une ville éprouvée par ailleurs par un hiver particulièrement rigoureux. Des liens avec la capitale étant rétablis, les autorités prussiennes s'inquiètent pour leur sécurité ; elles interdisent bientôt l'accès de Versailles à toute personne venant de Paris ; et la ville sera tout simplement coupée du monde pendant la première semaine de février. Les arrestations s'y multiplient, à fin d'intimidation ; les citoyens les plus irréprochables sont inquiétés. Jusqu'à Grosseuvre, le propriétaire de l'hôtel des Réservoirs, qui est incarcéré le 12 février sur un prétexte futile ! Son établissement aura pourtant été le point de chute des princes prussiens à Versailles — depuis le duc de Saxe-Cobourg, qui tenait là son club, surnommé le « casino », jusqu'au prince impérial qui, pas plus tard que le 26 janvier, fêtait chez Grosseuvre son treizième anniversaire de mariage avec la princesse « Vicky » d'Angleterre...

Le 26 février, à dix-sept heures, Thiers, nommé chef du pouvoir exécutif par la nouvelle Assemblée siégeant à Bordeaux, signe avec Bismarck des préliminaires de paix très durs pour la France ; l'Alsace et la Lorraine en font les frais, mais aussi les finances publiques, grevées de lourds dommages de guerre. Ces préliminaires n'en seront pas moins ratifiés le 2 mars. Dès lors, les Prussiens se considèrent sur le départ. Bismarck lève le camp le premier, le 6 mars, puis c'est le prince impérial, le 7 à l'aube, et l'empereur Guillaume qui suit de peu son fils. Trois jours plus tard, Versailles est entièrement évacué. Dans la population, l'heure est aux bilans et aux plaintes. Pour ce qui est du patrimoine historique, une certaine mesure est de mise, cependant. Après que l'ambulance prussienne a évacué le château, force est d'admettre que son séjour prolongé au sein même du musée n'a pas eu de conséquence dommageable pour les collections ; et Soulié consent à en donner acte, par écrit, au docteur Kirchner qui en faisait une question de principe. Dans le parc, on ne déplore guère plus de dégâts ; et c'est à peine si, pour la forme, les responsables du domaine signaleront que le célèbre Apollon de Girardon, vestige de la grotte de Thétis replacé dans le bosquet qui porte son nom, a eu un pied cassé dans la tourmente... En un mot, comparé au pauvre Saint-Cloud incendié, Versailles peut faire figure de miraculé.

L'asile de la légalité

Sitôt évacués la rive gauche de la Seine et les environs de Paris, se pose la question du rapprochement de la nouvelle Assemblée ; et d'autant plus qu'une partie du Gouvernement est déjà de retour à Paris. Le grand théâtre de Bordeaux, où siègent les députés, a beau être somptueux, il est trop excentré pour des mentalités françaises. Pour autant, la chambre conservatrice issue des urnes du 8 février s'accorde sur un fait : il est encore trop tôt pour rétablir le Parlement dans une capitale incertaine et ravagée par des mois de siège. Plusieurs noms de villes circulent alors dans les couloirs ; on parle d'Orléans, de Fontainebleau, et surtout de Bourges, au centre du pays meurtri. Mais le nom qui revient le plus souvent reste celui de Versailles ; Versailles dont l'ennemi vient de se retirer ; Versailles aux accents monarchiques tellement rassurants ; Versailles aux portes de Paris, avec ses châteaux, ses bâtiments publics, ses nombreux hôtels et ses maisons tranquilles sur des avenues très larges ; Versailles enfin qui, depuis le début, a toute la sympathie de M. Thiers en personne.

Dès le 10 mars, le « pacte de Bordeaux » tranche la question : l'Assemblée siégera dès le 20 courant dans l'ancien Opéra royal, revisité — si l'on peut dire — par Louis-Philippe, et que deux architectes émérites,

Charles Questel, du domaine, et Edmond de Joly, de l'Assemblée, sont priés d'adapter en dix jours à sa destination nouvelle. Le parterre et l'amphithéâtre sont aussitôt recouverts d'un plancher uniforme reliant le foyer à la fosse d'orchestre, elle aussi comblée pour accueillir les rangs des ministres et des commissions. Des banquettes à rebord, livrées par la vénérable maison Belloir, sont aussitôt clouées sur ce plancher ; mais l'espace reste insuffisant pour contenir sept cent vingt-deux élus ; près de soixante-dix devront être relégués dans les premières loges. Les autres loges — notamment celles de l'avant-scène — accueilleront le public et la presse, naturellement curieux d'assister aux balbutiements de ce régime éminemment transitoire. Les services administratifs de l'Assemblée vont par ailleurs se déployer dans toute l'aile du Nord ; la présidence, le secrétariat général, la questure et la bibliothèque se fixent dans le pavillon de Noailles qui sépare les deux cours ; et le tout-venant colonise les galeries de peinture. Au rez-de-chaussée sur les jardins, les nouveaux cabinets de travail sont « fermés par des portes battantes recouvertes de tapisserie. (...) Pour éviter le continuel passage d'un bureau à l'autre, on construisit une galerie en bois, sur le parc, contre le mur du parterre du Nord ; elle offrait l'indépendance d'accès de chacun d'entre eux. [10] »

Déjà les députés refluent de Bordeaux, et se démènent pour trouver un logement dans une ville tout juste libérée du joug prussien. Nombreux sont ceux qui, pendant plusieurs semaines, devront se contenter d'un simple lit dans la galerie des Glaces, aménagée en immense dortoir avec les vestiges de l'ambulance ! Or ils sont loin d'être les seuls à s'abattre sur Versailles, dont la population, qui triple en un jour, croit vivre une seconde invasion. En effet, le 18 mars, l'insurrection parisienne des gardes nationaux fédérés — dont la solde vient d'être supprimée — pousse Thiers, lorsqu'il apprend l'exécution des généraux Lecomte et

Thomas, à se réfugier lui aussi dans l'ancienne cité royale, avec tout le Gouvernement, toute l'Adminitration et une partie du Corps diplomatique ! C'est une étrange mêlée qui se bouscule dès lors dans les souvenirs du vicomte Camille de Meaux, élu de la Loire : « Députés soudainement élus et ne sachant où se caser, diplomates de tout rang et de tout pays errant de ville en ville à la suite du Gouvernement, employés de ministères impatients de reprendre leur besogne interrompue, bourgeois de Paris fuyant la Commune *, fonctionnaires de la veille et fonctionnaires du lendemain, accourus à l'assaut des places qui semblaient toutes vacantes à la fois, solliciteurs de toutes conditions, agents d'affaires de tout acabit, journalistes de toutes couleurs, tout ce monde affluait à travers les vastes avenues... » [11] S'y trouvaient notamment Alexandre Dumas, Théophile Gautier, Victorien Sardou...

Si M. Thiers s'installe à la préfecture, dans les fauteuils encore chauds de l'empereur Guillaume, c'est au château, naturellement, que trouvent asile les bureaux gouvernementaux. Une répartition sauvage du corps central s'opère en quelques heures. Au rez-de-chaussée — déjà malmené par Louis-Philippe — s'installent, du sud au nord, le ministère de l'Instruction publique et des Cultes (chez la Dauphine), celui de l'Intérieur (chez le Dauphin et chez Marie-Antoinette), celui des Travaux publics (chez le capitaine des gardes), et celui des Finances (chez Mesdames). Au premier étage, on trouvera le ministère du Commerce et de l'Agriculture (dans les salles du Sacre et de la Révolution), celui des Affaires étrangères (chez la Reine), et celui de la Justice (chez le Roi jusqu'à l'Œil-de-Bœuf) ; les cabinets de la Marine et de la Guerre investissant l'aile sud des Ministres comme deux siècles plus tôt... D'autres

* Le terme est un peu prématuré ; le nouveau conseil municipal de Paris ne prendra le nom de « Commune » que le 26 mars 1871.

administrations se joignent à ce squat officiel ; ainsi du Conseil d'Etat, de la Banque de France, de la Caisse des Dépôts, du *Journal Officiel*, etc. Le service des Postes a investi, quant lui, la galerie des Batailles.

Autant dire que, cette fois, plus rien n'est respecté ; même les salles hier épargnées par les Prussiens ont été investies. Pis : les appartements eux-mêmes, parmi les rares qui subsistent, sont affectés au logement des grands commis ! Ainsi le président de l'Assemblée prend-il possession de la partie orientale de l'appartement intérieur du Roi ; son lit est installé dans le cabinet même où Louis XV abritait son Secret, et celui de son valet de chambre, dans la merveilleuse salle de bains, devenue sous Louis XVI « cabinet de la Cassette » ! Il y côtoie d'ailleurs le ministre des Finances, dont la petite famille occupe sans états d'âme la partie occidentale du même appartement, jusqu'à la chambre privée du Roi... Après tout, le ministre des Travaux publics ne dort-il pas chez Mme Du Barry et le garde des Sceaux, dans un des cabinets de la Reine ? Mais c'est au prix de tels arrangements que Versailles est devenu l'asile de la légalité.

A la préfecture, le président occupe tout le premier étage de l'aile gauche ; il y possède même, derrière son bureau, un petit cabinet de curiosités, où figurent en bon ordre ses trésors personnels. Bourgeois jusqu'au bout des ongles, M. Thiers insuffle à ces lieux l'esprit pantouflard que raillent tant les détracteurs de « Foutriquet Ier », et qui les fait rebaptiser la préfecture « hôtel de la pénitence »... Sa femme et surtout sa belle-sœur, la fine Félicie Dosne, y animent pourtant une sorte de Cour en réduction, composée de tout ce que les élites comptent de plus opposé à l'insurrection parisienne. Les deux femmes, affichant une tranquillité de mise, font à pied leur marché aux halles Notre-Dame ; elles quêtent sans façon sur le parvis de la paroisse, et accompagnent leur grand homme dans ses promenades digestives au château et dans les jardins de ce Roi-

Soleil dont l'exemple les hante tout trois. Les chansonniers ne perdent pas de temps ; ils troussent une ritournelle bientôt chantée dans tout le pays, et qu'ils placent dans la bouche du nouveau roi de Versailles :

Je n'ai Montespan ni Fontanges,
La Vallière ou Maintenon ;
Mais j'ai Mme Thiers, un ange,
Et Félicie, un joli nom.
Je les mène quand vient l'aurore
Se promener sur le gazon (bis).
*Monsieur Thiers, répondit Dufaure *,*
Monsieur Thiers, vous avez raison... [12]

De fait, Thiers « se levait tôt, raconte Jean Pastreau : quatre heures du matin et, au saut du lit, une lanterne à la main, se rendait aux écuries, car il avait la passion des chevaux. Après avoir tapoté l'encolure des bêtes, il montait se confier aux mains expertes de son coiffeur, M. Lonnin, qui, avec une remarquable habileté professionnelle, donnait quelques centimètres de plus au bonhomme d'un mètre cinquante-quatre en lui redressant le toupet ». Le président se met ensuite au courant de la situation à Paris, avant de suivre sa correspondance et de tenir Conseil. « Au déjeuner, servi à treize heures, figuraient invariablement un poulet, un rôti et des confitures [13]. » Ainsi va la vie routinière de la présidence, où l'on reçoit néanmoins tous les soirs, avec une prédilection pour les princes de la Maison d'Orléans.

Des « Versaillais » sûrs d'eux

Quotidiennement, M. Thiers se rend à l'Opéra royal, pour distiller aux députés des informations choisies sur

---

* C'est le nom du garde des Sceaux.

la marche des affaires. Paul et Victor Margueritte devaient tenter de reconstituer, dans leur roman *La Commune*, le climat particulier de ces débats préludant à la guerre civile. « Au-dessous, la salle, à demi pleine, bruissait ; le parterre, le pourtour du rez-de-chaussée, les premières d'avant-scène se garnirent à vue d'œil, bientôt combles. Des crânes nus s'alignaient. Dans l'atmosphère surchauffée, sous les jaunes lueurs fusantes du gaz, houlèrent des groupes noirs. Les glaces des loges se renvoyaient le haut décor marbré de rouge, les reliefs dorés. A la place des acteurs se tenaient le bureau, la tribune [14]. » Celle-ci, où siège le président Grévy, occupe le centre de l'ancienne scène, réduite de moitié dans sa profondeur par un vaste décor assorti à la salle, et qui dissimule une pièce « des Pas Perdus » et une buvette. Très vite, les députés se plaignant de l'éclairage au gaz, insuffisant et malsain, Questel et Joly réussissent le tour de force de supprimer le plafond peint par Durameau, et de le remplacer par une immense verrière laissant filtrer la lumière du jour.

Les nouvelles de la capitale, en ce mois d'avril 1871, sont préoccupantes. Des tentatives de percées en direction de Versailles, les 2 et 3, n'ont été arrêtées que par le canon du Mont-Valérien. Dans Paris, le comité central de la garde nationale a fait élire un Conseil communal qui agit en véritable gouvernement révolutionnaire, et tente de rallier une province il est vrai fort hostile. En mai, les Fédérés s'en prendront aux biens de ces réfugiés qu'ils traitent de « Versaillais », à commencer par l'hôtel particulier des Thiers, dans le quartier de la Nouvelle-Athènes. Mme Roger, une cousine du président hébergée à la préfecture, s'en montre plus contrariée que la propriétaire elle-même. « Hier, pour nous égayer, on nous a apporté dans le salon des photographies de la place Saint-Georges, que Mme Thiers a fait faire, explique-t-elle dans une lettre à son fils. La démolition va jusqu'au premier étage et l'on voit tout le fond des appartements, car il n'y a plus de fenêtres. (...). Mme Thiers les montrait à toutes les personnes qui entraient dans le salon, en leur expliquant la distribution des pièces. J'avoue que, pour moi, la vue de ces photographie me faisait un mal affreux. » En vérité, le sang-froid dont fait preuve l'entourage présidentiel tient à la certitude qu'il nourrit de reprendre bientôt le contrôle de la capitale.

Quelque cent trente mille hommes de métier sont d'ores et déjà cantonnés sur le plateau de Satory, auxquels vont venir se joindre quarante mille prisonniers de guerre, opportunément libérés par un Bismarck enfin compréhensif... Sous le commandement du maréchal de Mac Mahon, duc de Magenta, ils reprennent d'abord le fort d'Issy, avant d'entrer dans Paris le 21 mai, par le bastion dégarni du Point du Jour. Ce sera la « semaine sanglante », au cours de laquelle les troupes régulières reprennent la capitale rue par rue, au prix de milliers de tués dans les rangs fédérés — contre moins de neuf cents dans l'autre camp. De son côté, la Commune se rend coupable de l'incendie des grands monuments — entre autres, l'Hôtel de Ville, les Tuileries, le Palais de Justice, la bibliothèque du Louvre — et de l'exécution de soixante-quatorze otages, dont l'archevêque en personne, Mgr Darboy. Actes désespérés. Car depuis les coteaux de la Seine, ce sont des Versaillais sûrs d'eux qui viennent observer Paris en flammes, à la lunette. Selon l'expression de Renan : « A Paris, la complète démence ; à Versailles, la sottise bornée et satisfaite d'elle »[15]. La dernière barricade, celle de la rue Ramponeau, tombe le 27 mai ; mais on fusille encore au Père-Lachaise le lendemain...

Au final, la Commune de Paris est donc écrasée dans le sang ; Versailles n'aura jamais à connaître ses représailles. Les salons de la présidence, avenue de Paris, muets hier encore, bruissent à présent d'une quantité de faits d'armes plus ou moins glorieux. Ce que l'on passe entièrement sous silence, autour de M. Thiers, c'est la masse de ces prisonniers — plus de trente-cinq mille — dont on ne sait que faire... Epuisés, loqueteux, battus par les soldats et insultés par la foule, ils seront conduits à pied jusqu'à Versailles pour y être jugés. Deux mille cinq cents d'entre eux sont enfermés dans l'Orangerie du château ! Vingt cours martiales sont instituées sur le domaine et ses alentours ; on en trouve au manège de la Grande Ecurie, dans la salle des Hoquetons et jusque dans le salon Marengo. Ces conseils de guerre vont prononcer à tour de bras ; sur la totalité des accusés, près de vingt-trois mille bénéficieront certes de non-lieux, mais dix mille seront condamnés à des peines parfois lourdes. Quatre-vingt-treize seront ainsi déclarés punissables de mort — et vingt-trois, dont Rossel et Ferré, fusillés au mur dit « des Fédérés » (en fait une portion de l'enceinte du Grand Parc, derrière l'étang de la Martinière).

Mais l'opinion se passionne bientôt pour un procès versaillais d'une tout autre portée, et qui est au demeurant celui d'un natif de la ville : François-Achille Bazaine. Ce n'est pas un acte d'indiscipline que l'on reproche à ce vieux soldat, mais au contraire d'avoir capitulé dans Metz avec toute son armée. Du reste, il est venu lui même au-devant de Thiers, pour le prier de nommer une commission en vue d'un procès qui lui permettrait de laver son honneur. Un maréchal ne peut être jugé que par ses pairs, c'est-à-dire par les généraux les plus anciens ; or après Schramm, bien trop âgé pour présider activement une telle cour, ce titre revient au duc d'Aumale, le fils de Louis-Philippe qu'avait magnifié Vernet dans les salles d'Afrique ! Le prince vient justement d'être réintégré, le 27 février 1872, dans la première section ; il ne peut refuser la redoutable présidence que lui réserve l'ancien serviteur de son père, devenu chef de l'Etat... Au reste, celui-ci démissionnera en janvier 1873, pour être remplacé, à la présidence, par le sabreur de la Commune, le maréchal de Mac Mahon en personne !

Un temps projeté à Compiègne, c'est bel et bien à Versailles que se tient le conseil de guerre devant juger Bazaine. Plus exactement : sous le péristyle, alors fermé de vitrages, du Grand Trianon. Le duc d'Aumale y retrouve pour l'occasion les appartements de sa jeunesse ; quant à l'illustre accusé, il sera logé, le temps du procès, dans l'aile de Trianon-sous-Bois. La première audience s'ouvre le lundi 6 octobre 1873, mais les débats n'entrent dans le vif du sujet que le lundi suivant, le 13. Le duc d'Aumale s'acquitte au demeurant fort bien de sa tâche. « Tous les journaux, durant deux mois, ne parlent que de lui, (...) rendent populaire son visage étroit, sa barbe blonde et ses yeux clairs. On en vient à se demander s'il n'aurait pas fallu le préférer à Mac Mahon pour la présidence, et s'il n'est pas l'arbitre impartial dont la nouvelle République a besoin [16]. » Justement, c'est à ce moment précis que sont menées, à une lieue de là, des tractations en vue d'une éventuelle restauration monarchique. Le 27 octobre, le comte de Chambord, petit-fils de Charles X, a fait connaître son refus du drapeau tricolore ; et le 9 novembre, il surgit sans prévenir à Versailles, pour exprimer le désir de rencontrer Mac Mahon. Celui-ci refuse tout bonnement, et se fait confirmer par l'Assemblée dans ses fonctions ; « Henri V » en sera quitte pour retourner dans son exil de Frohsdorf. « J'avais cru m'adresser à un connétable, dira le prince éconduit ; j'ai rencontré un colonel de gendarmerie. »

Le 10 décembre, à neuf heures du soir, le duc d'Aumale prononce, contre le maréchal Bazaine, une sentence de mort avec dégradation militaire ; « ma première punition », commente l'intéressé. Puis le prince rédige lui-même, au nom de tous les juges, le recours en grâce qu'il va porter en personne à l'hôtel de la préfecture. Sa peine commuée en détention perpétuelle, Bazaine sera interné — comme jadis le Masque de Fer

— à la forteresse Sainte-Marguerite, dans les îles de Lérins. Il s'en évadera dans la nuit du 9 au 10 août 1874. Reste la sentence, indélébile, et qui assied la jeune République sur une ultime condamnation du Second Empire.

Un palais d'assemblées

La paix civile est revenue en France. Déjà, les ministères et autres administrations ont envisagé de rentrer à Paris — ce qui ne les empêche pas de conserver à Versailles des services importants. Le ministère des Finances a donné le signal de la réintégration. Son départ « permit au ministère des Affaires étrangères de libérer les appartements de la Reine pour lui succéder chez Mesdames. Le ministère de l'Instruction publique et des Cultes quitta ceux de la Dauphine pour l'ancienne Surintendance [17] ». Les fonctionnaires qui restent libèrent ainsi le corps central pour gagner, notamment, les ailes des Ministres.

Mais cette paix civile doit s'inscrire dans des textes. En étayant tardivement le régime, les lois constitutionnelles de 1875 s'efforceront bientôt d'ancrer la IIIe République dans une perspective de long terme. C'en est fini du provisoire ; la France se dote d'institutions qui finiront par durer, bon an mal an, jusqu'en 1940 ! Le 29 mai 1875, un peu avant sept heures du soir, le grave Henri Wallon monte ainsi à la tribune de Versailles pour proposer un amendement qui sera voté à une voix de majorité ; il s'agit de fixer les conditions de l'élection du président de la République — le mot est lâché : c'est bien une République qui vient d'éclore dans le sanctuaire de la Monarchie française.

Seulement les lois constitutionnelles prévoient désormais un régime bicaméral ; et puisque les parlementaires ne semblent pas pressés de quitter la cité des rois, la question se pose de savoir où loger la deuxième assemblée. Il devait revenir à Odile Caffin-Carcy [18] de retracer la genèse d'une nouvelle transformation du château, cette fois en palais d'assemblées. L'architecte maison, Questel, suggère de fixer le nouveau Sénat dans la galerie des Batailles, ce qui permettrait de maintenir les députés dans cet Opéra qu'il occupent depuis maintenant quatre ans. Mais ce projet, quoique simple à réaliser, ne va pas dans le sens d'une restitution au public des galeries fondées par Louis-Philippe. Dans cette autre optique, mieux vaudrait sans doute construire, au premier étage de l'aile du Midi, une salle de séances entièrement neuve, qui viendrait se caler dans le vaste volume de la cour intérieure. Une alternative, plus respectueuse encore pour le musée, serait de sortir les assemblées du palais lui-même, et de les reléguer dans les deux écuries royales, la Grande et la Petite ; hélas, cette solution élégante se révèle en même temps la plus coûteuse et, surtout, la moins facile à mettre en œuvre dans un délai très court.

Pour ces deux raisons, l'architecte de l'Assemblée, Edmond de Joly, se fait chaud partisan de la deuxième option ; et les députés ne tardent pas à lui confier la construction rapide d'une salle pour la Chambre dans l'aile du Midi, le Sénat s'installant — au moins à titre provisoire — dans l'Opéra de Gabriel. Vexé, Questel oppose à cette réalisation des arguments d'autant moins convaincants qu'il en a été l'inventeur ; et il prépare en contrepartie l'édification, de son côté, d'une nouvelle salle pour le Sénat au nord, dans le pavillon dit de Noailles. Cela supposerait la destruction des salles des Croisades, au rez-de-chaussée, hormis celle donnant sur la rue, qui deviendrait l'appartement du président de la haute assemblée. Ne voulant pas trancher trop vite au nom des sénateurs à venir, les députés ajournent cette ultime tentative de l'architecte local. En fin de compte, seul Joly pourra mettre ses plans à exécution ; et le fils du créateur de l'hémicycle du Palais-Bourbon s'engage, en six mois et pour moins de deux millions, à faire sortir de terre, au cœur de l'aile méridionale du palais, un vaste amphithéâtre pouvant accueillir, si nécessaire, les deux Chambres réunies en Congrès (et constituant, dans la terminologie de l'époque, l'Assemblée nationale).

En fait, c'est toute l'aile du Midi qui se trouve dévolue à la Chambre des députés. « Au rez-de-chaussée, les services du chauffage, de l'aération, la poste, le télégraphe, la caisse de l'Assemblée, etc. Au premier étage, la salle des séances, occupant le centre des bâtiments, les Pas-Perdus, la salle des conférences, le secrétariat général de la présidence et le cabinet du président d'un côté, de l'autre la buvette, le fumoir et la questure donnant sur le parc, les salons de la présidence, au couchant sur la cour de Monsieur ; les quinze bureaux sur les autres faces de la rue de la Bibliothèque * et de la cour des Princes. » [19] Les travaux sont menés à l'arraché dès le printemps de 1876, par des entrepreneurs parisiens, jugés plus compétitifs. Tandis que, dans les faubourgs de la capitale, les décors sont préparés en ateliers, le gros œuvre est achevé sur place en trois mois, du 1er juin au 31 août. A compter du 15 octobre, la salle est assez avancée pour être livrée aux sculpteurs, peintres et doreurs ; « on finit de faire chauffer les plâtres par des braseros au coke du système Ligny ». De sorte qu'à l'heure dite, le 1er décembre, Edmond de Joly aura la fierté de pouvoir écrire : « Aujourd'hui la salle des séances est terminée et meublée ; les vestibules, les escaliers et les galeries annexes sont achevés. Le chauffage fonctionne ainsi que le système d'éclairage. » [20]

La presse nationale et internationale va pouvoir décrire et commenter à l'envi la physionomie éclec-

* Cette ancienne rue de la Surintendance, devenue rue de la Bibliothèque en 1841, sera rebaptisée du nom Gambetta en 1885 avant de devenir, en 1935, la rue de l'Indépendance américaine.

tique de la nouvelle enceinte *, rectangulaire, avec deux angles à pans coupés du côté de l'amphithéâtre. Le pourtour du balcon, orné de motifs « à la grecque » rappelant ceux de l'Opéra de Gabriel, est fiché de seize hautes colonnes corinthiennes, formant des péristyles interrompus, dans les angles, par de grands arcs en plein cintre. Les voussures, autour de la verrière, ont été décorées par Chaperon et Rubé ; elles rendent hommage à la Paix comme à la Guerre, à l'Agriculture comme à l'Industrie... Le progrès est symbolisé par la grande peinture du fond, une composition de Couderc ** évoquant l'ouverture des états généraux, et que Louis-Philippe avait placée, en 1839, dans la salle éponyme de son musée ; quant à l'ordre, il s'incarne dans les deux tapisseries de part et d'autre, des Gobelins de la suite des *Maisons royales*.

Il est important de noter que cette création s'accompagne par ailleurs de rénovations plus discrètes, mais non moins fondamentales. Ainsi les façades de l'aile du Midi sur la rue de la Bibliothèque, par exemple, sont-elles remaniées en brique et pierre dans un style inspiré du grand siècle ; quant aux façades du Sénat, sur la rue des Réservoirs, elles font l'objet de réparations. D'ailleurs la Chambre haute adopte tout de suite, à Versailles, une attitude feutrée ; avec ses deux cent vingt-cinq membres seulement, le Sénat se trouve plus qu'à son aise dans l'Opéra réaménagé à son usage. Des pupitres et des fauteuils cossus ont remplacé les vulgaires banquettes ; quant aux services administratifs, s'ils ont pris la succession tranquille de ceux de l'ancienne Assemblée, ce n'est pas sans y avoir

* L'aménagement, en 1995, d'un musée sur le thème des « grandes heures du Parlement », à l'initiative de l'Assemblée nationale, permet enfin au public d'accéder facilement à cette salle.

** Rendue en 1894 à sa destination initiale, cette toile sera remplacée alors par une copie assez plate signée de Ferdinand Bassot.

apporté, par touches, de substantielles améliorations. Le confort de ces messieurs est si bien pris en compte que l'on envisagera, le plus sérieusement du monde, de prolonger les voies de chemin de fer jusqu'à l'entrée du Sénat, à la naissance de l'aile du Nord ! Mais devant le tollé suscité dans la ville par ce projet, les sénateurs devront se contenter des services, au demeurant fort exacts, du tramway parlementaire.

Une seconde mort

Dès l'époque de M. Thiers, le palais de l'Elysée, à Paris, avait abrité des bureaux de la présidence. Cependant, le chef de l'Etat, inquiet pour sa sécurité, était rentré chaque soir coucher à Versailles. A tort ou à raison, son successeur a dû se sentir moins en danger ; en effet dès le premier trimestre 1874, Mac Mahon se met à ne plus fréquenter l'hôtel de la préfecture que de manière épisodique. Quant à Jules Grévy, sa présidence se voudra entièrement parisienne. Dans la mesure où les assemblées demeurent au palais, ce départ discret du président de la République n'affecte guère, dans un premier temps, l'animation particulière qui règne à Versailles depuis l'invasion prussienne. La ville demeure un puissant pôle d'attraction. Les touristes, notamment, continuent de fréquenter le domaine ; ils seront encore soixante-dix mille à se presser à la grande Fête de Nuit d'août 1874.

A cette époque même, le domaine reçoit la visite, *incognito*, du souverain Louis II de Bavière, qui arpente les salons du Grand Roi en annotant des plans. Deux ans plus tard, sur l'îlot du lac de Chiemsee, à une centaine de kilomètres à l'est de Munich, seront creusées les fondations d'un édifice appelé à devenir le plus étonnant pastiche jamais conçu : la façade du château d'Herrenchiemsee * sera en effet la réplique exacte de celle du corps central de Versailles ; quant à sa galerie des Glaces, plus vraie que nature, elle mesurera simplement vingt-deux mètres de plus que son modèle !

Célèbre dans le monde entier, le nom de Versailles reste associé, dans le sentiment universel, à l'idée de fête. Et le nouveau régime ne fait rien pour que cela change... Ainsi, le 22 octobre 1878, à l'occasion de la fermeture de l'Exposition de Paris, le maréchal de Mac Mahon convie-t-il au château une assemblée de princes et d'industriels étrangers ayant pris part à l'événement. Les fontaines et les bassins du parterre du Nord et de l'allée d'Eau sont illuminés à la lumière électrique, le tapis vert est éclairé par vingt « appareils Jablochkof », le feu d'artifice est éblouissant. Une fois de plus, devrait-on dire... Dans la galerie des Glaces et les salons brillant de tous leurs feux, les douze mille invités du président de la République font honneur au bal, aux buffets, à la fête. Cette soirée mémorable, la première digne de ce nom depuis le Second Empire, restera dans les mémoires sous le nom ironique de « bal des paletots ». En effet, nous dit Dussieux, le vestiaire ayant été mal organisé, « le lendemain on trouva rassemblés en un tas gigantesque : 1 532 pardessus ou paletots, 544 pelisses, sorties de bal, pèlerines et cache-nez, 315 chapeaux d'hommes, un grand nombre de parapluies, 17 chignons, 9 perruques et 1 paire de bottes [21] ».

Mais les échos de la fête ne parviennent pas à cacher le retour en force de Paris sur le devant de la scène. Guérie de ses profondes blessures, la grande cité retrouve à présent son lustre et son pouvoir d'attraction

* Du fait de la mort de Louis II, en 1886, ce pastiche restera inachevé. Des replantations effectuées vers 1900 nuiront à l'effet recherché.

— y compris sur les parlementaires. Le 22 juillet 1879, soit quelques mois après la démission de Patrice de Mac Mahon et son remplacement par Jules Grévy, une loi fixe le retour des Chambres à Paris. Députés et sénateurs tiendront leur dernière séance au château le 2 août ; or, à cette date, leurs malles sont faites. C'est une page de l'histoire versaillaise qui se tourne, une page qui laissera des traces. Déjà endolori par l'installation des galeries historiques, le château des rois s'est trouvé défiguré par l'occupation administrative et parlementaire ; or, chacune des deux assemblées conserve, au palais, non seulement une salle de séances, mais des bureaux, des archives, des appartements réservés... Et le comte Clément de Ris, successeur d'Eudore Soulié depuis mai 1876, de constater, amer, que cette affectation dégradante, dont la Monarchie de Juillet pensait avoir prémuni les lieux, aura seulement été retardée de quelques décennies. Rares sont les visiteurs à pousser encore la porte du grand musée de peinture, dont le conservateur achève avec exactitude, mais dans l'indifférence générale, le catalogue établi par son devancier.

Emile Zola, que touchent toutes les misères, consacrera l'une des belles pages de ses *Nouveaux Contes à Ninon* à la « Sarcleuse » qu'il a vue lutter, dans les cours du palais, contre les mauvaises herbes. Il en fait la figure allégorique d'ultimes sursauts d'un autre monde, aux prises avec cet oubli que matérialiseraient les plantes indésirables. « Elles n'ont pas poussé à toutes les époques avec la même sève, écrit le grand naturaliste. Sous Charles X, elles étaient encore timides ; elles s'étendaient à peine comme un gazon léger, tapis de verdure tendre qui amollissait les pavés sous les pieds des dames. (...) Sous Louis-Philippe, les herbes se durcirent ; le château, peuplé des fantômes paisibles du musée historique, commençait à n'être plus que le palais des ombres. Et ce fut sous le Second Empire que les herbes triomphèrent : elles grandirent imprudemment, prirent possession de leur proie, menacèrent un instant de gagner les galeries, de verdir les grands et les petits appartements. » Deux paragraphes plus bas, Zola pourra donner libre cours à son exécration du symbole politique : « Mais viendra le jour où les doigts de la Sarcleuse se raidiront encore. Alors le château croulera dans un dernier hoquet du vent. Le champ de pierres sera livré aux orties, aux chardons, à toutes les herbes folles » [22].

*

Cette vision dantesque est assez conforme, du reste, à l'idée que les contemporains peuvent se faire de l'avenir du palais. Versailles avait conservé jusqu'ici, du moins dans les milieux éclairés, ce reste de prestige qui s'attache toujours aux créations d'un fondateur illustre. Mais au tournant des années 1880, le profond dédain d'une opinion dégoûtée semble avoir conduit le château vers ces extrémités d'où l'on ne revient pas. L'épave royale a, si l'on ose dire, « touché le fond ». La Ire République l'avait trouvée embarrassante, la IIIe ne s'en embarrasse même plus ! C'est à peine si les visiteurs qui se pressent encore au spectacle poussif de grandes eaux, d'ailleurs très délabrées, savent au juste ce qu'ils viennent y chercher. Victime autant de la désinvolture des régimes successifs que des éloges surfaits dont un certain public persiste à l'accabler, le domaine se confond, dans l'inconscient collectif, avec les pages convenues, jaunies d'avance, de ces manuels scolaires qui veulent alors réduire l'Histoire à quelques archétypes. On a figé une fois pour toutes l'image d'un certain Versailles de fantaisie ; mais pour le Versailles réel, le fait est que plus personne, au vrai, n'en conserve la signification.

Une curieuse gravure panoramique, publiée à Paris à cette époque, donne la mesure du flou artistique où se met à flotter alors l'imagerie versaillaise. Au-delà des approximations orthographiques — Encelade devient Anselade, la belle et mince Latone est appelée La Tonne — mais aussi topographiques, le dessinateur Charles Rivière s'est permis d'y rebaptiser un certain nombre d'incontournables : ainsi du bassin de l'Ile des Enfants, devenu « bosquet des Anges dorés », ou de celui de Flore, chez lui dévolu à « la Reine des Fleurs » ! Même le Hameau de Trianon, que sa célébrité devrait mettre à l'abri de telles bévues, se voit taxer de « Village suisse » par le sidérant document ! Les Versaillais eux-mêmes se sont du reste emparés de certaines parties du parc, à la façon d'un jardin public trop vaste et peu pratique : ils ne parlent que de « la plage » pour désigner le haut de la perspective, ou de la « petite Provence » pour parler de leur lieu de rendez-vous favori, au sommet de l'allée d'Eau. Quant au sublime groupe d'Apollon, jusqu'où peu d'entre eux s'aventurent encore, il n'est pas rare, désormais, de l'entendre appeler du doux sobriquet de « char embourbé ».

Plus grave sans doute, et autrement significatif : des images fausses sont venues, peu à peu, imprégner la perception commune. Or, les plus fins savants, cédant aux influences de la République triomphante, n'hésitent plus à les colporter eux-mêmes et à leur donner force de vérité. Ainsi le résultat, triste et froid, de la destruction par Nepveu de tous les cabinets intimes, a-t-il servi de prétexte aux pires fadaises sur le manque d'hygiène de l'ancienne Cour... Le souvenir des grands galas donnés sous le Second Empire alimente par ailleurs la polémique sur le caractère insolemment festif des lieux, au mépris de toute étude des pompes et des solennités sous l'Ancien Régime — plus limitées qu'on ne persiste à l'imaginer... Quant aux épisodes pénibles de la punition des « Communeux », ils devaient faire le lit d'innombrables calomnies sur la nature répressive et réactionnaire d'une ville indéfectiblement vouée au parti de l'ordre. Le terme même de « Versaillais » allait s'imposer comme synonyme d'oppresseur du peuple ; et cela, au mépris des témoignages attestant qu'il y eut nombre de citoyens versaillais aux côtés des prisonniers et prisonnières de 1871, de l'avocat Joly au pasteur Passa et aux sœurs de la Sagesse. Comme devait l'écrire Hélène Himmelfarb : « Ainsi la ville payait-elle la rançon d'avoir été royale : si la monarchie n'y avait laissé tant de bâtiments tout propres à loger un gouvernement chassé de sa capitale, son nom ne se fût pas attaché à tant de souvenirs d'iniquité ou de défaite ; inversement, la rancœur laissée par cette défaite et ces iniquités s'aggrava sans nul doute de ce que le Versailles des rois leur avait servi de théâtre. [23] »

Ainsi donc, au moment où le départ des Chambres pour Paris renvoie Versailles à des tranquillités quasi sépulcrales, l'image du château et de la ville dans le public s'est-elle alourdie de profonds griefs et de préjugés. Et l'on peut dire, sans exagérer, qu'il faudrait alors beaucoup d'optimisme — ou de clairvoyance — pour espérer tirer le domaine de l'unanime interdiction qui le frappe. Et pourtant...

En 1878, un jeune Auvergnat de dix-huit ans, « monté » une semaine à Paris pour y visiter l'Exposition, a choisi de consacrer à Versailles sa dernière demi-journée. C'est moins le château qui l'attire, en vérité, que la présence du Sénat dans ses murs ; et moins le Sénat lui-même, que son illustre bibliothécaire, le prince du Parnasse : Leconte de Lisle. Seulement, la haute assemblée ne siège pas ce jour-là, et le poète est demeuré chez lui, à Paris... « Il faut se contenter de Louis XIV. » Le jeune homme parcourt donc le peu de salons que n'ont pas investis « Messieurs les ronds-de-cuir », puis il arpente les jardins avec un plaisir qui, d'heure en heure, s'exacerbe jusqu'au trouble. Au plus profond de lui, une flamme s'est allumée, que connaissent tous ceux que Versailles, un jour ou l'autre, a envoûtés. Après un long détour par Trianon, il revient encore au Tapis vert, et ne s'arrache aux perspectives de Le Nôtre qu'à regret, « bien décidé à revenir, ayant savouré dans la solitude un des grands moments de sa vie ; et le soir, sur son carnet de voyage, il écrira, l'imagination pleine de ces images : " Ce qu'il y a de plus beau à Paris, c'est Versailles. "[24] » Le jeune Auvergnat s'appelle Pierre de Nolhac ; or, il tiendra promesse. Neuf ans plus tard, en effet, il sera de retour, qui plus est comme conservateur du musée ! Et son ambition unique, obsédante, indémontable, sera dès lors, et pour le bien commun, de redonner la vie au grand château.

Troisième partie

LA REDÉCOUVERTE

7

La révolution Nolhac

> *Je ne voudrais pas vous prononcer ici après tant d'autres, Versailles, grand nom rouillé et doux, royal cimetière de feuillages, de vastes eaux et de marbres, lieu véritablement aristocratique et démoralisant, où ne nous trouble même pas le remords que la vie de tant d'ouvriers n'y ait servi qu'à affiner et qu'à élargir moins les joies d'un autre temps que la mélancolie du nôtre.*
>
> PROUST.

Cent ans déjà. Cent ans que les émeutiers parisiens sont venus arracher la Monarchie à son foyer... Le 5 mai 1889, la fine fleur de la République est de retour au palais, le temps d'y célébrer le centenaire de l'ouverture des états généraux. Le président Carnot prononce un discours dans la galerie des Glaces, de même que l'évêque de Versailles, Mgr Goux, qui tenait à rappeler la part prise par le clergé dans les prémices de la Révolution. Au vrai, la commémoration ne manque pas de majesté ; certains voudraient même y voir une réplique à la proclamation de l'Empire allemand. Dans un climat d'euphorie, l'assistance se dirige ensuite vers le bassin de Neptune, dont la restauration poussée — il s'agit en fait d'une reconstitution — aura été, entre 1883 et 1888, le seul chantier d'importance ouvert à

Versailles depuis ceux, en 1875-1877, du bosquet des Rocailles et de la Chapelle royale. Certes, en 1879, l'architecte Guillaume, successeur de Questel, a rénové la grille d'honneur et ses deux pavillons ; puis, sur les instances de Jules Ferry, des efforts ont été consentis pour retaper le plafond du salon d'Hercule... Mais dans l'ensemble, l'entretien du domaine, depuis le départ des Chambres, a été négligé. « L'indifférence de l'Etat pour Versailles, témoigne Anatole France, se marquait encore au délabrement où on laissait les bosquets. Les bassins continuaient à se disjoindre et les jeux d'eaux se ruinaient peu à peu. Un seul chantier restait ouvert, celui de Neptune. Peu visité des étrangers, le parc, ou plutôt le jardin selon le terme ancien, appartenait uniquement aux habitants de la ville [1] ! »

Alfred Roll qui, depuis sa *Grève des mineurs*, s'est imposé comme peintre officiel du régime, a donné sa vision, pour le moins fantasque, de l'inauguration du bassin restauré de Neptune par le président Carnot. Sa toile offre du moins des dimensions grandioses ; ne lui a-t-elle pas été commandée en remplacement du *Couronnement à Notre-Dame ?* Le fleuron de David, prêté pour la Centennale de l'Art français, s'est en effet trouvé capté par le Louvre... Le conservateur du musée n'a pas su défendre les intérêts de Versailles, face à l'avidité de ses confrères parisiens. Il est vrai que l'honorable Charles Gosselin — il est le fils de l'éditeur des Romantiques et bénéficie du soutien de Victor Hugo lui-même —, successeur du comte Clément de Ris depuis 1882, n'est pas un foudre de guerre. Peintre sage, et d'ailleurs apprécié, de paysages que lui achète volontiers l'Etat, M. Gosselin conçoit sa charge comme une sinécure de mérite, et sa vocation, comme celle d'un discret gardien du temple. Il ne nourrit aucune illusion sur l'état déplorable de galeries historiques en partie démantelées lors de l'occupation parlementaire ; mais puisque aussi bien le public lui-même paraît s'en désintéresser, il s'accommode sans peine d'une situation qui, de toute façon, le dépasse. Seul caillou dans sa chaussure : ce jeune attaché qu'on lui a délégué, un certain Pierre de Nolhac, bouillant comme on l'est à son âge, et qui, lui, ne se satisfait pas de telles médiocrités.

Monsieur de Nolhac

Le jeune Auvergnat qui, en 1878, découvrait avec émotion le domaine des rois a suivi, en quelques années, un parcours édifiant. Pétri d'humanités classiques, ce brillant sujet de l'Ecole des hautes études a bien mérité son billet pour l'Ecole de Rome, où il a passé deux années passionnantes. Lors de ses recherches à la bibliothèque vaticane, notamment, il a eu l'insigne bonheur de découvrir, lui, modeste étudiant français, le manuscrit autographe du *Canzoniere* de Pétrarque ! De quoi lui assurer du crédit, et conférer un certain poids à ses travaux sur les humanistes italiens de la Renaissance... Cependant, mal préparé au concours de la Bibliothèque nationale, il s'est vu refuser l'entrée du Cabinet des Estampes, et a dû se résoudre à nourrir sa petite famille sur un maigre traitement d'enseignant à l'Ecole pratique des hautes études. C'est pour le tirer de cette situation injuste que le docte Gabriel Monod, lui-même versaillais, va conseiller au jeune homme d'accepter un poste d'attaché au musée — alors très décoté — de Versailles.

Le 21 octobre 1887, Pierre de Nolhac s'installe donc, avec femme et enfants, dans l'appartement qu'a libéré son prédécesseur, Léonce Bénédite, dans l'aile sud des Ministres. Très vite, le jeune attaché prend la mesure des obstacles que les empiètements d'un régisseur, d'une part, l'indolence de son supérieur, de l'autre, opposent à la renaissance du musée. A l'époque, l'entretien courant des bâtiments — intérieurs et extérieurs —, ainsi que la gestion du personnel relèvent d'une régie des palais nationaux, charge rescapée de l'Ancien Régime, munie d'attributions envahissantes. Une telle situation, qui n'est pas propre à Versailles, anéantit alors, dans tous les palais d'Etat abritant des collections, l'autorité des conservateurs. Par chance pour Nolhac, cet archaïsme est appelé à disparaître peu de temps après sa nomination. En effet, le décret du 9 septembre 1889 va supprimer purement et simplement ce type de régie, et transférer ses compétences aux conservateurs de musées. Encore faudrait-il que ceux-ci se montrent à la hauteur...

Or, on l'a dit, la personnalité de Charles Gosselin n'est guère flamboyante. Un demi-siècle plus tard, Nolhac devait raconter, dans la *Revue des Deux-Mondes*, comment ce drôle de patron avait accueilli ses premières suggestions *. Découvrant par exemple le mélange insensé de chefs-d'œuvre et de croûtes encombrant les attiques du Nord et du Midi, alors fermés au public, il s'en est étonné auprès de son supérieur : « — N'y aurait-il pas quelque chose à faire ? Ne devrions-nous pas présenter, sauver peut-être, quelques morceaux de prix dans ces galeries (...) ? — Jeune homme, disait mon chef, ne vous emballez pas. Sachez bien que je n'ignore pas les richesses que nous avons là-haut ; mais il n'est aucun moyen de les mettre en valeur ; croyez-moi, n'en ébruitons pas l'existence, notre fonction est de les conserver, ce qui est d'autant plus facile qu'elles se conservent toutes seules. — Mais, dis-je, elles se conservent fort mal ; nos attiques, peu chauffés l'hiver, ont trop de chaleur en été... — C'est la faute de Louis-Philippe et non la nôtre ; il n'y a point de péril urgent et, si je soulevais une question aussi grave, l'administration ne m'en sau-

* Ces *Souvenirs* ont été publiés en 1937 par la librairie Plon sous le titre *La Résurrection de Versailles*, et ont fait l'objet, à la fin de 2002, d'une réédition annotée, grâce aux soins conjugués des éditions Perrin et de la Société des Amis de Versailles.

rait aucun gré. Pas de zèle, jeune homme ; écrivez des livres sur Versailles, si cela vous amuse, mais laissez en paix ce musée qui n'intéresse plus personne. »

Outré de tant de fatalisme, le jeune érudit va détourner son énergie vers les fonds d'archives et, par curiosité, se mettre à dépouiller des états des logements versaillais sous l'Ancien Régime. Ainsi se familiarise-t-il en quelques mois avec l'authentique distribution des lieux, et découvre-t-il l'ampleur des erreurs propagées par l'historiographie du moment — y compris dans les deux volumes, unanimement salués, du « bon père Dussieux » ! Nolhac n'hésitera pas, quelques années plus tard, à rétablir un certain nombre de vérités, par ses contributions aux *Mémoires de la société des sciences morales de Seine-et-Oise.* Par ailleurs, grâce à Frédéric Masson, il œuvre, pour la revue *Les Lettres et les Arts*, à des livraisons luxueuses sur les Trianons, puis publie chez Goupil un bel ouvrage sur Marie-Antoinette. Repris en édition bon marché, celui-ci va faire sa réputation dans les milieux cultivés.

Pierre de Nolhac n'est pas de ceux qui s'en tiennent à des succès inachevés. Faisant feu de ce premier bois, il se met à fréquenter une société relevée, que doit flatter son intelligence, et qu'amuse l'idée de pouvoir, grâce à lui, jeter à l'occasion un œil torve sur ce musée d'un autre âge. Le jeune attaché reçoit ainsi des personnalités littéraires en vue, comme Alphonse Daudet, Edmond de Goncourt ou le maréchal Lyautey, ou même Anatole France qui donne de lui ce portrait dans le quotidien *Le Temps* : « Pour bien faire, il faut surprendre, comme je l'ai fait, M. de Nolhac épars sur ses papiers comme l'esprit de Dieu sur les eaux. Il a l'air très jeune, les joues rondes et souriantes, avec une expression de ruse innocente et de modestie inquiète. (...) M. de Nolhac porte des lunettes légèrement bleutées, derrière lesquelles on devine des yeux gros, étonnés et doux. » [2] Un soir, il dîne à la table du peintre Puvis de Chavanne, monstre sacré de l'époque, et lui avoue qu'en dépit de ses fonctions il n'a jamais pris la peine d'observer en détail le plafond de la Grande Galerie. « C'est un bien grand tort, cher monsieur, répond sévèrement le maître ; vous vivez parmi des chefs-d'œuvre de l'art français et vous refusez de les connaître. Regardez-les et tâchez de les comprendre. » La leçon n'est en rien perdue ; et Nolhac sera le premier à mettre sur pied, en France, un cours sur l'art des XVIIe et XVIIIe siècles.

En dehors des salons parisiens, l'aisance et la diplomatie de l'attaché sont testées par ses supérieurs, en février 1891, lors de la visite privée à Paris de l'impératrice Frédéric, mère du jeune empereur d'Allemagne, Guillaume II. L'indomptable souveraine ayant exprimé le souhait de se promener — elle n'a pas osé dire « revenir » — à Versailles, la chancellerie, bien embarrassée, décide de faire profil bas ; et Gaston Larroumet, directeur des Beaux-Arts, confie exprès la visiteuse aux soins d'un fonctionnaire de deuxième catégorie. Nolhac prend à cœur cette mission délicate et, tout en se montrant courtois et précis, manœuvre avec assez de finesse pour ne pas entrer dans la galerie des Glaces en même temps que l'impératrice, et s'épargner ainsi des « épanchements patriotiques ». Si bien que la visite s'achève sans aucun incident. La presse du lendemain aura beau, dès lors, se déchaîner contre le faux-pas impérial, l'attaché versaillais, en tenant son rôle sans compromettre l'Etat, a bien mérité de la République.

Ce petit exploit lui vaut les remerciements publics des Beaux-Arts au nom du Gouvernement ; cela aurait pu n'avoir d'autre conséquence qu'une satisfaction d'amour-propre ; mais le pauvre Gosselin mourant prématurément l'année suivante, Nolhac, en dépit d'états de service encore minces, se trouve en position de tirer bénéfice de sa petite prouesse. Son nom a marqué en haut lieu ; on a su apprécier ses qualités ; c'est suffisant. Le 18 novembre 1892, il est nommé conservateur en titre du musée de Versailles ! A trente-trois ans à peine, M. de Nolhac a maintenant les mains libres : son vrai travail va pouvoir commencer.

*L'*aggiornamento

Le premier souci du nouveau patron est de recruter, pour le seconder à son tour en tant qu'attaché, son vieux complice André Pératé, rencontré du temps du palais Farnèse, et qui partage avec lui, outre le goût des lettres anciennes, une certaine attirance pour les charmes fanés de Versailles. Ensemble, et même en étroite collaboration, les deux hommes vont s'attaquer à ce qui, depuis cinq ans maintenant, taraudait Nolhac et lui faisait ronger son frein : l'*aggiornamento* des galeries historiques. Le conservateur en a soumis les grandes lignes au nouveau directeur des Beaux-Arts, Henry Roujon, que l'audace du projet séduit ; et c'est muni d'une bénédiction de principe qu'il se lance, dès janvier 1893, dans la première phase des opérations.

Objectif arrêté : trier, au sein d'enfilades fermées depuis longtemps au public, le bon grain de l'ivraie, la bonne pièce de la mauvaise. Or, qu'est-ce qu'une « bonne pièce » pour Nolhac et Pératé ? C'est une œuvre originale, peinte — ou sculptée — par l'artiste à l'époque même du personnage ou de l'événement représenté, et si possible, d'après nature. Le critère se révèle assez juste et précis pour permettre un tri sûr, efficace, incontestable. Des attiques du Nord et du Midi redescendent dès lors des morceaux de qualité qui, nettoyés, réencadrés, trouveront dans le musée réformé une nouvelle jeunesse. Quant aux œuvres de commande, jadis exécutées trop vite et sans souci de réalité pour complaire aux impatiences du roi-citoyen, elles sont impitoyablement rejetées en réserve ou envoyées au musée de l'Armée. La seule entrave à cet assainissement, c'est que le musée n'a pas vu ses moyens augmenter depuis le temps où « le département de Versailles ne travaillait point » ; aussi les frais de restauration et, surtout, d'encadrement, posent-ils bientôt des problèmes ; et la nouvelle équipe va devoir rogner sur ses petits budgets, et faire, au sens propre, des économies de bouts de chandelles. Plus tard, Nolhac obtiendra de Georges Lafenestre, conservateur au Louvre, la grâce d'aller puiser quelques beaux cadres, à sa discrétion, dans les greniers très riches du grand musée. « Allez voir, dira-t-il, à l'entrée des salles Louis XV, le portrait de la petite infante par Largillière : vous reconnaîtrez que le Louvre nous avait fraternellement traités [3] ». De fait, le bois doré en est somptueux.

De ce premier tri émerge un certain nombre de bonnes peintures de l'Ecole française, échelonnées sur une vaste période courant de la fin du XVe siècle au début du XIXe. Dès le mois de septembre, Nolhac décide, pour démontrer le bien-fondé de sa démarche, d'exposer au public une sélection d'admirables portraits du XVIIIe siècle, tous puisés dans ces attiques où le surnombre les étouffait, et qu'il s'applique à mettre en valeur dans la salle d'entrée de l'attique Chimay. Une bonne partie de ces merveilles est due au pinceau d'un maître alors oublié, que même les frères Goncourt avaient omis dans leur réhabilitation des peintres du règne de Louis XV : Jean-Marc Nattier *. Pour le Tout-Paris du moment, qui n'avait grimpé l'escalier de stuc que pour être agréable au jeune conservateur, c'est une véritable, une importante révélation. Du jour au lendemain, l'engouement pour Nattier va faire le bonheur des galeristes et des possesseurs de portraits de famille. Nolhac jubile. « A partir de ce moment, écrit-il, le nouveau musée était “ lancé ” ; nous prîmes l'habitude

---

* Un belle exposition, sous la direction de Xavier Salmon, lui sera consacrée à Versailles en 1999.

d'offrir chaque année à la curiosité sympathique qui se formait autour de nous des présentations nouvelles ; et le public répondit avec un empressement croissant à cette entreprise dont le sens peu à peu se dévoilait [4]. »

Deuxième étape : en 1894, « commence, selon Pératé lui-même, l'exode de la pitoyable imagerie des rois, connétables, amiraux et maréchaux, qui tapissait les murs de l'ancien appartement du Dauphin [5] ». Cette fois, il s'agit de s'en prendre à la mise en scène des galeries elles-mêmes, à ces grands ensembles de portraits enfermés « dans la clôture de boiseries funèbres où s'alignait leur monotonie ». Impitoyablement, les quadrillages Louis-Philippe sont démontés, les panneaux de boiserie anciens retrouvés et remis en état, les séries de portraits épurées, les originaux d'époque réinstallés, mais seuls, et dans des cadres anciens. Ce travail extrêmement audacieux bénéficie de l'aide discrète d'un nouvel attaché, Jules-Joseph Marquet de Vasselot ; il se mène en catimini, cela va sans dire, avec le souci prudent de l'ébruiter le moins possible. Ce qui n'empêche pas certains habitués grincheux — ou simplement adeptes du système ancien — de venir se plaindre au premier étage de l'aile Dufour, où le conservateur a fixé ses pénates. C'est le cas, par exemple, d'un certain « chef de bataillon en retraite », qui revient périodiquement exiger, menaces à l'appui, la réinstallation de la salle des Rois...

Les deux hommes n'en ont cure : avec la foi chevillée de missionnaires, ils poursuivent méthodiquement leur entreprise hardie. De sorte que Nolhac pourra s'en targuer plus tard : « En moins d'un an, l'œuvre iconographique de Louis-Philippe était détruite, ses dispositions décoratives rendues inutilisables, et je pouvais être assuré que, dans les parties qui venaient d'être attaquées, rien ne serait jamais reconstitué de ce passé. » Il ajoute, lucide : « Tel est le but, comme chacun sait, que doivent atteindre, dès le premier jour, les organisateurs de révolutions. » Tout est dit : c'est bien une révolution que le nouveau conservateur a conscience de mener à l'échelle du musée ; une révolution brutale, irrévocable.

Mais si le parti-pris du roi des Français se trouve dès lors mis à mal, le principe d'une évocation de l'histoire nationale par l'art — et principalement la peinture — est maintenu, en revanche. Pour Nolhac, il s'agit, comme il le répètera tant de fois, de vivifier la démarche de Louis-Philippe en la débarrassant seulement de ses maladresses natives ; et le but poursuivi demeure de recréer, sur des bases enfin rigoureuses, un « musée d'histoire nationale unique en Europe par son caractère et par son étendue ». C'est d'ailleurs dans cette perspective que sont réclamés à Roujon des moyens relativement importants — deux cent cinquante mille francs —, en vue de l'installation, à la place des ateliers et réserves occupant l'aile neuve, d'une grande salle contemporaine. Cette demande sera classée sans suite.

En 1895 et 1896, le démantèlement des anciennes galeries historiques est assez avancé pour que les deux compères puissent s'atteler à la tâche la plus importante : restructurer tout le musée, en décidant de l'affectation précise des différentes salles aux différents thèmes. Dans un guide fondateur, publié chez Braun [6], ils adoptent une fois pour toutes une classification par la chronologie, annonçant assez clairement l'abandon du regroupement des œuvres par îlots thématiques. Au fil des ans, la répartition suivante sera confirmée et mise en place avec persévérance : les portraits des XVIe et XVIIe siècles prendront place dans l'attique du Nord ; les tableaux relatifs à l'histoire de France jusqu'au règne de Louis XVI, au rez-de-chaussée de l'aile du Nord ; ceux relatifs à la période suivante, jusqu'à Louis-Philippe, au premier étage de la même aile. Les portraits du XVIIIe siècle viendront au rez-de-chaussée du corps central, ceux du XIXe siècle, dans l'attique du Midi tandis que l'attique Chimay abritera des documents nouveaux, soigneusement écartés par Louis-Philippe, et relatifs à l'époque de la Révolution et du Consulat ; les galeries de l'Empire resteront au rez-de-chaussée de l'aile du Midi ; quant aux salles du Sacre et de 1792 ou à la galerie des Batailles, bien sûr, elle ne seront pas touchées. Précisons que la plupart des ensembles créés par la Monarchie libérale sont alors fermés au public, du fait de leur récente conversion en dépendances parlementaires.

Nolhac notera dans ses souvenirs : « Il y avait, au temps des premiers remaniements de Versailles, un prince qu'ils intéressaient particulièrement et sans doute inquiétaient quelque peu : c'était le duc d'Aumale [7]. » Comment le fils le plus subtil de Louis-Philippe n'observerait-il pas avec angoisse, lors de ses fréquentes visites, la révolution sourde à l'œuvre depuis 1893 ? Le jeune conservateur a beau protester de sa fidélité aux ambitions du roi-citoyen, de son respect scrupuleux des grands ensembles créés par lui, le prince est assez fin lui-même pour saisir la portée des transformations en cours. Rien n'est éternel... Du moins le duc d'Aumale aura-t-il l'élégance d'accepter poliment les protestations de bonne foi du jeune Nolhac, tout en se consolant par un détour final aux salles d'Afrique, intouchables dans leur monumentale intégrité. « Le prince s'arrêtait longtemps devant *La prise de la Smalah d'Abd-el-Kader* : il y contemplait un jeune capitaine à la tête de ses chasseurs d'Afrique, et l'illustre soldat repartait content, assuré du souvenir immortalisé de sa jeunesse et de sa gloire [8]. »

Les souverains de l'Europe

Le duc d'Aumale n'est pas, du reste, le seul prince de France à fréquenter encore le domaine. On est saisi de constater que dans ces temps républicains — mais non moins proustiens, il est vrai —, les altesses impériales et royales continuent de hanter ce qui s'impose comme le sanctuaire universel des têtes couronnées et découronnées. Pierre de Nolhac, que le Gotha ne laisse jamais indifférent, s'en est peut-être exagéré l'importance ; encore ne doit-on pas sous-estimer l'influence de ces assiduités spéciales sur le sort du Versailles de l'époque.

De toutes ces silhouettes altières se pressant au chevet d'un monument convalescent, la plus marquante reste sans doute celle de l'impératrice Eugénie, alors âgée de soixante-dix ans, et que le jeune conservateur a rencontrée lors d'un thé organisé autour d'elle, chez la duchesse de Mouchy. L'ancienne souveraine l'attaque bille en tête : « Monsieur, il est un de vos livres que je n'aime pas. Vous êtes bien sévère pour Marie-Antoinette. On voit trop que vous ne l'aimez pas. » L'auteur ainsi tancé voudrait se justifier. « Je le vois, réplique l'impératrice, vous avez été très correct, mais il faut aimer la pauvre reine... Je ne vous pardonnerai que lorsque vous m'aurez guidée dans Versailles et dans Trianon que je n'ai pas revus depuis longtemps. » Deux visites sont organisées dans la foulée, qui voient la vieille dame traverser en grand deuil les galeries consacrées au Second Empire, en y montrant, semble-t-il, moins d'émotion qu'au sein des petits appartements de la Reine et dans son domaine champêtre. « Elle contait l'exposition de souvenirs réunis sous son patronage en 1867 dans les pièces du petit château, racontera Nolhac, et dont il reste en place Louis XVII par Kucharski. Elle le croyait de Mme Vigée-Lebrun, oubliant que l'artiste a quitté la France en 1789 et n'a pu voir l'enfant à cet âge. Mais des erreurs aussi ancrées ne doivent pas être combattues chez les grands : un guide avisé ne rectifie pas. Au reste, il y avait en jeu l'amour-propre de l'acquéreur : — Le tableau est à moi, affirma l'impératrice ; il aurait dû m'être rendu et je le réclame toujours, bien que j'aie l'intention de vous le laisser [9]. »

Tout au long d'un mandat de trente ans, le nouveau maître de Versailles aura le loisir de développer et d'entretenir des liens, parfois chaleureux, avec les familles les plus titrées de France et d'Europe. Les ducs de Chartres et d'Alençon, la princesse Clémentine, fille de Louis-Philippe, son mari le duc de Saxe-Cobourg-Gotha, mais aussi, plus tard, le tsar Ferdinand des Bulgares et son jeune fils Boris, ou le grand-duc Nicolas Michaïlovitch de Russie feront partie du cercle des *aficionados*.

Son baptême du feu avec un souverain régnant, Nolhac le fait le vendredi 8 octobre 1896. Le voyage en France, un an seulement après son sacre, du jeune couple impérial russe, n'est pas seulement la première visite officielle d'une grande monarchie à la République ; il représente au surplus un enjeu diplomatique de poids. « La France est l'alliée de la Russie, devait écrire Frédéric Mitterrand, et la République laïcisante et franc-maçonne multiplie les actes de prévenance à l'égard de l'empire absolu des Romanov. La France a toujours peur que la Russie ne reprenne sa parole et ne s'en retourne vers des amitiés plus naturelles [10] »... C'est dire si le programme du voyage, visé par le ministre Gabriel Hanoteaux, se veut affûté, et symbolique, le choix de Versailles comme point d'orgue des réjouissances. Consciente des implications d'une visite qui n'est pas sans rappeler, par son arrière-plan politique, celle du pape Pie VII en 1805, la ville elle-même a pavoisé sans compter, et fait de l'avenue de Paris une allée triomphale. La foule est nombreuse, sur les coups de quatre heures, pour y voir passer le cortège en provenance de Sèvres, amenant le tsar Nicolas II, la tsarine Alexandra et le président Félix Faure jusqu'au château des rois. Par le passage vers le parterre du Nord, l'équipage des hôtes de la France gagne des jardins pour le moment vidés de tout public, et dont les grandes fontaines sont mises en eau sur son passage.

Au bassin de Neptune, la suite impériale et présidentielle descend de voitures pour admirer le jeu simultané des quelque cent jets restaurés. Nolhac : « Ce spectacle, dont quelques-uns d'entre nous sont blasés, parut si grandiose aux souverains, qu'ils l'admirèrent longuement, sans parler, et que chacun put voir un étonnement dans les yeux du jeune empereur, qui avait cependant parcouru le monde et possédait chez lui tant d'autres merveilles [11]. » Puis on entre au château par l'escalier de Marbre couvert de tapis somptueux, et relevé d'arbustes en caisses et de gendarmes, sabre au clair. Le jour déclinant, diminué encore par le temps couvert, automnal, confère aux lieux une solennité involontaire. A l'issue de la visite de l'appartement de la Reine, de la chambre du Roi et du Grand Appartement jusqu'à la Chapelle, Nicolas et sa jeune épouse honorent brièvement le buffet offert, dans le salon d'Apollon, aux invités du Gouvernement. Puis, comme le pape neuf décennies plus tôt, le tsar et la tsarine rentrent dans la Galerie et se présentent au balcon central, tendu de pourpre ; irradiés par le soleil couchant, ils saluent à leur tour les quelque trente mille personnes admises sur la terrasse, à temps pour les acclamer. Félix Faure se fond dans le tableau... La République se rengorge : les splendeurs de Versailles ne lui offrent pas seulement, aux yeux des puissances monarchiques, un brevet de respectabilité ; à travers les attributs apolliniens du Roi-Soleil, c'est sa propre gloire qu'elle enrichit de l'épaisseur des siècles.

Après deux heures de repos prises dans l'appartement privé du Roi, brillamment meublé pour la circonstance et fleuri à profusion — le président de la République patiente quant à lui dans l'ancien appartement de Mme de Maintenon —, le couple impérial gagne la galerie des Batailles pour un grand dîner. La vaste nef de Louis-Philippe a été séparée à mi-course par un tableau, *Patrie*, lui-même encadré de Gobelins. La première partie, entièrement tendue des plus belles tapisseries de la suite de *L'Histoire du Roy*, sert de salon d'accueil ; pour le dîner lui-même, on passe dans la partie du fond, maintenue dans son décor militaire — le tsar et le président sont assis sous la *Bataille de Fontenoy*, d'Horace Vernet. Dix ans plus tard, les somptueux Gobelins iront avantageusement remplacer leurs cartons bien mornes aux cimaises du Grand Appartement.

Lors du spectacle final dans le salon d'Hercule, la noble assistance entend la déclamation d'une ode à la *Nymphe des Bois de Versailles*, par la désormais incontournable Sarah Bernhardt — elle a dit ses premiers vers à Versailles, dans un pensionnat religieux de la rue Royale — ; puis les ballerines de l'Opéra, accompagnant Cléo de Mérode, dansent sur des airs de Lulli et de Rameau. Vers onze heures, comblés de prévenances, les souverains russes quittent la ville sous les acclamations renouvelées de Versaillais décidément très assidus. La soirée restera gravée dans les mémoires, comme un succès achevé. Des années durant, c'est-à-dire au moins jusqu'à la guerre de 1914, elle servira, sinon de modèle précis, en tout cas de précédent à bien des visites royales.

Où Nolhac se hausse un peu du col : « Presque tous les souverains de l'Europe m'ont eu nécessairement pour guide dans ces visites officielles dont le programme était généralement le même. Un déjeuner de cinquante ou soixante couverts, dans la galerie des Batailles tendue en partie de Gobelins, la visite générale du premier étage du château. (...) Je conduisais le cortège auprès de la reine, le président étant avec le roi. Nous nous arrêtions sur le balcon de la galerie, pour voir commencer le jeu des eaux. On suivait les grands appartements jusqu'à la Chapelle, qu'on regardait de la tribune, et l'on sortait par la galerie basse sur la terrasse devant laquelle étaient rangées les voitures. (...) Seuls les souverains d'Angleterre échappèrent à ce protocole et firent leur visite dans une intimité plus agréable. » De fait Edouard VII en 1903, au cours de ce fameux séjour qui devait préparer l'Entente cordiale, profite de son *incognito* pour visiter le palais à son rythme — ou plutôt le revisiter, car c'est en fait la troisième fois. Henri Grosseuvre devait, dans une conférence prononcée en 1933, raconter comment le roi d'Angleterre, sortant de table aux Réservoirs, avait exprimé le souhait de parcourir le château ; c'était jour de fermeture, personne ne pouvait joindre le conservateur ; et devant la couardise des gardiens, c'est l'hôtelier lui-même qui avait dû prendre le risque de tirer le verrou et d'introduire « clandestinement » son hôte dans le palais désert !

Les anecdotes de ce genre ne manquent pas ; elles feraient l'objet d'un opuscule. Par exemple en juin 1907, le landau transportant la reine de Norvège, attelé « à la Daumont », manquera de verser en franchissant le petit pont du Hameau de la Reine. La roue droite de la voiture ayant heurté violemment le parapet, un cheval prend peur, rue dans ses brancards et saute dans la pièce d'eau vaseuse, entraînant à sa suite deux autres bêtes et un postillon ! La reine est secouée, mais un journaliste notera que « Mme Fallières, très calme, ouvrit elle-même la portière du landau et aida la reine à descendre à terre tandis que MM. Dujardin-Beaumetz et Pierre de Nolhac la soutenaient de leur côté... [12] » Le premier cheval, en se noyant dans cinquante centimètres d'eau, sera la seule victime de cet incident au demeurant banal, mais qui devait faire sensation à l'époque — et contribuer bien fortuitement à la publicité des Trianons.

Une sorte de complot

M. de Nolhac a beau se révéler énergique, il subsiste un domaine essentiel où son pouvoir demeure, statutairement, à peu près nul ; et c'est tout ce qui touche à l'architecture et aux soins qu'elle réclame. Or, en 1895, l'architecte du domaine, Moyaux, a entrepris des travaux majeurs de remaniement des façades côté jardins, travaux menés d'une manière trop radicale pour ne pas soulever d'inquiétudes. Vingt ans plus tôt, les pouvoirs publics n'y auraient sans doute pas trouvé à redire ; seulement les mentalités changent, et le château, enfin classé à l'inventaire des Monuments historiques, est en passe de s'imposer comme enjeu de la politique des Beaux-Arts. La chartiste Françoise Bercé devait souligner cette évolution des mentalités : « Entre le XIXe et le XXe siècle, écrit-elle, le concept de château subit une mutation de sens infiniment plus importante que celui des églises et des cathédrales, en raison du lien étroit qui l'associait à l'ancienne société. La protection des monuments, au nom de l'art et de l'histoire, ne s'appliqua en effet que très lentement à l'“ habitation ”, qui relevait du domaine privé. (...) Il fallut attendre les années 1890 pour que l'Etat osât ouvertement entreprendre la restauration du plus célèbre château, du plus emblématique de l'ancienne France et du pouvoir royal, celui de Versailles [13]. »

En 1897, la presse, et notamment le critique Emile Hovelaque, ayant contesté à grand bruit certaines restaurations drastiques menées à Versailles, le *Journal des débats* rend compte d'un échange à la Chambre des députés, faisant écho à la polémique soulevée. Dans les deux ans qui suivent, une commission mixte se réunit plusieurs fois sur place, confrontant représentants des Monuments historiques et inspecteurs des Bâtiments civils. Les premiers s'alarment sans cesse d'une intervention qu'ils jugent « trop poussée », car fondée en grande partie sur le remplacement pur et simple des éléments abîmés ou manquants — notamment les mascarons des arcatures et les trophées de la balustrade ; les seconds leur objectent le respect nécessaire du travail des artistes contemporains, invités certes à s'inspirer de modèles anciens, mais sans se limiter à de plates copies. En fin de compte, « la commission se prononça favorablement pour le principe de créations et non pour la “ répétition ” des sculptures anciennes : par précaution, il fut décidé que les modèles de trophées et de vases créés seraient soumis à la commission [14]. » Autant dire que le processus rigoureux, documenté, quasi scientifique, en vigueur de nos jours, n'entre pas facilement dans les mœurs !

A la toute fin du siècle, des questions du même ordre se posent quant à la restauration des décors intérieurs. Certes, les responsables s'entendent, désormais, sur la nécessité de rendre « à l'art décoratif les pièces qui offrent un style déterminé » ; c'est une grosse pierre dans le jardin de Louis-Philippe. Mais ce parti une fois adopté, le choix de la méthode voit s'affronter de nouveau les deux écoles, à savoir celle du mimétisme et celle de la création — avec peut-être une amorce d'évolution en faveur de la première. Il faut noter ainsi que lors de la remise en état, de 1899 à 1901, de l'appartement du Dauphin, la corniche moulurée du grand cabinet d'angle sera scrupuleusement calquée sur celle du grand cabinet de Mesdames, à l'angle nord du corps central. Cette solution doit satisfaire Pierre de Nolhac et André Pératé, alors plongés, aux Archives nationales, dans les papiers des Bâtiments du Roi, et pour qui toute création originale sur le décor historique apparaît comme une hérésie ; mais il faut bien comprendre qu'en cela comme en d'autres matières, ils se révèlent plutôt en avance sur leur temps.

Nolhac donnera, dans ses *Souvenirs*, un exemple criant de l'absence de scrupules de certains maîtres d'œuvre — exemple du reste peu flatteur pour l'architecte du moment, Marcel Lambert. Il s'agit justement de la restitution des trophées de pierre et des pots-à-feu qui ornaient, avant leur suppression par Dufour, sous l'Empire, la balustrade en corniche, côté jardins. C'est le conservateur qui raconte : « Quelques modèles anciens se trouvaient encore en place du côté des Réservoirs ; il fut aisé de les copier et de replacer peu à peu sur l'architecture de Mansart le couronnement qui lui manquait. Ce travail n'est pas parfait ; les dimensions sont légèrement trop grandes, mais l'effet d'ensemble est satisfaisant.

« Pour les deux grands trophées du centre au-dessus de la galerie des Glaces, aucun modèle n'existait, et l'architecte donna la commande de deux groupes d'amours colossaux dont le plâtre fut exécuté. Ayant aperçu par hasard ces chefs-d'œuvre dans un atelier, je fis part de mon étonnement à M. Marcel Lambert. — Pourquoi avoir inventé ces énormes motifs, alors qu'on a dans Blondel le détail des anciens trophées ? — Dans Blondel ? répondit-il, je vais y aller voir, je ne savais pas qu'il y eût ces détails dans Blondel.

« Je crus m'apercevoir que notre architecte ignorait le tome IV de l'*Architecture française* où le grand artiste a donné de Versailles la monographie la plus complète et la mieux étudiée [15]. » Finalement, les grands plâtres modernes seront escamotés au profit de nouveaux modèles d'après Blondel... Mais sans l'intervention *in extremis* de Nolhac, peut-être la façade principale du château de Versailles se serait-elle ornée de gros amours, comme on peut en voir sur les gares et les bureaux de poste du début du siècle dernier...

A cette époque, les architectes versaillais trouvent leur censeur le plus sévère — mais aussi le plus juste — dans la personne du chroniqueur André Hallays qui ne manque jamais, dans sa tribune du *Journal des débats*, de se faire l'écho de leurs incohérences. Toujours lors de la même campagne de rénovation, il s'intéresse par exemple au sort des hautes statues allégoriques perchées au sommet des avant-corps, côté jardins, et dont certaines, jugées trop abîmées, sont alors remplacées par des statues neuves. Hallays rapporte un échange, à ce propos, avec un « bon Versaillais » : « Ces statues neuves ne sont pas belles, fit-il. — Je suis de votre avis. — On eût mieux fait de laisser les anciennes à leur place. — C'est mon opinion. — Et savez-vous, monsieur, ce qu'on fait des anciennes statues qu'on a ainsi remplacées ? Eh bien, monsieur, on les scie en trois morceaux. Avant de les descendre de leur piédestal, un maçon procède à cette opération. — Quel est, selon vous, le but de ce découpage ? Peut-être est-on obligé, à cause du poids des statues, de les descendre ainsi par morceau. — Assurément non ; puisqu'on peut élever à la hauteur de l'attique une statue neuve, il n'y a aucune raison pour qu'on ne puisse pas descendre une vieille statue. — C'est bien raisonné, mais alors pourquoi ? — Pourquoi ? Et mon interlocuteur, haussant les épaules comme s'il trouvait ma candeur insolente, s'éloigna. Je le pris pour un maniaque et continuai ma promenade. » [16]

Ce que laisse entendre André Hallays dans ces dernières lignes, c'est qu'une sorte de complot contre Versailles et ses symboles serait alors fomenté par les architectes civils du domaine. L'accusation est sans preuve, mais non sans sujet, il faut bien l'admettre. Et l'on ne peut que se féliciter qu'un certain nombre d'observateurs vigilants aient surveillé de près l'intervention, sur le château, de celui qu'Arsène Alexandre avait affublé, dans une tribune, du surnom sans doute excessif d'« assassin de Seine-et-Oise »...

Au reste, n'est-ce pas à la même époque — en 1900 exactement — que l'architecte Le Grand commet, de volonté délibérée — comme une réponse de la République triomphante à la Monarchie défaite —, cet hôtel de ville démesuré, en lieu et place du gracieux hôtel de Conti ? De l'édifice, Pératé notera plaisamment que « le mieux que l'on pourrait en dire serait de n'en rien dire du tout. C'est un monument d'une entière nullité architecturale, mais un monument gigantesque [17]. » De fait, la laideur de l'hôtel de ville de Versailles est en soi un symbole : celui des dérives où peuvent mener les meilleures intentions, quand elles ne sont ni canalisées par un savoir suffisant, ni tempérées par des règles strictes en faveur de la protection du patrimoine.

8

Versailles à la mode

Alors, ce qui dans l'ombre et dans l'oubli repose
Reprend son clair parfum et sa rondeur de rose,
Tout ce qui fut chargé de soie et de couleurs
Sent revivre sa grâce et ses secrètes fleurs.
L'or, sur la boiserie, afflue, ondule, éclate ;
La cornemuse, un jet d'églantine, un râteau,
Un beau dauphin gonflé qui fait jaillir de l'eau
Suspendent leur divin dessin à la muraille :
Or plus tendre que l'ambre heureux et que la paille !

Comtesse de NOAILLES.

Le début de l'été 1901 est marqué par une grande fête de charité, organisée au Hameau de Trianon sous l'égide de la comtesse de La Rochefoucauld ; l'affiche, signée de Georges Bertrand, y attire un public raffiné. La mode vaporeuse et blanche du siècle naissant n'est pas sans rappeler les toilettes champêtres de Marie-Antoinette, et l'élégance des convives s'accorde aux décorations de fleurs et de feuillages, inventées pour masquer l'usure — et la ruine alors annoncée — des petites fabriques. La princesse de Polignac fait jouer de la musique ancienne dans le salon de la Reine, tandis que Julia Bartet, « la Divine », déclame un impromptu et que Mme de Thèbes, la plus célèbre voyante du temps, donne des frissons aux grandes dames. Un fantaisiste fameux se produit tout en haut de l'escalier en vrille, un couple de chanteurs mondains pousse la ritournelle au Moulin... Le conservateur s'en félicite : « Ce fut pour Versailles la fête par excellence. Elle montra à quel point il commençait à reprendre sa place dans le sentiment public [18]. »

De fait, en cette première année du nouveau siècle, la bonne société redécouvre le domaine, ses arguments et, pour reprendre un titre d'Anna de Noailles, ses éblouissements. Après quinze ans au moins d'éloignement, la stabilité avérée d'une République morale, industrieuse et coloniale permet aux contemporains de fréquenter Versailles sans plus être suspectés de passéisme ou d'arrière-pensées sulfureuses. Les signes avant-coureurs d'un tel regain ont été enregistrés dès 1894, quand le jeune peintre Paul Helleu a produit au Salon ses *Grandes Eaux du bassin de Latone*. La même année, l'arbitre parisien des élégances, Robert de Montesquiou, s'est installé pour l'été au 93, avenue de Paris, dans l'ancien hôtel Defeutre. Avec son ami Gabriel Yturri, il y reçoit, plusieurs saisons de rang, ce que le monde et les arts peuvent réunir de brillant et de célèbre. Venant renforcer le succès des *Etudes sur la Cour de France*, publiées alors par Pierre de Nolhac, ces cautions artistique et mondaine confirment le sentiment général d'un revirement de l'opinion à propos du château des rois : d'un vieux musée assommant, déplacé, Versailles est redevenu ce monument central de la culture et de l'identité nationales. « Vous voulez connaître la France ? Allez à Versailles » [19], va jusqu'à conseiller Mme de Caillavet à un jeune Asiatique de son cercle.

Qu'on ne s'y trompe pas, au reste : le Versailles de Helleu et de Montesquiou — comme sans doute celui de Nolhac — demeure avant tout élitiste. « Versailles s'est déshonoré en même temps que Venise, avec l'invasion du touriste, et la fréquentation de ceux qui prétendent les aimer, parce que d'autres paraissent y prendre du plaisir, écrit celui que Proust appelait “ professeur de beauté ” ; excellente définition du snobisme des cités et des sites, le plus avantageux pour les entreprises de transports. » [20] Et si Marcel Proust lui-même, encore sous le coup de la mort de sa mère et de l'échec de *Sésame et les Lys*, vient passer cinq mois aux Réservoirs en 1906, c'est avant tout par envie de poser au créateur accompli, dans cet établissement renommé entre tous, où Massenet lui-même a composé son *Werther*, quinze ans plus tôt. L'un des modèles d'Oriane de Guermantes, la comtesse Greffulhe en personne, ne s'est-elle pas entichée de Pierre de Nolhac ? Elle a même eu, en tant que présidente des *Grandes Auditions musicales de France*, l'ambition — soufflée à son oreille par Georges Bertrand — de rendre l'Opéra de Gabriel à sa vocation première ! Tout feu, tout flamme, l'égérie du Faubourg Saint-Germain a obtenu du président du Sénat, Antonin Dubost, toujours dépositaire de la salle, qu'il organise un déjeuner de bonne volonté dans ses salons versaillais (l'ancien appartement intérieur du Roi). L'intention est louable, et le déjeuner chez Louis XV va se révéler délicieux ; mais, comme il advient souvent de telles mondanités, personne, jamais, n'y donnera suite *...

Pierre de Nolhac se console en obtenant de ses relations de plus en plus opulentes des soutiens de moins en moins théoriques. Déjà Gordon Bennett, qui possède le *New York Herald* et occupe, à Versailles, le pavillon de la Lanterne **, a-t-il financé, à hauteur de vingt-cinq mille francs, une partie de l'aménagement

* Les frères Tharaud reviendront à l'assaut un peu plus tard, puis Paul Valéry. Mais il faudra attendre les années 1950 pour que l'Opéra de Gabriel retrouve enfin, sous l'égide d'André Japy, son décor et sa fonction.

** Cette agréable demeure est aujourd'hui à la disposition du Premier ministre.

des salles du XVIIIe siècle, au rez-de-chaussée du corps central. Grâce à l'entremise de Pératé, Percy Singer l'a imité ; et ces deux noms inaugurent la liste des bienfaiteurs de Versailles si prestigieuse. Leur geste est fondateur ; il couronne de succès la politique de séduction du conservateur, où les relations choisies l'ont dûment disputé à une pédagogie tous azimuts.

Les beaux jours du Congrès

Si Versailles redevient un point de ralliement pour les gens en vue *, il ne l'est jamais autant que lorsque, une fois tous les sept ans, le Parlement se réunit dans la salle d'Edmond de Joly, pour y élire le président de la République. On appelle cela la journée du Congrès. Colette (elle est alors Mme Henry de Jouvenel), envoyée spéciale du quotidien *Le Matin*, a décrit, par exemple, l'affluence considérable dans Versailles au jour de l'élection de Raymond Poincaré, en janvier 1913 ; elle souligne avec une misogynie complice le nombre des femmes accourues depuis Paris. « Que de femmes, que de femmes ! s'étonne la chroniqueuse amusée. Mon voisin, tout à l'heure, aux Réservoirs, nommait chaque nouvelle venue ; le monde de la finance, de la politique, des lettres, le monde tout court, fournissaient à cette énumération des noms célèbres ; le théâtre et même le music-hall avaient délégué à Versailles ce qu'ils ont de mieux comme vedettes... (...) Elles sont vraiment beaucoup — elles sont trop. Au restaurant, elles ont été tout à l'heure le spectacle — et le charme — d'une heure de bousculade. Il y a eu, en travers des tables nappées de

* Il est amusant de noter que c'est dans les environs de Versailles que se déroulent alors les tentatives héroïques des pionniers de l'aviation.

blanc, sur les mains chargées de bagues, les aigrettes en fusée et les cheveux d'or neuf, sur les profondes fourrures, l'oblique et rose soleil de janvier, qui rend bavards les femmes et les oiseaux encagés... »[21]

Au château, Nolhac voit son fameux salon blanc pris d'assaut par la foule des curieux bien placés. « Ce sont des poètes et des ambassadeurs, dira-t-il, l'Europe et l'Amérique, le Faubourg et la Comédie-Française. Des toilettes élégantes envahissent mon escalier. Mes devoirs remplis, je leur abandonne mes fauteuils pour gagner moi-même le Congrès par les intérieurs[22]. » Comme aux temps pas si lointains où la Chambre siégeait ici, c'est une animation considérable qui s'empare de l'aile du Midi aux beaux jours du Congrès.

Cette atmosphère particulière, un moraliste l'a bien dépeinte, et c'est Eugène de Voguë. Il consacre un chapitre entier de son roman *Les morts qui parlent* à l'étrange cérémonie du vote — avec l'interminable défilé des électeurs à la tribune, et ces négociations d'entre deux tours agitant la « galerie des Tombeaux ». « Religieuse galerie de cloître, écrit-il, avec son pavé de pierre de liais, sa longue perspective d'arcades retombantes sur des cénotaphes et des statues. Sous ces voûtes austères, l'imagination appelait des moines, rassemblés pour l'élection d'un prieur ; et c'était une mascarade saugrenue que celle de la cohue politique, agitée et surchauffée, qui promenait là son sans gêne, ses intrigues, ses curiosités fébriles. Des chapeaux à haute forme coiffaient les chefs héroïques de Lannes et de Kléber (...) ; des brassées de paletots drapaient les tombeaux de Ferdinand le Catholique et d'Isabelle de Castille. Dans le vestibule des Poètes, les corbeilles de bulletins offraient leur marchandise (...) entre Molière et Corneille, aux pieds du sardonique Voltaire de Houdon. Sénateurs, députés, journalistes de toute nuance fraternisaient, avec des effusions de bonhomie et de jovialité que [l'on] n'avait jamais vues au Palais-Bourbon [23]. »

Dans la salle des séances, le public est las de l'appel monotone des noms, que vient seulement égayer, de temps à autre, l'interjection partisane d'un électeur moins conformiste. Depuis son poste d'observation, la chère Colette n'en finit pas de s'étonner de l'apparente fébrilité animant le public féminin — constitutionnellement privé de vote. « Ce sont des femmes — dirai-je ordinaires ? — que je retrouverai dans des loges de répétition générale, à une fête de charité, au vernissage. Mais ici, si elles me semblent plus averties, plus convaincues et plus frémissantes qu'ailleurs, je ne suis pas loin de croire que c'est parce qu'elles s'ennuient davantage. L'ennui leur donne l'illusion d'une fonction grave, qui les hausse presque au niveau de cet homme funèbre, là-bas, à la tribune, en train de secouer une cloche... » [24]

Sous la IIIe République, ce ne sont pas moins de douze présidents * qui recevront ici l'onction du suffrage de leurs pairs. Le résultat final enfin proclamé — parfois à l'issue de nombreux tours de scrutin —, l'heureux élu prête serment dans le bureau dit « de l'Investiture », tout au bout de l'aile. Les sceaux de la République entérinent son élection ; puis le nouveau chef de l'Etat peut monter dans la voiture de la prési-

* Après Patrice de Mac Mahon, élu en 1873 dans la salle de l'Opéra, sont élus dans la salle du Congrès : Jules Grévy en 1879 (réélu en 1885), Sadi Carnot en 1887, Jean Casimir-Perier en 1894, Félix Faure en 1895, Emile Loubet en 1899, Armand Fallières en 1906, Raymond Poincaré en 1913, Paul Deschanel puis Alexandre Millerand en 1920, Gaston Doumergue en 1924, Paul Doumer en 1931 et Albert Lebrun en 1932 (réélu en 1939). Viendront s'ajouter à la liste, sous la IVe République, Vincent Auriol en 1947 et René Coty en 1954 — soit un total de quinze présidents élus à Versailles.

dence et repartir, sous brillante escorte et par la grille d'honneur, vers son Elysée parisien.

Un point de mire

Dans la capitale comme partout en province, le regain d'intérêt pour Versailles peut se constater à l'œil nu. L'aspect général des nouveaux immeubles, dont l'éclectisme en vogue empruntait déjà aux canons classiques, évoque ouvertement Le Vau et Le Brun, tandis que les Duchêne réactualisent un peu partout des jardins « à la française » fort inspirés du bonhomme Le Nôtre. Hôtels et boutiques luxueuses se parent d'ornements néo-Louis XIV et néo-Louis XV, parfois moulés sur des décors originaux. Plus explicite encore : certains fortunés propriétaires se laissent tenter par le pastiche. C'est le cas du comte de Castellane — l'inénarrable Boni — qui fait édifier à grands frais, sur l'avenue du Bois, ce fameux Palais Rose qui n'est jamais que la version surélevée du Grand Trianon. La fierté du commanditaire tient surtout à l'énorme escalier de marbre où il reçoit ses invités, réplique de celui des Ambassadeurs, quoique sans les décors peints... Boni de Castellane est convaincu d'avoir ainsi réalisé, à deux siècles d'écart, un projet auquel le Roi-Soleil lui-même avait dû renoncer — ignorant en cela, ou feignant d'ignorer, que l'escalier exista bel et bien à Versailles de son achèvement, en 1678, à sa démolition, en 1753 !

Les fonds engloutis dans ce pastiche proviennent évidemment de Mme de Castellane, née Anna Gould, héritière fortunée d'outre-Atlantique, au demeurant très liée au petit cercle des Américains francophiles, dont sont aussi Anne Morgan et la fameuse Elsie de Wolfe (lady Mendl) — la première architecte d'intérieur professionnelle de nationalité américaine. En 1907, pour se rapprocher de son inspiration, la décoratrice s'installe à Versailles, boulevard Saint-Antoine. Suivant de près les conseils du cher Pierre de Nolhac, elle fera de sa Villa Trianon un point d'ancrage des amitiés franco-américaines, et un hommage d'amoureuse à cet art de vivre qui, chez ses compatriotes, s'impose alors comme un absolu culturel. Le peintre Walter Gay, spécialisé dans les intérieurs « d'époque », en laissera d'ailleurs, sur ses toiles, une évocation raffinée.

Car, ainsi que devait le montrer Pascale Richard [25] dans un intéressant ouvrage, le prestige de Versailles s'est depuis longtemps imposé de l'autre côté de l'océan. Les Français en sont conscients qui, pour l'Exposition internationale de Saint-Louis, Missouri, en 1904, réalisent un pavillon dans le plus pur style versaillais, dédié aux arts décoratifs et saturé de porcelaines de Sèvres et de tapisseries de Beauvais et des Gobelins. Il y a là de quoi ravir les riches enfants de l'oncle Sam, dont certains n'ont pas hésité, à l'instar d'un Louis II de Bavière ou d'un Boni de Castellane, à plagier à l'envi Louis XIV...

Ainsi les demeures d'esprit français construites entre 1880 et 1900 à Newport, Rhodes Island, pour de puissantes dynasties comme les Vanderbilt ou les Oelrichs, s'inspirent-elles ouvertement de Mansart. Les ornements intérieurs s'accordent à l'architecture ; et la salle à manger de la maison de Marbre, par exemple, présente un décor polychrome calqué sur celui du salon d'Hercule, à Versailles. Au demeurant, la Nouvelle-Angleterre ne détient pas le monopole de tels pastiches ; et en plein cœur de New York, sur la 91e Rue, l'architecte Witney Warren décore, entre 1902 et 1905, plusieurs salons pour James A. Burden dans le plus pur style louis-quatorzien. C'est ainsi ; en ce début du XXe siècle, les élites américaines vouent un culte aux raffinements versaillais — culte nourri par les Français eux-mêmes, heureux de pouvoir imposer cette antériorité « grand siècle » à la face d'un Nouveau Monde en dangereuse expansion. Le plus bel exemple en est celui du premier *France*, un luxueux transatlantique lancé au Havre en 1912, et que ses boiseries blanc et or, encadrant maintes copies de Rigaud et de Van der Meulen, fera d'emblée surnommer « le Versailles flottant ».

Cette vogue anglo-saxonne inclut sans peine la Grande-Bretagne, où les temps « édouardiens » se montrent friands de références francophiles. John Ruskin est mort en 1900, mais ses conceptions sur la philosophie de l'art lui survivent assez, pour imposer Versailles au nombre des références fondamentales. Surtout, les bons auteurs ne manquent pas, outre-Manche, qui popularisent la mémoire de ces Pompadour et de ces Du Barry qui entretiennent, à Londres et ailleurs, le mythe d'un luxe féminin devenu brevet de civilisation. Nolhac se souviendra même d'avoir reçu à Versailles un Hilaire Belloc * assez courageux encore pour tenter une biographie de Marie-Antoinette ; il devait rendre hommage, à travers l'essayiste britannique, au souvenir d'une grand-mère française et même versaillaise, auteur, un demi-siècle plus tôt, des bien charmantes *Légendes de Trianon*...

Mais en ce début de siècle, c'est un ouvrage d'une autre nature qui soudain fait de Versailles un point de mire universel. En 1910, à Londres, paraît en effet le récit de l'étrange visite effectuée à Trianon, neuf ans plus tôt, par deux demoiselles fort convenables. *An Adventure* [26] présente les récits croisés de l'expérience « trans-temporelle » que miss Moberly et miss Jourdain, de sages enseignantes anglaises, affirment avoir vécue le samedi 10 août 1901. Sans entrer dans le détail d'un

* Par la suite, de Nancy Mitford à Joseph Barry pour la « petite histoire », de Charles A. Dickens à William R. Newton pour la « grande », les contributions anglo-saxonnes à l'étude de Versailles seront notables.

épisode singulier et complexe, disons que les deux visiteuses, à l'issue d'une journée de promenade marquée par un temps orageux, auraient vu et croisé dans les jardins de Trianon des paysages, des éléments de décor, des personnages même, tous disparus depuis la Révolution au moins ! Analysées par des érudits, leurs visions se révèlent troublantes : elles offrent en effet plusieurs recoupements avec des plans et des dessins qu'on n'exhumera que plusieurs décennies après la publication ! Quoi qu'il en soit, le succès mondial, phénoménal, de cet ouvrage, en conférant au Versailles trop sérieux une part de mystère et de soufre, renouvelle à point nommé l'intérêt d'un public mondial, pour le château des rois.

A la même époque et dans le même pays, l'heure est à la muséographie ; et la publication, en 1904, de l'ouvrage du grand mécène David Murray, *Museums, their History and their Use*, donne la mesure de l'estime où l'on tient alors les collections publiques et privées *. L'année suivante, l'un des plus grands chefs-d'œuvre de la peinture occidentale, *La Vénus au miroir* de Vélasquez, est acquis chez *Agnew & son* par les soins du National Art Collections Fund de Londres, qui en fait don, l'année suivante, à la National Gallery. L'événement fait grand bruit dans le monde des arts ; il vient à point nommé pour souligner l'utilité de ces sociétés d'amis des musées qui, depuis quelques années, font florès à travers l'Europe. Les deux premières à voir le jour ont été, à la toute fin du XIXe siècle, la Société des Amis du Louvre, à Paris et la Société du musée de l'empereur Frédéric, à Berlin. D'autres suivront à Hambourg, à Francfort, à Bruxelles... « Tous

* L'intérêt de l'Europe pour le patrimoine culturel connaît alors une efflorescence ; Aloïs Riegl publie, à la même époque, en Autriche, son fameux *Der moderne Denkmalkultus*, profonde réflexion sur le thème du monument.

les conservateurs soucieux de la vie de leur musée devraient provoquer la création d'une société des amis du musée, pour compenser par l'initiative privée l'insuffisance des crédits officiels [27] », estime Louis Réau à la même époque.

Seulement, qui dit société d'amis dit transparence, consultation publique et participation des membres à la vie de l'institution ; pour le conservateur, il peut en résulter une certaine gêne. Or, quand le capitaine s'appelle Pierre de Nolhac et qu'il s'est habitué à tenir la barre sans la moindre entrave, la perspective, même ténue, d'un partage du pouvoir, n'est pas forcément bienvenue. C'est pourquoi la Société des Amis de Versailles va mettre un peu de temps à se constituer. A son origine : un éditorialiste, Eugène Tardieu, qui a su convaincre le patron de son journal, *L'Echo de Paris*, d'ouvrir ses colonnes à une consultation préliminaire sur l'utilité, pour Versailles, d'une telle association. Les lecteurs ayant répondu en foule, c'est presque dans l'urgence que seront établis des statuts — confiés à Raymond Poincaré et Alexandre Millerand, deux futurs présidents de la République... — bientôt approuvés par l'assemblée générale du 25 juin 1907, tenue dans l'amphithéâtre des Beaux-Arts. La Société des Amis de Versailles est née ! Les instances en sont élues aussitôt, ainsi qu'un premier président en la personne du dramaturge Victorien Sardou, académicien et gendre d'Eudore Soulié, dont il avait épousé la fille dans la Chapelle royale... Le peintre militaire Edouard Detaille va lui succéder à sa mort, l'année suivante.

Dans les commencements, la Société se révèle limitée dans ses moyens. Installée, comme son aînée, au Louvre, pavillon de Marsan *, elle soutient néanmoins le musée avec ardeur, tout en l'enrichissant de dons

* La Société n'emménagera dans l'aile sud des Ministres du château de Versailles qu'en 1980.

pertinents : ainsi, un dessin magnifique de Moreau le Jeune sur les illuminations du parc pour le mariage du dauphin et de Marie-Antoinette, par exemple, viendra-t-il enrichir, en juin 1912, les collections du cabinet d'Arts graphiques. Les Amis de Versailles participent aussi, le plus généreusement, à la restauration des vues agrestes de Cotelle, qui retrouveront leur place dans la Galerie de Trianon. Très vite, la ligne de conduite de l'association sera claire : soutenir, chaque fois que possible, par un apport intellectuel mais aussi matériel, les efforts menés par les conservateurs pour rendre aux lieux ces attributs divers qui, jadis, en avaient fait le charme.

Restaurer, reconstruire

Chaque année désormais, deux ou trois petits colloques vont réunir à Versailles les membres de la Société. L'une de ces conférences, parmi les premières, est prononcée par Pierre de Nolhac en personne, justement dans la Galerie restaurée des Cotelle. Il faut dire que les Trianons sont devenus l'un des chevaux de bataille du conservateur. Son ambition récurrente était de les détacher de l'administration des palais nationaux, afin de les récupérer dans ses attributions. Défi d'importance, et pour lequel Nolhac s'est beaucoup dépensé ; il lui a fallu abattre des montagnes, et se montrer persuasif auprès de certaines autorités... Mais, de guerre lasse, Paris a fini par céder : les Trianons ont perdu leurs deux régies distinctes, et rejoint le giron du musée par décret du 6 mars 1906. Au temps des officiers supérieurs « intègres, autoritaires et incompétents », succède celui des conservateurs érudits et entreprenants.

En effet, si Pierre de Nolhac voulait avoir les mains libres à Trianon, c'était pour y mener à bien des réformes. Riche d'un nouvel adjoint en la personne du jeune Gaston Brière, il entreprend sur-le-champ des modifications. C'est lui qui raconte : « Nous commençâmes aussitôt l'épuration qui s'imposait dans le mobilier du Grand Trianon, mélange hétéroclite conservé à peu près tel que les séjours de Louis-Philippe et de sa famille l'avaient constitué. Au Petit Trianon, l'aménagement datait du Second Empire et n'avait pas droit à un respect particulier... » Mais l'obsession du grand conservateur, et qui sans doute avait justifié ses assauts administratifs, aura été le rétablissement, dans sa pureté, de l'aspect général du Grand Trianon. « Les habitants postérieurs l'avaient cruellement défiguré : les grands volets en s'ouvrant couvraient les façades de la manière la plus disgracieuse ; mais, surtout, l'ancien péristyle avait disparu ; ce n'était plus qu'une salle entièrement vitrée qui réunissait commodément les deux parties du bâtiment et qui ne se recommandait au souvenir historique que pour avoir servi de salle de tribunal au conseil de guerre qui condamna le maréchal Bazaine [28]. »

En 1910, malgré la sourde opposition du service d'architecture, Nolhac obtient directement de Dujardin-Beaumetz l'autorisation de faire procéder à l'enlèvement des vitrages et des persiennes. Du coup, le noble « péristyle » de Mansart — il s'agit en vérité d'un portique à colonnes — retrouve à peu de frais tout son sens ; et la maison elle-même, une séduction qu'elle avait bien perdue depuis au moins cent ans ! Plus tard, à partir de 1929, un jeune attaché du nom de Mauricheau-Beaupré ira jusqu'à lui rendre une partie de son décor et l'amorce d'un ameublement conforme à celui de l'Empire ; il retrouvera même, exilée dans un des salons aménagés pour Louis-Philippe, la belle cheminée de griotte livrée en 1786 pour la chambre de la Reine, au château. Mais ceci est déjà une autre aventure, étrangère aux temps héroïques de Nolhac.

Dans ces années, somme tout innocentes, qui précèdent la Première Guerre mondiale, l'art français du XVIIIe siècle est en passe de sortir de son long purgatoire. Le conservateur de Versailles se veut le défricheur éclairé de ces jachères ; mais quoique professeur de l'école du Louvre entre 1910 et 1914 (il donne ses cours *in situ*, à Versailles, dans la salle à manger des Porcelaines, puis dans le salon de Diane), Pierre de Nolhac ne fait lui-même que reconnaître pas à pas, œuvre par œuvre, la matière qu'il s'est offert d'enseigner. Nattier, bien sûr, et Hubert Robert, mais aussi Fragonard, Boucher ou Mme Vigée-Lebrun retrouveront grâce à lui une seconde jeunesse ; et c'est tout l'esprit, tout le style, tout l'art de vivre d'une époque longtemps honnie, qui, à travers de telles redécouvertes, gagneront enfin droit de cité. André Pératé devait conserver de cet enseignement un souvenir attendri. Il décrit ainsi les instants privilégiés qui succédaient au cours lui même : « Tout en rassemblant ses papiers, le maître donnait quelque brève audience à tel ou tel curieux, puis entouré du groupe des élèves, il disparaissait par les cabinets de Louis XV pour regagner son appartement. C'était le moment profitable et joyeux où ces jeunes gens pouvaient le mieux s'instruire, interroger, proposer peut-être une explication, surtout se pénétrer de la vie d'autrefois et de la beauté solennelle du château. » [29] Parfois, le professeur et ses disciples descendent jusqu'à la terrasse du parterre d'eau, pour y contempler le spectacle « des beautés de la nature disciplinées par une intelligence souveraine ». Encore faut-il, pour être juste, souligner l'état fort peu discipliné du parc à cette époque ! Un ensemble de clichés * en couleurs sur plaques de verre, daté du prin-

---

* Il s'agit d'un fonds photographique du général Joly, légué jadis à M. Diette, et qu'Odile Caffin-Carcy a bien voulu porter à ma connaissance.

temps de 1914, montre notamment le parterre du Nord entièrement envahi d'arbustes en fleurs — des lilas semble-t-il... Et l'on se prend à douter : comment l'exigence d'un Nolhac et d'un Pératé pouvait-elle se satisfaire de telles défigurations ? Il faut croire que l'habitude les avait aveuglés, et que ces esthètes, au demeurant parfaits, s'étaient accommodés d'un état qui, pour n'être pas historique, présentait du moins certains agréments.

Restaurer, reconstruire... A l'aube de la Grande Guerre, la rigueur du célèbre conservateur se trouve, du reste, prise en défaut. On le voit en effet s'entendre avec l'architecte du domaine sur un étrange plan de réfection de la Vieille aile, au sud de la cour royale. Des négligences — peut-être volontaires — dans l'entretien de la toiture ont alors endommagé la structure interne d'un bâtiment que les aléas de l'Histoire avaient maintenu jusqu'alors dans son état XVIIe. On connaît la règle de Mérimée qui, dans un tel cas, prône la réparation de préférence à la restauration, et la restauration plutôt que la reconstruction. Faisant fi de tels préceptes, Nolhac et Chaussemiche vont s'accorder — une fois n'est pas coutume — sur le projet de démolir entièrement la Vieille aile (où subsistent pourtant des décors créés pour Mme de Polignac). Leur but : tout rebâtir à neuf, sur le modèle, il est vrai symétrique, de l'aile Gabriel ! Le nouvel édifice serait conçu pour accueillir une salle de musée, dont les vastes dimensions permettraient l'exposition des fameux globes de Marly, soustraits aux collections de la Bibliothèque nationale...

« Les débats sur la restauration ou la démolition de cette aile sont éclairants sur les doctrines encore en faveur, estime Françoise Bercé, comme sur les décalages entre la déontologie de la restauration et le cas particulier des palais nationaux. Après avoir constaté que la charpente était " inexistante ", que tous les planchers étaient à l'état de ruine (...), l'architecte Chaussemiche concluait que les solutions de consolidation ou de restauration étaient irréalistes et qu'une reconstruction presque totale s'imposait [30]. » Or, non seulement il va trouver un appui chez Nolhac et chez plusieurs de ses éminents confrères, mais l'architecte des palais nationaux, Nénot, ira jusqu'à justifier son option par des motifs liés, non plus à l'état déplorable du bâtiment, mais à l'esthétique d'ensemble du château ! C'est dire si la doctrine de circonspection, qui gagne chez les architectes et les conservateurs de cette génération montante, est encore fragile... Finalement, la guerre aura raison de ces ambitions un brin désordonnées ; on peut le dire, cette fois encore : c'est à un cataclysme imprévu, à un accident de parcours exogène, que le château devra d'échapper à de nouvelles et graves amputations.

La guerre et la paix

Au cours de ce terrible « été 14 » qui va voir les pays d'Europe se jeter tour à tour dans la guerre, les autorités prennent des mesures pour protéger les grands sites, et Versailles au premier chef. La France a mobilisé le 1er août ; dès le 2, le directeur des musées nationaux ordonne au conservateur d'organiser, avec le personnel qui lui reste, « un service permanent de surveillance analogue au service de nuit actuel ». Les portes du château sont dès ce moment fermées au public, et Pierre de Nolhac organise des patrouilles efficaces, en attendant la protection militaire qui n'entrera en vigueur que le 22. Comme en d'autres temps, des sentinelles prennent leur quart au palais et au Petit Trianon : deux sous-officiers, quatre caporaux et brigadiers, quarante hommes en armes veilleront désormais à la sécurité des lieux... Parade bien dérisoire, du reste, au regard des dangers qui s'annoncent : les armées allemandes, en dépit du triomphalisme des va-t-en-guerre, se rapprochent assez vite en effet de la région parisienne.

Dans la précipitation, tandis que le gouvernement se replie — comme en 1871 — à Bordeaux, des convois sont organisés pour mettre en sécurité un certain nombre de trésors nationaux. A Versailles, en l'absence de navettes efficaces, la plupart des objets sont condamnés à demeurer sur place. Seules les tapisseries de la série de *L'Histoire du Roy* peuvent être jetées dans des fourgons du Garde-Meuble ; elles rejoindront ainsi les fleurons du Louvre, réfugiés quelque part dans la campagne toulousaine. Quant aux autres chefs-d'œuvre, à commencer par les Nattier chers au conservateur — en tout « trente-six peintures, trente sculptures, cinq tapis de la Savonnerie, trois tentures et un fragment de la suite de Don Quichotte, le couvre-lit de dentelle de Louis XIV *, dix huit objets d'art et plusieurs caisses » [31] d'objets divers — ils sont descendus dans un souterrain situé sous l'aile Gabriel, et murés avec tant d'habileté que le préfet, venu en inspection, ne pourra pas en déceler l'entrée ! « Le souci de dissimuler à l'occupant futur notre subterfuge fut le seul sourire de ces tristes jours [32] », écrira Nolhac. Heureusement, dès le 10 septembre, la victoire de la Marne sauve Paris et Versailles d'une invasion imminente ; les scènes pénibles de 1870 ne vont donc pas se reproduire ; et dès la mi-décembre, le souterrain sera rouvert et les objets qu'il contenait, rendus au jour.

Dans les premiers mois du conflit, néanmoins, le domaine est maintenu volontairement dans un état d'hibernation forcée. Quelques visites privées, pour des délégations diplomatiques ou militaires, troublent à

---

* Il s'agit de la fameuse donation de « Mlle » Savalette de Lange.

peine, de temps à autre, un silence de plus en plus pesant. André Pératé : « Nos promenades solitaires, le soir, dans le château désert et dans le parc dont les bronzes masqués de terre et les pièces d'eau étrangement camouflées prenaient un aspect lamentable, continuaient les visites que nous guidions... [33] » Jusqu'au printemps de 1915, ce régime sévère est prolongé ; puis « l'arrière » s'organise et les habitudes reprennent leurs cours. Le 25 mars, Nolhac fait savoir à son administration de tutelle que « diverses pétitions sollicitent la réouverture partielle de nos musées. Trianon a conservé tout son personnel, composé de gardiens âgés pour la plupart. Sans proposer une réouverture régulière, il serait possible de donner satisfaction au public et aux troupes qui traversent Versailles, en détachant à certains jours, au musée de Versailles, quelques gardiens de Trianon » [34]. Soit : le sous-secrétaire d'Etat ayant donné son blanc-seing, la presse peut annoncer une réouverture pour le 24 avril.

La vie reprend ainsi, non sans gêne, possession du grand château, alors même que, tout au long de tranchées pas si lointaines, des milliers d'hommes meurent chaque semaine pour ces valeurs nationales qu'il a toujours incarnées... Quelques conférences et des concerts de charité sont organisés dans le Grand Appartement, au profit des blessés, des veuves et des orphelins de la guerre. L'activité muséographique tourne au ralenti, bien entendu, mais elle ne s'arrête pas tout à fait ; et des acquisitions seront réalisées en pleine guerre, tel ce magnifique portrait de Jean de La Fontaine par Largillière, acquis en février 1918 pour 18 000 francs, c'est-à-dire une très forte somme. Malgré le conflit et comme par défi, Pierre de Nolhac a maintenu par ailleurs son cours hebdomadaire sur l'art français ; il achève aussi la rédaction de ses *Etudes sur la Cour de France*, volumes incontournables et qui fixeront à jamais l'histoire du Versailles royal. Comme dérivatif à l'ennui qui l'assaille, le maître acceptera finalement la charge d'un cours à l'université de Rome sur « Ce que les peintres français doivent à Rome » — manière élégante, dans un moment crucial, de mettre la quintessence de son savoir, italien et français, au service d'un rapprochement culturel des deux nations maintenant alliées.

Ce déplacement de plusieurs semaines empêche Nolhac de présider aux mesures de sauvegarde prises, en avril 1918, pour prévenir certains désastres trop prévisibles. L'heure est à la « guerre à outrance », attisée par l'effondrement du front de l'Est et la perspective imminente d'une intervention américaine. Et c'est donc André Pératé qui, de son propre chef, décide de déménager les salles du XVIIIe siècle et les attiques — très exposés au péril inédit des bombardements aériens. « C'était le temps où les bronzes et les marbres du parterre d'Eau disparaissaient sous des enveloppes extraordinaires, racontera-t-il. Nous avions pu obtenir, des services de l'armée, des planches qui servirent à préparer en toute hâte des caisses où s'alignèrent, par rang de taille, des centaines de tableaux ; tout cela classé, abrité sous les fortes voûtes de la galerie de pierre contiguë au vestibule de la Chapelle, et prêt à être remis, dès le premier signal, aux camions qui prendraient la route du Midi [35]. »

Mais au lieu de l'invasion tant redoutée, c'est la victoire qui va venir couronner cette année 1918, par ailleurs si périlleuse. Une victoire trop attendue, mais aussi payée trop cher, pour ne pas prendre les allures d'une apothéose funèbre. Le conseil interallié s'étant installé en bordure du domaine, dans le tout nouvel hôtel Trianon Palace, les Versaillais vont se trouver, encore une fois, aux premières loges pour assister à des événements d'une grande importance historique. En effet, les pourparlers dureront six mois, entre représentants des nations belligérantes, pour l'établissement d'un traité de paix. C'est dire si, au cours du premier semestre de 1919, le boulevard de la Reine et la rue des Réservoirs, en particulier, retrouvent leur agitation des grandes heures. Précisons que dès 1914, l'abbé Wetterlé, au nom de l'Alsace, avait désigné le château de Versailles pour y signer la paix — et tenter ainsi d'effacer le souvenir cuisant de janvier 1871. Le moment étant venu, à la fin d'avril, c'est cette inspiration revancharde qui prévaut ; et Georges Clemenceau, appuyé d'ailleurs par le président américain Woodrow Wilson, choisit bel et bien la galerie des Glaces pour accueillir la cérémonie. L'apothéose des vainqueurs réclamait un tel cadre.

Aucun décorum ce jour-là, aucun tour de fête ; les autorités françaises, sous l'autorité du « Tigre », ont pris soin de ne pas conférer à cette signature solennelle une sobriété de bon aloi. Plus de huit millions d'hommes ne viennent-ils pas de périr dans le cataclysme ? Un million et demi de familles françaises ne sont-elles pas en deuil ? Le décor planté dans la Grande Galerie a été réduit au minimum nécessaire. Ainsi a-t-on déroulé sur le parquet ciré quelque vingt-quatre tapis de la Savonnerie, que des couturières à genoux ont cousus bord à bord. On a disposé au centre une grande table en fer à cheval pour les plénipotentiaires. D'autres tables entourent ce premier rang, et deux cents chaises d'orchestre dorées y sont installées. Face à la rangée centrale, on a placé un bureau plat d'époque Louis XV, attribué à Cressent, issu des maigres collections mobilières du château et appelé à devenir un meuble fétiche pour une génération au moins. En plein milieu : le livre du traité, encore vierge de signatures.

Il fait un beau soleil, en cet après-midi du samedi 28 juin 1919, et c'est d'autant plus notable que les journées précédentes ont été grises, pluvieuses. A quatorze heures précises, l'automobile du président du Conseil dépose Clemenceau au pied de l'escalier de

Marbre. Massée sur la place d'armes, une foule immense, retenue par un cordon serré de cavaliers, lance au poing, acclame de loin le « Père la Victoire ». Dans la galerie attendent déjà les centaines d'invités du Gouvernement et des différentes délégations. Le Premier ministre britannique, Lloyd George, et le président des Etats-Unis, Wilson, gravissent l'escalier trois quarts d'heure après le Français. Ils rejoignent les délégués du Canada, de l'Australie, de l'Afrique du Sud, de la Nouvelle-Zélande, de l'Inde, de l'Italie, du Japon, de la Grèce, de la Pologne, de la Yougoslavie, de la Tchécoslovaquie, de la Roumanie, du Portugal, de l'Argentine, de l'Uruguay, etc. Les seuls qui, pour le moment, manquent à l'appel, sont bien sûr les plénipotentiaires de l'Allemagne vaincue, alors hébergés à l'hôtel Vatel et à celui des Réservoirs.

Au rez-de-chaussée, dans le grand cabinet de Madame Victoire, les attendent le préfet de police et le conservateur du musée. Pierre de Nolhac : « Bientôt, à l'une des portes-fenêtres de la pièce au-dessous du salon de la Guerre, parurent les délégués allemands, amenés à travers le parc désert ; et nous eûmes à les conduire le long de ces jolies pièces où revivaient depuis peu les portraits de notre histoire. Ils purent s'arrêter parmi les Nattier auxquels ils feignirent de prêter quelque attention.

« Au signal venu, je pris la tête du petit cortège et l'acheminai, par des salons qu'on dut trouver interminables, à l'escalier de Marbre où les gardes républicains faisaient la haie sur les marches. Sabre au clair, ils venaient de rendre les honneurs aux délégués des nations amies. Je n'oublierai jamais l'ordre donné à notre approche et répété de salle en salle à mesure que nous avancions, et le bruit que fait l'acier en rentrant au fourreau. C'était, pour quelques instants encore, l'ennemi qui passait et le vaincu, et je voyais dans les yeux d'Hermann Müller se former des larmes qu'il ne pouvait dissimuler. Dès que nous parûmes sous l'arcade du salon de la Paix, le bruit d'immense volière s'arrêta instantanément ; l'Allemagne fut conduite aux places qui lui étaient réservées et la cérémonie commença [36]. »

A quatre heures moins le quart, tous les signataires ont apposé leur paraphe sur le précieux document, dont on veut encore ignorer les maladresses, les erreurs et, surtout, le manque de vision politique... Clemenceau déclare : « Messieurs, les conditions de paix entre les Alliés, associés, et l'Allemagne sont signées. La séance est levée. MM. les plénipotentiaires alliés sont priés de rester. » Les cinq Allemands se retirent au son des salves d'artillerie. Puis, la population ayant été admise dans le parc, on fait jouer les fontaines, tandis que des avions apparaissent du côté de la pièce d'eau des Suisses et viennent survoler le domaine en geste d'hommage. Clemenceau, Wilson, Orlando et Lloyd George sortent sur la terrasse où ils soulèvent une clameur immense. « Ces hommes d'Etat qui se mêlaient à la foule apportaient la preuve vivante que le temps des souffrances et de la mort était bien terminé. Les canotiers, les melons et les cannes s'agitaient joyeusement au-dessus des têtes. Ah ! on allait connaître maintenant de folles années, rattraper les jours perdus, oublier, oublier dans le travail, l'amour et les plaisirs [37]. »

En dépit de la liesse, les initiés trouvent matière à regretter une occasion manquée, pour Versailles, dans ces accords de paix. Nolhac et Pératé avaient fait parvenir aux autorités françaises une liste détaillée de mobilier détenu dans les collections impériales allemandes, et provenant, directement ou non, des grandes braderies versaillaises de la Convention et du Directoire. Récupérer ces merveilles, au titre des dommages de guerre, aurait pu n'être qu'une formalité ; seulement les négociateurs n'en ont pas compris l'intérêt ; et la liste s'est perdue dans les concessions d'usage... Comme le notera, non sans amertume, l'auteur de cette tentative : « Les maîtres de l'heure ont dédaigné ces modestes reprises, pour les réparations fameuses qui se sont évanouies en fumée [38]. »

Bilan des années Nolhac

« Le 3 juillet [1919], la Chapelle était pleine comme on ne l'avait jamais vue ; des tribunes aux basses nefs aucune place ne restait vide et l'on se pressait sur les marches mêmes de l'autel, dépourvu maintenant de sa fonction sainte, mais demeuré centre pour les regards et pour les âmes, au-dessous des orgues vêtues d'or qui allaient chanter une fois de plus [39]. » C'est Nolhac lui-même qui a eu l'idée de ce grand *Te Deum* chanté dans le sanctuaire royal, et auquel est venue concourir la plus brillante assistance. D'ailleurs, c'est sa voix qui, vibrant d'émotion, s'élèvera jusqu'aux voûtes pour unir, dans une envolée sublime, le souvenir des gloires d'hier à la célébration de celles du moment. Pour le vieux conservateur, ce concert de musique sacrée est en fait une manière d'apothéose personnelle ; c'est le moyen qu'il a trouvé de tirer dignement sa révérence.

Car l'heure est venue, pour lui, de songer à faire une honnête retraite. Frédéric Masson, le vieux frère ennemi, est alors en charge des domaines de l'Institut de France ; il lui a offert le poste envié, confortable, de directeur du musée Jacquemart-André, à Paris. Peut-être moins attiré par ce havre de haute culture que par la perspective d'un fauteuil à l'Académie française *, Pierre de Nolhac accepte la place, et s'arrache à regret à des bonheurs versaillais qui, désormais, lui rappellent par trop sa jeunesse... Après trente-deux années passées

* Il y sera élu en juin 1922.

chez Louis XIV, dont vingt-sept à la plus haute charge, le maître sait ce que lui doit le domaine, comme il connaît aussi les limites de son magistère.

Sous son mandat, les fonctions de conservateur ont acquis à Versailles un lustre extraordinaire. Libéré des empiétements de l'ancienne régie, renforcé dans ses pouvoirs face à l'architecte du domaine, le patron du musée a vu ses compétences s'étendre sur les Trianons et dépasser de loin le cadre strict des collections. En fait, par ses relations parisiennes et par son influence intellectuelle, Nolhac a su faire évoluer les mentalités concernant Versailles. Il aura possédé, avec la finesse et l'érudition, cet entregent qui ouvre les portes et cette aisance qui les maintient ouvertes. Son esprit, volontiers flatteur, lui aura garanti des succès achevés dans le faubourg Saint-Germain ; et l'engouement de la capitale pour le conservateur de Versailles n'a pu que rejaillir sur le château lui-même — aussi sûrement qu'à l'époque le tact et l'habileté d'un maître d'hôtel faisaient la fortune d'un bon restaurant.

Surtout, Nolhac a su renouveler l'image d'une maison qu'il avait trouvée agonisante, et qu'on ne louait plus dans l'opinion que pour ses appas moribonds. Dès le mois d'août 1887, alors qu'il n'était pas encore installé à Versailles, le jeune homme en avait perçu l'essence. Conscient de la spécificité des lieux, il s'inscrivait contre la tradition littéraire de son temps, pour affirmer haut et clair, dans un article prophétique de la revue *Les Lettres et les Arts* : « Versailles et Trianon ne sont pas de ces lieux dont la nature reprend triomphalement possession, dès que l'homme les quitte, et auxquels l'abandon vient apporter un charme de plus. Ce sont des œuvres modernes, qui sont faites pour briller et pour éblouir. Leur vrai pittoresque, c'est leur éclat. Magnifiques dans leur fraîcheur, elles ont le don de renouveler sans cesse devant les yeux la merveilleuse évocation du passé ; mais elles ne gardent ce prestige qu'à force de soin, de coquetterie, de parure. La moindre ruine y est vulgaire et laide. La ruine dernière serrera le cœur, sans enchanter l'imagination. » [40]

Cependant, et malheureusement pour Nolhac, son influence considérable sera demeurée impuissante à mobiliser les bonnes volontés autour d'une résurrection effective, matérielle, du château des rois. L'ignorance, l'habitude, la prévention, mais surtout le manque de crédits ne lui permettront pas d'inscrire dans la pierre ce changement de perception pourtant fondamental. Certes, il aura contribué largement à faire aimer Versailles, et à le faire connaître et reconnaître dans le monde entier ; mais l'usure du temps n'en continuera pas moins son œuvre de mort sur des bâtiments et sur des jardins en proie à la vétusté. Ses successeurs — qui se considèrent eux-mêmes comme ses continuateurs — mettront de longues années à réaliser ce que lui-même n'aura guère eu le temps et les moyens que d'esquisser à grands traits.

De sorte qu'au final, le plus grand legs de Pierre de Nolhac pourrait bien résider dans ses écrits : il est à chercher dans des livres d'art et d'histoire fondateurs, jamais dépassés à ce jour, et qui devaient faire naître tant de vocations de conservateurs et d'historiens. Et si, en vient-on à se demander alors, et si Pierre de Nolhac avait été surtout un écrivain de grand talent ? Après tout, ne se présentait-il pas lui-même comme un poète humaniste ? Dans un bel article consacré à son maître spirituel, Maurice Levaillant devait raconter sa première rencontre avec Nolhac, et la dernière. Vers 1900, le conservateur de Versailles l'avait reçu dans son appartement du pavillon Dufour, au milieu du monceau de documents qui envahissait régulièrement sa table de travail ; signant pour lui le mince volume de ses *Poèmes de France et d'Italie*, il lui avait confié : « Car voyez-vous, avant tout je suis un poète. » Trente-cinq ans plus tard, dans son cabinet toujours désordonné du musée Jacquemart-André, le vieillard * devait lui redire, en jetant un regard de biais à son dernier recueil, intitulé *Le Rameau d'Or* : « Je n'ai plus longtemps à faire des vers, mais j'en ferai jusqu'au bout ; vous parlerez de moi quand je n'y serai plus ; vous direz que le vieil humaniste a bien travaillé ; mais, n'est-ce pas, vous direz surtout qu'il fut un poète... » [41]

C'est ainsi : l'artisan de la redécouverte de Versailles était un visionnaire, un savant, un archiviste, un humaniste, un homme du monde, un ambitieux, un diplomate, un historien, un écrivain — et un poète. Et c'est tout à la gloire de son époque. « La substitution de l'histoire à la légende est certainement un progrès philosophique, écrivit-il. C'est en même temps, du point de vue de la poésie, une décadence. Il ne faut pas renoncer absolument aux légendes. Il vaut mieux les contrôler et les surveiller. Même quand une légende est reconnue fausse, elle n'en est pas moins un fait historique. » [42] Où l'on est tenté de conclure à son propos, pour citer encore Anatole France : « Fut-il un temps où les savants étaient aussi aimables qu'aujourd'hui ? Je ne crois pas. »

* Pierre de Nolhac devait mourir en fonctions boulevard Haussmann, le 31 janvier 1936.

9

La misère et l'espoir

Sur cette grande cathédrale effeuillée de Versailles et des Trianons, j'écoute, je vois, je supporte tout un torrent d'indéfinissables beautés qui passe durant des heures sur moi... Ici, enfin, j'accepte la mort.

BARRÈS.

Quoique indirectes, les séquelles de la Grande Guerre rendent pénible, à Versailles, la succession de Pierre de Nolhac. Sous les yeux affolés d'André Pératé et de son adjoint, Gaston Brière, ce sont cent foyers d'incendie qui, se déclarant tous en même temps, semblent réclamer une intervention simultanée. Or, les moyens dont dispose la conservation du musée sont toujours aussi dérisoires ; quant à l'agence du domaine, elle est elle-même dépassée par la gravité des atteintes dont souffrent bâtiments et jardins. Quatre années sans entretien réel dans le parc, sans vrai chauffage dans les châteaux, ont causé des ravages insidieux. Les rapports alarmés de l'architecte Chaussemiche et de son adjoint, Guéritte, font état partout de statues en voie d'effritement, de bassins éventrés, de canalisations crevées, de fenêtres béantes, de murs porteurs fissurés gravement, de toitures faisant eau de toute part.

Une fois retombée l'effervescence de la Victoire, une fois l'ombre dissipée du grand Nolhac, la réalité qui s'offre aux regards lucides aurait de quoi désarmer les meilleures volontés. Dans un premier temps, la nouvelle équipe — au demeurant en place depuis des années — choisit de donner le change, et d'attirer l'attention du public sur quelques bons côtés. L'on se félicite de belles acquisitions venant enrichir des collections de peinture déjà pléthoriques ; on récupère avec plaisir, grâce à la bienveillance du Sénat, des appartements occupés par les Assemblées depuis 1871, et notamment ceux dits de Mme de Pompadour et de Mme de Mailly ; on sort des réserves, pour la donner à contempler dans sa brillance intacte, l'immense toile de Durameau qui, avant la verrière de Questel, ornait le plafond de l'Opéra. L'on va même jusqu'à rouvrir les salles d'Afrique, dans un accès d'hommage à Louis-Philippe bien éloigné, du reste, des penchants personnels de M. Pératé... Mais ces initiatives sympathiques ne peuvent longtemps faire illusion ; et l'on doit bientôt se rendre à l'évidence ; cette fois, les ans ont produit leur effet : Versailles va mal, très mal.

A l'été 1922, Léon Bérard, ministre de l'Instruction publique et des Beaux-Arts, se rend en personne sur les lieux pour constater l'étendue des dégâts. Ce qu'il découvre le consterne : au milieu des ruines et de la désolation, les plus grands chefs-d'œuvre de cet art français que l'on commence à estimer à sa juste valeur ne sont pas épargnés. Le ministre s'aventure en barque sur le bassin d'Apollon, et faisant le tour du groupe de Tuby, découvre les chevaux de plomb, le char, l'aurige, au bord de l'effondrement, et soutenus de façon pitoyable par des étais de fortune ! Des ordres sont donnés à Paul Léon, le directeur des Beaux-Arts, pour la restauration de la grande fontaine ; mais cette image, photographiée sans pudeur, va faire le tour du pays — et d'autant plus que Henry Lapauze, fondateur d'un nouveau mensuel intitulé *La Renaissance de l'Art français et des Industries de luxe*, en a fait le triste symbole des menaces pesant sur le château des rois. Son cri d'alarme est lancé début janvier 1923 ; moins d'un mois plus tard, le grand hebdomadaire *L'Illustration* reprend la croisade à son compte. Dans un article illustré qui fait grand bruit, Albéric Cahuet dénonce avec franchise un état désastreux, aggravé de surcroît par une tempête survenue dans la nuit du 29 au 30 décembre 1922. « Les rampes d'accès au château ne sauraient tarder à s'effondrer sur des assises descellées et devenues illusoires, écrit le journaliste. Le pavage de ces rampes, affaissé, gondolé, creusé de trous bourbeux, est devenu dangereux et même impraticable. Les degrés du grand escalier de la terrasse de cent mètres [*sic*] sont disjoints, déformés, ont perdu toute l'harmonie de leurs lignes. L'angle ouest du pavillon d'accès à la salle du Congrès porte de formidables lézardes pénétrantes qui rendent tout l'édifice chancelant. Enfin, cette merveille : la cour de Marbre a son dallage précieux soulevé, tordu comme par des mains de titans et crevé en dix endroits. Et c'est cette misère qui, tout d'abord, s'offre aux regards des trois cent mille visiteurs annuels du château de Versailles [1]. »

Les pouvoirs publics réagissent tout de même. Pierre Rameil, rapporteur du budget des Beaux-Arts, dépose très vite un amendement à la loi de Finances, visant à affecter pour cinq ans le produit des revenus du musée directement à la remise en état du domaine. Il est vrai que, depuis 1922, un droit d'entrée de deux francs est exigible au guichet des galeries... D'autres subsides, s'élevant à quelque trois cent mille francs, sont par ailleurs prélevés « sur le produit des jeux de hasard ». Il n'empêche : les sommes ainsi mobilisées restent sans rapport avec les besoins constatés ; et ce que l'aide publique française se révèle incapable de réaliser, c'est une initiative privée d'origine étrangère qui va finalement y pourvoir.

Merci, monsieur Rockefeller

Au début du mois de mai 1924, Raymond Poincaré (après avoir été président de la République, il assume à présent les fonctions de président de Conseil) reçoit des Etats-Unis une lettre signée de John Davison Rockefeller Jr. Le fils du célèbre milliardaire, de retour d'un voyage en France à l'été 1923, y exprime son admiration pour les trésors du patrimoine national, son regret de les voir souffrir des séquelles de la guerre, et son désir de contribuer discrètement à changer cette situation. Sa générosité distingue en priorité trois hauts lieux du patrimoine : la cathédrale de Reims, les châteaux de Versailles et de Fontainebleau — des noms bien connus de ces Américains que le conflit récent a rendus plus sensibles aux malheurs de la France. Il faut préciser qu'à Versailles l'héritier de la Standard Oil a eu pour guide le diplomate Maurice Paléologue, président en exercice de la Société des Amis ; habilement initié à des misères au demeurant criantes, c'est sous cette influence qu'il a pris la résolution d'intervenir. Son représentant à Paris sera l'architecte de sa famille, Welles Bosworth, un Américain formé à Paris et qui, d'ailleurs, devait épouser une Française. En parfait accord avec l'administration des Monuments historiques, cet homme de bonne volonté se voit donc chargé de répartir une manne vraiment providentielle, en attendant la création d'un organisme *ad hoc*, le Comité franco-américain pour la Restauration des Monuments.

L'architecte en chef de Versailles est alors le successeur de Chaussemiche ; il se nomme Patrice Bonnet, bénéficie d'un crédit intact et possède assez d'assurance pour ne pas s'effrayer des quelque cinq millions et demi de francs de la première annuité ! Son programme initial s'articule en quatre chapitres d'inégale importance. Le premier, pour un devis de deux millions sept cent mille francs, prévoit la réfection des couvertures, charpentes, souches cheminées et corniches, au-dessus de la galerie des Glaces, de l'attique du Nord côté jardins, des ailes des Ministres, du théâtre de Trianon et de l'aile de Trianon-sous-Bois. Avec un budget avoisinant les deux millions, le deuxième gros morceau porte sur la restauration de façades abîmées, notamment celles des ailes des Ministres, des pavillons Gabriel et Dufour, de la cour des Princes, des bâtiments sur les rues Gambetta et des Réservoirs, ainsi que de l'Opéra et du Grand Trianon. Les deux autres chapitres sont plus légers ; ils concernent respectivement la remise en état des menuiseries extérieures du corps central côté jardins, de l'Orangerie, du théâtre de Trianon ainsi que du Petit Trianon, soit un devis de trois cent soixante mille francs ; et la réparation des grilles de l'Orangerie et de l'entrée du Grand Trianon, pour quatre cent quarante mille autres francs.

Autant dire que c'est un chantier gigantesque, comparable dans son importance à celui ordonné en 1814 par Louis XVIII, qu'entreprennent, grâce aux libéralités de John D. Rockefeller Jr, les équipes de Patrice Bonnet. Il est de bon ton, de nos jours, de sous-estimer l'impact de cette généreuse intervention ; en vérité, elle s'est révélée salvatrice. Elle a porté sur le gros œuvre, en effet, c'est-à-dire sur ce qui, dans le marasme versaillais, tendait à l'irrémédiable. Et elle aura permis des miracles ! Au total, sur les quatre premières années, la donation atteindra le montant d'un million de dollars, soit environ vingt millions de francs de l'époque — dont plus de la moitié consacrée au seul Versailles ! Par comparaison, les efforts accomplis jusqu'ici par l'Etat paraissent dérisoires ; c'est tout juste s'ils permettront la restitution des Cascatelles de Trianon, ou le curage du balcon du Roi, sur la cour de Marbre !

Les ouvriers se mettent à l'ouvrage dès janvier 1925 ; ils commencent par les charpentes et couvertures de l'attique du Nord et des ailes des Ministres. L'une des grandes difficultés de cette intervention massive et disséminée consiste à coordonner le travail d'équipes complémentaires et néanmoins concurrentes. D'une manière générale, les opérations commencent par les couvertures, avant d'aborder la maçonnerie et de terminer par la menuiserie. Des embarras particuliers, liés à des parasites du bois, à des maladies de la pierre et à des infiltrations par le sol, viendront compliquer la tâche des réparateurs, à mesure qu'ils progresseront.

En 1927, à l'admiration générale, Rockefeller décide de renouveler et d'intensifier sa participation. Cette fois, ce ne sont pas moins de quarante millions de francs sur cinq ans, qui sont promis aux responsables du patrimoine français — dont vingt-trois millions pour le seul Versailles ! Une telle manne flatte la fibre restauratrice de l'architecte en chef. Patrice Bonnet se sent libre de lancer, à présent, un certain nombre de chantiers secondaires, notamment dans les jardins ; en effet les travaux de première urgence et les réfections indispensables ont pu être menés à bien. Ce qui ne veut pas dire qu'il néglige pour autant la réfection des couvertures du palais, la restaurations des menuiseries de l'aile Gabriel, l'assèchement des façades sur la cour royale, la rénovation de la toiture du Petit Trianon...

La vertu, c'est bien connu, peut se révéler contagieuse. L'exemple américain donne ainsi des idées aux autorités françaises ; et ce n'est pas le moindre mérite de ces donations Rockefeller que d'avoir suscité quelque émulation au sein même de l'Administration. Piqués au vif par la générosité — pourtant discrète — du grand mécène, les responsables des Beaux-Arts dotent le domaine national, à partir de 1925, de crédits s'élevant à trois millions de francs ! De quoi autoriser les Bâtiments civils à procéder aux élagages que réclamait le parc, aux aménagements d'usage et à l'électrification que demandaient bureaux et logements. A Trianon, l'Orangerie reçoit un toit neuf, et les berges de la rivière basse sont refaites. Pour ne pas être en reste, la Caisse nationale des Monuments historiques va elle-même consacrer deux millions à la protection contre l'incendie, à la réfection du plancher — devenu dangereux — du salon de Vénus, ainsi qu'à la restauration du parterre haut du Grand Trianon.

Merci, monsieur Rockefeller. Grâce à vous, les secours tant attendus ont afflué, enfin. Des mains innombrables et compétentes se sont penchées au chevet d'un site malade, pour lui dispenser des soins inespérés. De sorte qu'au tournant des années 1930, les docteurs Tant-pis eux-mêmes sont bien forcés de l'admettre : la ruine de Versailles n'est pas encore pour cette fois ; la misère n'a pas eu gain de cause ; l'intelligence et la bonne volonté ont eu raison de la sottise et de la négligence. A l'issue de ces travaux salvateurs, le 30 juin 1936, J. D. Junior, toujours digne et réservé aux côtés de son épouse affable, sera reçu en grande pompe dans un domaine pétri de gratitude [2]. Il inaugurera un bosquet des Rocailles (ou salle de Bal) refait à neuf, pour la restauration duquel on est allé chercher des coquillages jusque dans l'océan Indien... Gabriel Hanoteaux en personne viendra prononcer un hommage dans le vestibule bas de la Chapelle, puis le ministre Jean Zay dévoilera une plaque au moderne bienfaiteur de Versailles, qui déclare à cette occasion : « Le matérialisme doit à la fin céder aux valeurs spirituelles. » Ainsi va Versailles, de formidables périls en sursauts héroïques.

Les continuateurs

L'une des conséquences de ce grand sauvetage est d'avoir propulsé l'architecte en chef à la tête des instances versaillaises. Désormais Patrice Bonnet s'intitule lui-même « conservateur du domaine », et se fait appeler « monsieur le conservateur » à la barbe d'André Pératé ! Sa compétence n'est pas en cause, et l'on peut dire même que ses travaux de réparation et de restauration s'imposent comme un modèle du genre. Pour autant, est-il sain qu'un homme de l'art, dont ni la formation, ni la vocation principale ne sont en phase avec l'histoire des lieux, détienne, comme c'est alors le cas, la prépondérance indiscutée sur ce qui regarde le château et les jardins ? Nombreux sont ceux qui, à l'époque, déplorent en silence un tel glissement d'autorité. C'est du reste une constante : le pouvoir revient d'ordinaire à ceux qui maîtrisent les finances... Parce que Patrice Bonnet a reçu directement un afflux massif de subsides publiques et privés, il lui est loisible de se poser en héritier de Nolhac. Quant aux véritables successeurs — et continuateurs — du maître, ils ont tendance à se faire discrets.

André Pératé, il est vrai, n'est pas un homme d'action. Replié malgré lui sur la gestion étroite des peintures historiques, cet homme de culture et d'esprit paraît se contenter, au moment où Versailles traverse une phase cruciale de son histoire, de remettre en état le musée... Ses efforts en ce sens ne sont pas vains, d'ailleurs ; et l'on voit des œuvres d'importance regagner à Versailles un cadre qu'elles n'auraient jamais dû quitter. Ainsi des marines de Joseph Vernet qui, en 1923, reviennent en dessus-de-porte dans la bibliothèque du Dauphin, ou du *Sacrifice d'Iphigénie*, de Charles de Lafosse, qui va retrouver, dix ans plus tard, le salon de Diane. D'autres chefs-d'œuvre réintégreront leurs pénates, mais n'ayant plus leur place dans le décor original, ils devront patienter des années dans la salle des gardes du Roi ; ce sont par exemple *Eliezer et Rébecca*, de Véronèse, de retour de Fontainebleau, et *La Famille de Darius aux pieds d'Alexandre*, de Le Brun, en provenance du Louvre.

Après avoir consciencieusement repeuplé les attiques évacués durant la guerre, Pératé et Brière se sont efforcés de rendre les galeries historiques à la curiosité du public. Dans l'attique du Nord, les salles abritant les petits portraits du XVIe siècle ont ainsi été rouvertes en 1927. L'installation à leur suite de tableaux du XVIIe siècle, ayant vidé, dès 1904, l'appartement de Mme de Maintenon, celui-ci va recevoir en 1932 des portraits de personnages de la fin du règne de Louis XIV, et notamment ceux d'artistes ayant œuvré pour Versailles. Ainsi se marque l'intérêt de l'époque pour l'histoire même de la maison.

Cette curiosité devient si forte, au vrai, que l'on va bientôt décider de lui sacrifier quelques salles. En 1928, la Vieille aile, enfin rénovée, accueille de la sorte un conservatoire insolite. Au rez-de-chaussée, sont présentés des débris décoratifs n'ayant pu retrouver leur place dans le château ou les jardins : restes de boiseries sculptées, arrachées par Nepveu aux murs d'appartements princiers ; vestiges d'animaux en plomb polychrome, provenant du bosquet du Labyrinthe ; morceaux des pavillons érigés par Mansart au bosquet des Dômes ; mais aussi un drôle de monument qu'avait fait édifier Evrard Titon du Tillet à la gloire des poètes, et que l'on nomme le *Parnasse français*... Plus « nolhacien », sans doute, est le petit musée du premier étage, réunissant d'intéressants documents relatifs à l'histoire du château : actes et lettres, esquisses, dessins, plans et gravures, susceptibles de combler la curiosité d'un public averti.

C'est que, de plus en plus, la « versaillomanie » fait rage. Ses nouveaux adeptes se retrouvent, au printemps de 1932, autour d'une exposition organisée par Gaston

Brière au musée de l'Orangerie, à Paris, et qui s'intitule « L'art de Versailles ». Comme l'expliquait son commissaire : « Le programme de l'exposition était double : prouver l'activité de ceux qui ont la charge de veiller sur ce trésor d'art, altéré sans cesse par l'inévitable usure du temps, et expliquer, à l'aide de dessins, d'esquisses, les transformations du décor intérieur, les projets inventés par les artistes appelés, pendant un siècle et demi, à orner la demeure royale [3]. » Motivés par le projet, les Archives nationales, mais aussi le cabinet des dessins du Louvre, la bibliothèque de l'école des Beaux-Arts, celle de l'Opéra, ou les archives de Stockholm fournissent des documents inédits, que rejoignent certaines pièces rares, prêtées par des collectionneurs privés comme les David-Weill. Une discipline à part entière semble sur le point de se constituer, ou tout au moins un champ d'études assez neuf, défriché naguère par Nolhac et repris depuis peu par de jeunes chercheurs comme Pierre Francastel. Coïncidence troublante : le plus important fonds documentaire sur l'histoire de Versailles se trouve jeté sur le marché dans ces mêmes années ! Henri Grosseuvre, le fils du célèbre hôtelier des Réservoirs, l'avait constitué ; l'étude de Me Ader, à Paris, est chargée d'en disperser les richesses en avril 1934. Ce prestigieux ensemble, comptant quelque six cents livres, manuscrits, estampes et tableaux, et dont le catalogue comprend plus de cent trente pages, va-t-il se trouver démantelé ? A l'appel du conservateur, un groupement de généreux donateurs se constitue en vue d'empêcher ce gâchis ; et le propriétaire du fonds, sensible à leur démarche, accepte une transaction : contre une somme de cent mille francs, la collection Grosseuvre est acquise pour le compte du musée.

Dans cette circonstance comme en d'autres, l'esprit d'initiative de Brière a fait merveille. Il faut dire que l'homme, fondateur en 1899 (à vingt-huit ans) de la

Revue d'histoire moderne et contemporaine, ne manque pas d'énergie. En 1932, il a discrètement succédé à Pératé à la tête du musée. Les deux patrons, confondus par la postérité dans une même fidélité à Nolhac, n'en sont pas moins très différents *. Pératé, normalien, agrégé, spécialiste d'archéologie chrétienne, avait le cœur en Italie et l'esprit imprégné de piété franciscaine et de méditations évangéliques. Excellent lettré, écrivain de valeur, il ne possédait pas pour autant l'étoffe d'un meneur d'hommes. Avec Gaston Brière, c'est la nouvelle école de muséologie qui prend les commandes. Passionné par les questions de résurrection du patrimoine et de mise en valeur des collections publiques, cet homme actif a, pendant la guerre, profité de sa mobilisation pour créer, à l'hôpital du Val de Grâce, le premier musée « anatomo-clinique »... Rien d'étonnant à ce que, sous son impulsion, le château de Versailles s'ouvre dès lors aux impératifs modernes d'accueil du public et d'exploitation des collections.

L'engouement des masses

L'une des premières mesures prises par le nouveau conservateur est assez symbolique : il fait procéder, tout simplement, au décrassage des intérieurs de la Chapelle, du Grand Appartement, de la galerie des Glaces et de l'appartement de la Reine ! « Murailles, chapiteaux et corniches dépoussiérés à l'aspirateur **, colonnes, pilastres, revêtements de marbre encaustiqués, trophées de cuivre (...) lavés, peintures au vernis régénéré, portes et volets sculptés aux salissures effa-

* Pératé mourra en 1947, à l'âge de quatre-vingt-cinq ans ; Brière, en 1962, âgé de quatre-vingt-dix ans.

** Cet appareil, introduit en France depuis une vingtaine d'années, ne connaît guère alors qu'un usage industriel.

cées par raccords de couleur et de dorure [4] », voilà de quoi restituer aux décors intérieurs un éclat qu'ils avaient perdu depuis Louis XVIII, au moins. Le geste est parlant ; il laisse entendre que la nouvelle équipe veut rendre leur lustre aux créations du grand siècle.

Pour Patrice Bonnet, qui tente à la même époque de faire accepter le principes de certaines restitutions, une telle dynamique est précieuse. Charge à lui de l'apprivoiser... Dès 1931, l'architecte avait aidé le futur conservateur à faire enlever les énormes statues qui, depuis Louis-Philippe, encombraient la cour d'Honneur du château ; en 1933, c'est le patron du musée qui, en retour, approuve la décision de l'architecte de rétablir de toute pièce, au Hameau, les jardinets attenants aux maisonnettes. Cette dernière initiative heurte pourtant l'orthodoxie ; Pierre de Nolhac lui-même, depuis sa retraite feutrée du boulevard Haussmann, s'en prend à une recréation qu'il estime contraire aux principes institués de son temps. Le 3 octobre 1934, il va jusqu'à publier dans *Le Figaro* une charge acerbe intitulée : « Versailles truqué ». L'ancien conservateur n'en est pas, il est vrai, à son coup d'essai polémique : en 1930, il s'était vivement opposé, déjà par voie de presse, au projet de transformation de l'hôtel des Réservoirs en un « gratte-ciel de vingt-huit mètres [*sic*] », suspecté de gâcher la perspective du parterre du Nord. « Jamais, depuis le précédent cependant éloquent de l'hôtel de ville, Versailles n'a couru pareil péril [5] », avait-il estimé alors.

Mais si la presse peut servir, à l'occasion, de tribune aux mécontents, elle se fait surtout, en ce milieu des années 1930, le chantre et le défenseur de la « restauration de Versailles ». Ce dossier fait ou fera, un jour ou l'autre, la une de la plupart des hebdomadaires et des mensuels du temps, de *L'Illustration* à *Plaisir de France*... C'est ainsi : après avoir passionné la bonne société des années 1900, Versailles captive à présent les foules du Front populaire ; l'aventure de sa résurrection est devenue un enjeu d'intérêt national ; et Gaston Brière, prenant la mesure de cet engouement des masses, n'hésite pas à monter, en 1937, une exposition géante pour fêter le centenaire des galeries de Louis-Philippe. En accord avec Patrice Bonnet, il a fait restaurer de fond en comble les salles de musée de l'aile du Nord, repeintes et retendues dans les tons blanc-gris et beige-écru, afin d'accueillir un florilège de peintures évoquant — c'est le titre de l'événement — « Deux siècles d'histoire de France 1589-1789 ». En vérité, l'intention première du conservateur avait été de remeubler un certain nombre de salons dans le goût du XVIIe siècle ; mais devant l'accumulation des réticences, il avait préféré renoncer.

Cela n'ôte rien, bien au contraire, à l'intérêt croissant qui s'attache alors, et de plus en plus, au mobilier d'origine royale — qu'il s'agisse des meubles au sens moderne, ou des tapisseries, objets d'art, etc. Plusieurs pièces majeures viennent de faire retour à Versailles ; c'est le cas des deux célèbres commodes de Boulle, en marqueterie de cuivre sur écaille, qui se trouvaient depuis le XIXe siècle en dépôt à la bibliothèque Mazarine, à Paris ; c'est aussi le cas des sept fameux sièges de Georges Jacob, sur des dessins de Hubert Robert, exécutés pour la laiterie de Rambouillet, et qu'on a extraits, en 1932, des dépôts obscurs de Trianon *. Or il est justement un jeune savant que l'observation de ces chefs-d'œuvre retient plus que d'autres ; avant tout le monde, Pierre Verlet a compris, en effet, que certaines merveilles de l'ébénisterie française méritaient, tout autant que les œuvres d'art, d'être étudiées pour elles-mêmes, et recherchées, analysées, critiquées.

* En 1939, Le musée acquerra l'écran de cheminée livré par Hauré en 1787 pour la chambre de la Reine ; ce sera le premier pas vers une restitution intégrale du décor de cette pièce, dans les années 1940 et 1970.

Dès 1935, la méthode de Pierre Verlet pour l'étude du mobilier royal est sur pied ; il en présente les grandes lignes en 1937 dans un article fondateur de la *Gazette des Beaux-Arts*. « La première opération consistait à trouver, parmi les anciens inventaires, celui qui donnerait le plus fidèlement l'état du mobilier versaillais pendant les dernières années de l'Ancien Régime. L'inventaire que j'ai choisi est, il me semble, le plus précieux car, écrit aux environs de 1776, complété et modifié jusqu'en 1788, il permet de voir comment étaient meublés les divers appartements de Versailles peu après la mort de Louis XV, quelles transformations le goût de Louis XVI et de Marie-Antoinette leur fit subir, et quel était, salle par salle, l'état du mobilier à la veille de la Révolution[6]. » Ce dépouillement peut s'accompagner de recherches dans les comptes, gravures, dessins, afin de constituer un jeu de fiches complet sur l'ameublement ancien. Vient ensuite la dernière opération, la plus agréable aux yeux de Pierre Verlet ; elle consiste « à rechercher et parfois retrouver, ces fiches à la main, les meubles qui sont dispersés soit dans les collections de l'Etat, soit dans les musées français ou étrangers, soit dans les grandes collections, spécialement d'Angleterre et d'Amérique ».

Et c'est ici que Pierre Verlet émet une idée révolutionnaire, incroyablement stimulante pour les amateurs de l'époque : « Je suis persuadé, lance-t-il, pour en avoir déjà retrouvé quelques-uns, que les plus beaux meubles, à une ou deux exceptions près, ont échappé à la destruction : il ne s'agit que de les retrouver et puis de les replacer — bien souvent, hélas, ce ne sera possible que par l'imagination — dans leur ancien cadre. » Le chercheur visionnaire concède : « Louis-Philippe ayant détruit, en ce qui concerne Versailles, les trois quarts de ce cadre, il faut s'attendre à trouver bien des meubles, provenant avec certitude des anciennes collections royales, qu'il sera impossible de situer exactement aujourd'hui [7]. » A cette réserve près, c'est un grand défi que s'est posé le spécialiste en début de carrière — le défi d'une vie ! Pour l'essentiel, il ne parviendra d'ailleurs à le relever que plus tard, après la Seconde Guerre mondiale ; n'oublions jamais pour autant que les termes en furent posés dès la fin de la décennie 1930.

En 1938, Gaston Brière est à son tour atteint par la limite d'âge. Avant de quitter ses fonctions, il a juste eu le temps de réaménager sur des bases rigoureuses et dynamiques la présentation, dans les salles rénovées de l'aile du Nord, des collections de peinture du XVIIe siècle. Après les aménagements de Nolhac pour celles du XVIIIe, voilà qui achève de mettre en valeur — plus de cent ans après leur entrée à Versailles — les toiles amassées par le roi-citoyen. Les nouveaux aménagements ont d'ailleurs eu raison des ultimes quadrillages de Nepveu, témoins ingrats de la défiguration des lieux sous Louis-Philippe.

Le remplaçant de Brière est nommé en janvier 1938 ; Pierre Ladoué n'a pas été nourri dans le sérail, puisqu'il présidait jusqu'alors aux destinées du musée du Luxembourg. Son ignorance des habitudes de la maison va d'ailleurs retarder sa prise de fonctions effective ; en effet l'on prépare, en ce début d'année, la visite imminente à Versailles du nouveau roi George VI et de la reine Elisabeth d'Angleterre. Brière a connu les riches heures de l'époque Nolhac ; et l'utilité de son expérience en la matière justifie son maintien en activité six mois supplémentaires. Retardée d'un mois par un deuil de Cour, la date en est finalement fixée au 25 juillet. Grandes pompes. Un déjeuner, particulièrement somptueux, est servi dans la galerie des Glaces, puis les souverains britanniques passent, pour se reposer un moment, dans l'appartement de Louis XV, entièrement remeublé comme pour le tsar en 1896. Dans l'après-midi, un concert est donné à Leurs Majestés dans la Chapelle royale, puis la brillante assistance

— tout-Paris et tout-Londres réunis — se rend, au milieu des grandes eaux, jusqu'au bosquet d'Apollon dont l'écrin de verdure, entièrement fleuri, accueille un divertissement des plus versaillais. Pierre Ladoué, que tout ce déploiement de fastes éblouit un peu, a eu l'idée d'acquérir un Livre d'or ; le roi, la reine et le président de la République ne se font pas prier pour y déposer leur paraphe.

Ces festivités passées, le nouveau conservateur est sommé d'en préparer de nouvelles. Un anniversaire s'annonce en effet pour l'automne, celui du tricentenaire de la naissance de Louis XIV. Pour l'occasion Ladoué obtient qu'un office religieux puisse être célébré dans la Chapelle du Grand Roi ; c'est la première fois depuis la Séparation de l'Eglise et de l'Etat, en 1905 ! Une grande messe sera donc chantée, le 5 septembre, sous l'égide de l'évêque de Versailles, Mgr Roland-Gosselin, dont le public — autant parisien que versaillais — apprécie ce jour-là la brillante éloquence. Sur quoi le conservateur peut enfin se consacrer à son métier ; il aménage d'abord, au rez-de-chaussée sur la cour royale, une salle pour l'exposition des acquisitions récentes, et une autre pour les conférences assises. Surtout, il décide de remettre en état l'ancien appartement de Mme de Maintenon, de nouveau dépouillé de ses peintures lors de l'aménagement des salles du XVIIe dans l'aile du Nord ; désormais, ces pièces de taille raisonnable seront dévolues à des expositions temporaires qui, chaque année aux beaux jours, pourront être proposées au public.

Celle du printemps 1939 s'intitule, cent cinquantenaire oblige, *A Versailles en 1789*. C'est le président Albert Lebrun en personne qui l'inaugure, le 5 mai, soit un mois jour pour jour après sa réélection dans les mêmes murs... Pierre Ladoué va devoir à cette exposition sa première consécration versaillaise : elle s'impose en effet comme l'événement de la saison.

Ces clichés, publiés par *L'Illustration* en janvier 1923, alerteront l'opinion sur l'état du domaine à l'issue de la Grande Guerre.

Les deux donations Rockefeller permettent, à partir de 1925, la restauration de nombreux chefs-d'œuvre – ici le bosquet de Rocailles ou salle de Bal. © *haut* et *bas*: Château de Versailles, Direction des parcs et bâtiments

La dépose des boiseries, le calfeutrage des ouvertures et la protection des œuvres d'art mobilisent les services du château de septembre 1939 à juin 1940.

Charles Mauridreau-Beaupré (*en haut*, pendant l'Occupation ; *en bas*, en 1952 avec des Amis de Versailles) va présider aux destinées du musée jusqu'à sa mort brutale, en avril 1953.

Avec *Si Versailles m'était conté*, Sacha Guitry fait de l'histoire du château le sujet d'un grand récit populaire.
En haut, Jean Marais et Micheline Presle ; *en bas*, Edith Piaf en émeutière.

De la réception des Kennedy par les de Gaulle, en juin 1961, au Sommet de 1982, le château des rois prête ses décors aux solennités de la Ve République.

Nulle part l'empreinte de Gérald Van der Kemp n'est plus spectaculaire que dans la galerie des Glaces, rendue à ses splendeurs en 1980.

Au Hameau de la Reine et dans le Petit Parc : aperçu du désastre causé par la tempête du 26 décembre 1999. © *haut* : Haley/Sipa ; *bas* : Barylko/Sipa

Elle devait durer, si l'on en croit le catalogue, de mai à octobre 1939 ; mais sous le poids des circonstances, elle va devoir être écourtée, et fermera ses portes, en plein succès, dès le 1er septembre.

Vertueux Ladoué

Les préparatifs d'une nouvelle guerre ont tôt fait de donner à Versailles des allures de château de la Belle au Bois dormant. Beaucoup mieux préparé qu'en 1914, également doté de moyens tout autres, le service d'Architecture met en place un vaste programme de « travaux de protection ». Les fenêtres du corps central, munies de « boucliers », sont ainsi aveuglées ; les charpentes sont ignifugées autant que possible ; la Grande Galerie, dépouillée de son décor de chapiteaux et de chutes de bronze, voit ses deux arcades, au nord sur le salon de la Guerre, au sud sur le salon de la Paix, hermétiquement fermées de cloisons pare-feu en brique, que l'on ne franchit que par de petites issues, en se baissant. C'est la mentalité de la ligne Maginot dans les marbres de Louis XIV ! Quand Patrice Bonnet décide de s'attaquer aux boiseries elles-mêmes, Pierre Ladoué s'impatiente. Lui ne partage pas le pessimisme ambiant quant à de possibles attaques aériennes ; il sait ce que représente le creuset versaillais pour les tenants du grand Empire allemand ; il sait qu'un avion de la *Luftwaffe* ne bombardera jamais le sanctuaire de 1871 ! Seulement on ne l'écoute pas ; les crédits sont votés, les ouvriers convoqués. Et les panneaux de boiserie du cabinet du Conseil, du salon de la Pendule, du cabinet intérieur du Roi, entre autres, sont déposés un à un, mis en caisses, et envoyés par la route — à tous les périls — jusqu'aux réserves improvisées dans le château sarthois de Serrant !

Evidemment, les pièces de grande valeur — horloges monumentales, tapisseries de *L'Histoire du Roy*, commodes « mazarines » — suivent des chemins similaires. Le serre-bijou de la reine, chef-d'œuvre de Schwerdfeger, est entièrement démonté selon des méthodes réclamant l'intervention d'un spécialiste anglais venu de Paris ; ses pièces détachées rempliront à elles seules onze grandes caisses ! De même, les peintures les plus précieuses du gigantesque musée sont décrochées et emballées. « Des toiles telles que la *Distribution des Aigles*, de David, *La Bataille d'Aboukir*, de Gros, *Taillebourg,* de Delacroix, et d'autres, ont été roulées et mises à l'abri », signale le conservateur aux curieux, en octobre 1939. Il ajoute, cocardier : « La table de la signature de la paix a été transportée en province. Elle est en lieu sûr. Elle reviendra au bon moment, pour une seconde utilisation... [8] » Tels sont les illusions que l'on nourrit, ou veut nourrir, au moment de la « drôle de guerre ». Les opérations d'évacuation s'éterniseront ainsi jusqu'à la fin de mai 1940 ; même après l'offensive éclair du 10 mai, des fourgons capitonnés continueront d'acheminer toutes sortes de petits meubles et d'objets d'art vers le château de Sourches, lui aussi dans la Sarthe.

Autre évacuation massive : celle du personnel qui, appelé en renfort dans tous ces dépôts de province, quitte Versailles — d'abord à regret, puis, à mesure que se confirme l'avancée allemande, avec joie... A la vérité, tout le monde se jette bientôt sur les routes de l'exode ; à Versailles, les bureaux de la préfecture comme ceux de la Banque de France sont vides. Au château même, l'architecte ordinaire Armand Guéritte, puis l'architecte en chef, Patrice Bonnet, prennent la poudre d'escampette. Ce dernier a même obtenu du commandant d'armes, le général de Chomereau, un ordre d'évacuation de tout le personnel du château ! Pierre Ladoué est désespéré, mais il tient bon. Il écrira, dans les souvenirs qu'il devait publier en 1960 sur cette période : « Partir me semble, à moi, absolument

" impensable ". Mon devoir est de garder *mon* musée. Si les Allemands trouvaient le château vide, ils l'occuperaient, ils s'y installeraient, en seraient les maîtres. Comment les en délogerait-on plus tard ? A quel prix ? Et que retrouverait-on après leur départ [9] ? » Vertueux Ladoué ! Ce capitaine-là tient ferme à la barre, assisté de seulement trois volontaires : le gardien-chef Cessac, le brigadier Borel (avec leurs épouses) et le gardien Dudognon. Il est important de citer ces noms ; ils feraient presque oublier l'attitude indigne des pompiers du château qui, enfreignant délibérément l'ordre de tenir leur poste, ont fui devant l'ennemi.

Pour être complet, il n'est pas indifférent de noter qu'à Trianon le conservateur adjoint, Charles Mauricheau-Beaupré, a fait de même... Ladoué et sa femme le constatent *de visu*, au soir du vendredi 14 juin 1940, date de l'entrée des Allemands dans Versailles. « Nous atteignons la grille du Grand Trianon. La cour est déserte. Toutes les portes sont ouvertes. Nulle part âme qui vive. Les Trianons sont abandonnés ! Après avoir en vain cherché, appelé partout, nous reprenons, consternés, le chemin du château [10]. » L'atmosphère déjà lourde est encore aggravée, ce soir-là, par les fumées noires qui ont envahi le ciel à la suite de l'incendie volontaire de dépôts d'essence, du côté de Saint-Germain-en-Laye.

Or l'occupant, déjouant des prévisions alarmistes, se montre à peu près discret dans les premiers jours. Rien à voir avec l'agressivité de 1815 ou de 1870. En revanche, les soldats en visite qui, dès le samedi 15, prennent d'assaut le château se montrent moins respectueux des lieux que leurs aînés. Le conservateur est contraint de se rendre très vite à la *Kommandantur*, qui siège à l'hôtel de ville, pour déplorer quantité de petites déprédations. Dans les jours qui suivent, un poste de police allemand sera mis sur pied, réunissant vingt hommes au rez-de-chaussée de l'aile Gabriel, dans le poste abandonné par les pompiers. L'ordre est vite rétabli ; mais en contrepartie, les gardiens civils sont sommés de hisser à la hampe du corps central le pavillon nazi, rouge et blanc à croix gammée... Il sera, au soulagement général, emporté quelques jours plus tard par une bourrasque, et jamais remplacé.

Peu à peu, la vie se réorganise dans le monument occupé de fait, sinon de droit. Des pancartes en allemand — *Eingang, Ausgang, Geschlossen* — canalisent plus ou moins des flots des soldats en visite. Devant cet afflux inattendu, le conservateur s'interroge : « Un ordre a-t-il été donné à toute l'armée allemande d'avoir à visiter Versailles ? Vêtus de gris, de vert ou de noir, des soldats de toutes armes arrivent maintenant, encadrés, par compagnies, sections ou demi-sections, comme à l'exercice. Débarqués sur la place d'armes des camions qui les ont amenés, parfois de loin, ils entrent dans la cour au pas, en chantant, suivant docilement l'itinéraire tracé et s'en vont, aussitôt remplacés par d'autres, non sans avoir utilisé, au pied de la statue de Louis XIV, toutes les plaques de leurs appareils photographiques [11]. » De temps à autre, des voitures luxueuses en provenance de Paris amènent aux sources du Reich, comme en pèlerinage, certains dignitaires du régime, dont Goebbels lui-même le 1er juillet. Les autres jours, l'atmosphère est plutôt détendue. Pour toute l'armée allemande, le nom de Versailles va devenir synonyme de repos, de zone arrière, de refuge des « planqués ». Un concert est organisé pour les troupes, en juillet, dans la cour royale — en attendant celui, plus élégant, donné fin septembre, dans la Chapelle, par l'orchestre philharmonique de Berlin en tournée.

L'afflux de troupes à Versailles fait craindre un moment des bombardements anglais ; et l'on dispose, par précaution, des batteries antiaériennes près des grilles d'entrée, ainsi qu'en haut des Cent-Marches. Mais au fond, qui oserait bombarder Versailles ? Au château, le personnel, revenu petit à petit, a retrouvé ses marques ; les architectes finiront par rentrer, les pompiers aussi... Les autorités d'occupation manifestent des velléités d'installation au château : ainsi la *Kommandantur* aimerait-elle disposer d'une quinzaine de bureaux dans les ailes des Ministres ; mais Ladoué tergiverse et personne n'insiste. Plus sérieusement, à la mi-août, le nouveau gouvernement du maréchal Pétain paraît envisager de quitter Vichy pour venir s'installer à Versailles ; des inspecteurs y sont dépêchés dans ce but ; puis il s'avère que les dirigeants de l'Etat français pourraient se fixer, non pas au château, mais à l'hôtel Trianon Palace. Une maison toute proche pourrait même héberger le Maréchal. Les responsables des Beaux-Arts, Hautecœur, Perchet, Jaujard, sont conviés à désigner, aux Trianons, des salons dignes d'abriter des réceptions officielles ; ils en délèguent la responsabilité à Charles Mauricheau-Beaupré, lui aussi de retour à son poste. Finalement, le projet n'aboutira pas ; et c'est une indignité supplémentaire qui sera épargnée à Versailles.

Depuis le 1er juillet, du fait de l'absence prolongée de Patrice Bonnet, Pierre Ladoué a été chargé de l'administration générale du domaine. C'est à ce titre qu'il se doit de superviser le retour avorté de quelque cent dix caisses remisées au château de Serrant, et contenant les plus belles boiseries du château ! Après un chassé-croisé de plusieurs jours, rendu rocambolesque par le flottement des transports et des communications, le précieux chargement — dont une partie seulement avait quitté la Sarthe — regagnera finalement sa réserve, dans l'attente de jours meilleurs. Un nouvel architecte en chef, André Japy, est nommé en remplacement de Bonnet le 28 septembre ; le 4 octobre, c'est au tour de Pierre Ladoué d'être pressenti pour le poste de directeur du musée d'Art moderne ; Charles Mauricheau-Beaupré, attaché à la conservation depuis

1919, devenu en 1929 conservateur adjoint chargé de Trianon, lui succèdera officiellement en mai 1941.

Un nouveau tandem prend donc en mains les destinées de Versailles. Le moins qu'on puisse dire est qu'en ces temps d'occupation les auspices ne lui sont guère favorables. Mais ce que les deux hommes ne vont pas tarder à découvrir, c'est que leurs opinions convergent sur l'essentiel, et que leurs tempéraments se complètent. Pour la première fois à Versailles, l'architecte du domaine et le conservateur du musée vont pouvoir travailler en harmonie. Certes, quelques années plus tôt, une entente s'était fait jour entre Gaston Brière et Patrice Bonnet ; mais le déséquilibre des situations respectives n'avait pas permis de véritable cohésion. Celle-ci paraît s'imposer entre Japy et Mauricheau-Beaupré. Ainsi donc, cinq ans après la disparition de Pierre de Nolhac, est-ce une ère nouvelle qui s'ouvre dans l'histoire du château. Aux temps de la redécouverte intellectuelle vont succéder ceux du renouveau matériel.

*

En un demi-siècle, le château de Versailles a profondément changé ; d'un palais national artificiellement converti en musée d'histoire, il est devenu un monument historique à la recherche de son authenticité. Les connaissances sur sa propre histoire ont progressé d'une manière considérable, ranimant le souvenir de ses splendeurs et de ses drames, et reconquérant par là l'intérêt du public.

Car la période qui s'achève aura vu l'opinion, d'abord très éloignée de Versailles et de son fatras mythique, revenir peu à peu vers lui et se passionner pour sa résurrection, jusqu'à y trouver finalement matière à polémique. Né dans la haute société parisienne de la Belle Epoque, ce regain s'est diffusé, à la faveur d'événements porteurs et de campagnes de presse, dans un public sans cesse élargi ; et Versailles a retrouvé son statut de référence universelle en fait de grandeurs et de fastes. Les publicitaires du paquebot *Normandie* ne s'y sont pas trompés lorsque, en mai 1935, ils ont popularisé la comparaison, pour la taille et le luxe, entre leur palais flottant et celui du Grand Roi. Dans le même temps, les chansonniers s'emparaient du mythe sulfureux d'un Versailles de stupre et de corruption, pour mieux accabler le personnel décadent de la IIIe République... Une ambivalence à ce point irréductible aide à comprendre, selon Hélène Himmelfarb, « la prudence et les ruses qu'ont déployées tous les régimes dans leur usage du palais, l'impuissance de ses historiens à substituer son histoire réelle à son histoire imaginaire dans les représentations collectives [12] ».

Cette histoire imaginaire qui, à elle seule, mériterait une étude, divise désormais le public non initié en deux courants antagonistes. D'un côté, une tendance dénigreuse voit dans le château de Versailles un gouffre pour les finances passées et présentes, un étalage de luxe insultant pour la pauvreté d'un peuple jadis affamé par tant de vanité. En dépit de la publication par Jules Guiffrey, de 1881 à 1901, des comptes réels des Bâtiments du Roi, malgré toutes les recherches menées à propos des circonstances objectives de la construction du palais, la bourgeoisie républicaine continuera longtemps de s'appuyer sur quelques mots de Mme de Sévigné, pour accuser Louis XIV d'avoir sacrifié des générations d'ouvriers à l'édification de son grand œuvre. De l'autre côté, la tendance louangeuse qui, paradoxalement, recrute plus volontiers dans les couches modestes de la population, s'identifie au dessein du Roi-Soleil, et ne tarit pas d'éloges pour le travail incomparable des artisans de l'ancienne France. Les grands décorateurs-ébénistes des années 1940, d'André Arbus à Gilbert Poillerat et à Jacques Quinet — sans parler du style d'un Bérard, par exemple — ne viendront-ils pas puiser leur inspiration à la source versaillaise ?

Les humiliations de l'Occupation allemande vont tendre à renforcer ce dernier courant. De sorte que, de plus ou moins nationaliste à l'origine, il se fera tout à fait cocardier. Dans les années suivant la Libération, le nom de Versailles sera sans cesse mis en avant pour vanter la grandeur d'une France idéale, universelle et conquérante ; une France qui voudrait oublier ses récents déboires, et se reconstruire sur ce qu'elle a jamais donné de meilleur.

Quatrième partie

LE RENOUVEAU

10

Un sursaut national

Une fête à Versailles, ce fut souvent un chef-d'œuvre de plus pour notre théâtre et, pour la France, une industrie nouvelle. Il ne faut pas oublier que l'esprit de fête est un esprit de générosité. « Ce qui fait qu'on est un peuple, disait Renan, c'est qu'on a fait de grandes choses ensemble. » Versailles est parmi les grandes choses que les Français ont faites ensemble.

MAUROIS.

Les dernières années de la guerre sont, à Versailles comme ailleurs, celles de l'attente anxieuse et de la pénurie. Privé de ses fleurons, dépourvu de vrais moyens de fonctionnement, le musée tourne à petit régime ; et les troupes d'occupation elles-mêmes, passé la première curiosité, tendent à s'y montrer moins assidues. Confronté aux intempéries, le duo Japy-Mauricheau-Beaupré s'efforce de parer au plus pressé, afin de maintenir hors d'eau la demeure à nouveau plongée dans les affres du vieillissement et du défaut d'entretien.

Dans l'entourage du conservateur, ce ne sont pourtant pas les idées qui manquent. Charles Mauricheau-Beaupré, réduit par les circonstances à tirer des plans sur la comète, se passionne pour la restauration magnifique — au demeurant si peu coûteuse — de la salle des Hoquetons, dont il fait repeindre les trompe-l'œil, de 1943 à 1945. L'intention de cet homme élégant, raffiné, hautement conscient de la vocation coruscante de sa maison, est de rendre à certaines pièces du corps central une part de leur éclat, en y replaçant des tentures et tapis dont le modèle est connu, et qu'il serait dès lors possible — quoique à grands frais — de faire tisser à l'identique.

Ces rêveries sont brutalement interrompues, à la fin de juin 1944, par des bombardements américains qui feront près de quatre cents victimes à Versailles et dans les environs, mais éviteront soigneusement le domaine. La ville est libérée le 25 août. Alors qu'à l'hôtel Trianon Palace, de nouveau, siège le Grand Quartier général interallié (de Gaulle y rencontre Eisenhower et Churchill le 3 janvier 1945), il n'est plus question, au château, que du rapatriement des trésors dispersés, et de la remise en place des boiseries déposées cinq ans plus tôt. C'est un travail long et difficile, qui occupera le conservateur en chef — c'est son nouveau titre — jusqu'en 1946. L'aile du Nord ayant été vidée de toutes ses toiles, Mauricheau-Beaupré « conçut une nouvelle répartition plus logique, disloquant l'ancien plan Nolhac. Le commencement fut situé dans des salles du bas de l'aile Gabriel, ayant servi de magasins [1] ». Désormais, les visiteurs suivront un parcours strictement chronologique, leur permettant, au fil de salles réorganisées avec clarté, de repasser plus de trois siècles d'histoire.

Résolument pionniers

Alors que, dans l'émulation, la France se relève, que l'Administration reprend ses droits et que le général de Gaulle, refusant le « régime des partis », s'efface devant la IVe République, à Versailles, le musée retrouve un fonctionnement presque normal. La nouvelle équipe peut enfin songer à se faire plaisir. Ainsi, quelques-uns des lambris arrachés sous Louis-Philippe à la chambre du Dauphin ayant été retrouvés en réserve, André Japy se fait-il un devoir de les remettre en place ; il y joint deux glaces copiées sur celle de l'entrefenêtre, et qui retrouvent la cheminée de griotte ornée des bronzes exquis de Jacques Caffieri. Dans un accès de générosité, le Louvre va compléter cet ensemble en renvoyant les dessus-de-porte peints par Pierre pour la pièce, et qui retrouveront avec bonheur des cadres désertés depuis plus d'un siècle !

Au premier étage, c'est sur la chambre de la Reine que se concentre l'attention des amateurs. L'on retisse en effet à Lyon, sur un modèle retrouvé par Verlet, des soies brochées et des bordures imaginées jadis pour Marie-Antoinette ! Offertes par la Chambre syndicale de la Soierie lyonnaise grâce à l'intervention du jeune Félix Gaillard, alors secrétaire d'Etat aux Affaires économiques, elles seront replacées dans l'alcôve en 1948, tandis que les boiseries, retrouvées et restaurées, sont peu à peu remises en place, ainsi que la fameuse cheminée rapatriée de Trianon, où Nolhac lui-même n'avait pas su l'identifier... L'année suivante, l'Américaine Barbara Hutton lèguera le grand tapis de la Savonnerie livré jadis pour cette chambre *.

Bousculant les inerties, les conservateurs de Versailles se veulent résolument pionniers. Certes, des travaux similaires peuvent être menés ailleurs, notamment à Fontainebleau dans le boudoir de la Reine, et à Compiègne dans son salon de jeux ; mais c'est bien le tandem versaillais qui, à l'époque, essuie les plâtres. Et si modèle il doit y avoir, c'est en Suède qu'il faut aller le chercher, dans le pavillon royal de Haga, aux portes

* En 1959, Mme Rush Kress, à son tour, devait offrir à Versailles la courtepointe originale de cette chambre, retrouvée chez un antiquaire new-yorkais.

de Stockholm. Là, depuis déjà plusieurs années, des précurseurs nommés Setterwall et Moselius ont retrouvé et réuni le mobilier ancien conçu pour les lieux, fait retisser les tentures, rendu leurs tons aux boiseries et leur chaleur aux salons... C'est leur exemple, partout cité, qui fait alors école ; nul doute qu'il ait conforté les maîtres de Versailles dans leurs ambitions nouvelles.

Car Mauricheau-Beaupré, fort de ses premiers succès, envisage de mener une réhabilitation générale, appuyée sur une politique de long terme. « Versailles apprend l'humilité à ceux qui en ont la charge », écrit-il en 1949. En même temps, le moindre effort s'y trouve tellement récompensé ! Dans le cabinet du Conseil, le conservateur en chef pourra bientôt exhiber avec fierté un tout nouveau lampas bleu et or, retissé sur le modèle d'un portrait en tapisserie de Louis XV, tiré lui-même d'une peinture de Michel Van Loo. Chaque nouvel essai de restitution se veut, dans son esprit, un pas résolu vers la renaissance de Versailles. Encore faudrait-il que le reste suive, et que les toits, les murs, les terrassements ne s'écroulent pas ! Or, comme en 1920, les négligences imposées par la guerre ont engendré, du point de vue des bâtiments et du parc, de nouvelles misères. Du fait de leur gravité, celles-ci ne ressortissent même plus à l'architecte des Bâtiments civils ; elles interpellent directement l'architecte en chef du domaine.

Mauricheau-Beaupré sans se voiler la face, accepte d'en faire le constat : « La ruine de Versailles nous menace à nouveau, écrit-il. La Seconde Guerre mondiale l'a précipitée avec l'occupation, l'épuisement des matières premières, l'interdiction des travaux, la disette, l'absence à peu près totale de chauffage entre 1940 et 1946, qui ont coïncidé avec des hivers rigoureux, des neiges exceptionnelles, de brusques dégels plus redoutables encore. » Il précise : « Les bassins ne gardent plus l'eau, ici les arbres menacent les statues, là les murs se désagrègent ou, s'ils sont rétablis, il manque les margelles. Dans les appartements, on ne peut lever les yeux sans voir des crevasses, des traces d'infiltration, des taches d'humidité récentes ou anciennes [2]. » Devant l'étendue des dégâts, personne ne douterait qu'une fois encore le trésor d'art et d'histoire ne soit en danger. Seulement, que faire ? Avec quels moyens ? Seul un sursaut collectif permettrait peut-être d'inverser la tendance... Ce sursaut-là, les rares initiés conscients du péril l'attendent sans trop y croire ; or ils ont raison d'espérer, et devraient même y croire davantage.

L'appel d'André Cornu

C'est une chute de neige qui va tout déclencher. Nous sommes début novembre 1951. Les intempéries sont précoces, les chéneaux du corps central, fatigués... Aussi la neige accumulée, l'espace d'une seule nuit, au-dessus de la Grande Galerie se met-elle, en fondant trop vite, à liquéfier des plâtres et inonder la voûte par endroit. La menace qui pèse sur le chef-d'œuvre — très repeint certes — de Le Brun, concerne autant les fonctionnaires du musée que les architectes libéraux du domaine. Le conservateur en chef en profite pour intervenir ; il s'adresse au Bon Dieu plutôt qu'à ses saints : puisque le ministère Pleven vient de nommer un secrétaire d'Etat aux Beaux-Arts — une première sous la IVe République —, c'est à ce haut responsable qu'il lui paraît juste d'en appeler. Par télégramme, Charles Mauricheau-Beaupré informe donc André Cornu qu'à Versailles le pire est à craindre, et qu'une aide urgente de l'Etat pourrait seule éviter un désastre.

Il faut croire que le prestige du château est alors intact ; en tout cas le SOS est entendu « cinq sur cinq ». Il est vrai que l'état calamiteux de Versailles n'est pas une découverte pour l'Administration. M. Cornu lui-même, dès sa prise de fonctions, a trouvé sur son bureau un rapport préoccupant d'une vingtaine de pages, cosigné deux ans plus tôt par René Perchet, directeur de l'Architecture, et André Japy ; il y apparaît que le château des rois serait encore une fois au bord de l'effondrement !

Les grandes causes révèlent les hommes providentiels ; celle de Versailles va trouver son héraut dans la personne d'André Cornu. Si le feutre et la gabardine qu'il promène en tout lieu peuvent passer pour une concession à l'époque, le nouveau ministre se distingue en revanche par son regard incisif derrière des lunettes de métal, sa silhouette râblée et sa démarche volontaire. Républicain farouche, nourri dans le sérail radical, député puis sénateur des Côtes-du-Nord, André Cornu est aussi — précision notable — un homme de communication, familier de la presse et de la radiodiffusion. Comme tous ceux de sa génération, il a été marqué, en 1919, par la signature de ce traité qui paraissait sceller l'apothéose de la France. Et dans sa vision quelque peu idéalisée du château de Versailles, c'est bien le symbole de l'esprit français, du goût français et même d'une certaine « qualité française » que ce patriote se plaît à révérer. « Tout n'est pas d'inspiration purement française dans Versailles, écrira-t-il plus tard. La Grèce et la Rome antiques, l'Italie, l'Espagne, et même l'Orient y ont laissé leur marque. Mais ces différentes influences, ces modes ont été coulées, fondues à la mesure française. Versailles est plus qu'un palais royal, un siège de gouvernement, il est le symbole du goût français [3]. »

C'est dire si le télégramme de Mauricheau-Beaupré trouve chez le secrétaire d'Etat un écho favorable. Comme Léon Bérard trente ans plus tôt, Cornu se fait annoncer sans tarder sur les lieux ; il sillonne le parc, arpente les bâtiments, grimpe sur les toits en terrasse où il se fait commenter par Japy les dommages les plus criants. En quelques heures, sa religion est faite : Versailles n'est pas seulement malade, mais à l'article de la mort ; c'est une campagne d'ampleur nationale, et peut-être mondiale, qu'il faudra mener si l'on prétend le tirer d'affaire.

De retour rue de Valois, André Cornu se met au travail. Cherchant à estimer les besoins, il aboutit — dévaluation oblige — au montant faramineux de cinq milliards de francs ! A l'évidence, l'initiative publique n'y peut suffire ; l'on devra solliciter aussi d'importants concours privés. C'est dans cette perspective qu'est aussitôt créé un Comité national pour la sauvegarde du château de Versailles, placé sous le haut patronage du président Vincent Auriol et des présidents des Assemblées, et dont Cornu confie le secrétariat général à un administrateur incontestable, Gaston Papeloux. La raison d'être de cet organisme sera de collecter tous les fonds possibles. Une règle stricte est adoptée à cet égard : la totalité des sommes adressées au Comité sera consacrée à la restauration du château, les frais de fonctionnement et de publicité revenant à la charge des Beaux-Arts.

Reste, pour Cornu, à convaincre le Gouvernement et l'opinion de se montrer généreux. Pour ce qui est du Cabinet et du Parlement, alors indissociables, le vieux routier de la politique en fait son affaire ; il fera voter sans délai un premier crédit de trois cent soixante-cinq millions de francs, et affecter aux dépenses urgentes une tranche de la Loterie nationale de quatre cents millions supplémentaires. Quant à l'opinion publique... Des vicissitudes de la récente guerre, André Cornu a retenu cette idée force, que les batailles importantes se gagnent avant tout par le verbe. « L'action met les ardeurs en marche, a dit le général de Gaulle ; mais c'est la parole qui les suscite. » Soit. André Cornu va prendre la parole.

En février 1952, il lance à la radio — le grand média

du temps — un appel solennel en faveur de Versailles, appel aussitôt relayé par la presse de France et de Navarre. D'une voix vibrante, le secrétaire d'Etat y réveille la fibre nationale ; et c'est peu dire qu'il sait trouver les mots qui touchent : « Vous dire que Versailles menace ruine, c'est vous dire que la culture occidentale est sur le point de perdre un de ses plus nobles fleurons. Ce n'est pas seulement un chef-d'œuvre de l'Art que la France doit craindre de voir disparaître, mais en chacun de nous une image de la France qu'aucune autre ne saurait remplacer. Aussi puis-je dire sans forcer les termes, qu'en perdant Versailles, la France serait découronnée et le patrimoine français dévalué [4]. »

Le retentissement de ce cri du cœur est énorme. Les dons spontanés et les souscriptions affluent dans la foulée. Wilfrid Baumgartner, gouverneur de la Banque de France, envoie tout de suite au Comité national un chèque de dix millions ; et son exemple est suivi par Georges Villiers, président du patronat. Des collectes plus modestes sont organisées dans les bureaux, les usines, les écoles, les familles... Encouragé par ce premier sursaut, Cornu joue de ses relations au sein de la préfecture pour que soient créés, sur le terrain, des comités départementaux qui prennent le relais du Comité national, et drainent des fonds insoupçonnés à coups de projections de films, de conférences, de ventes, de bals, de tombolas diverses. Des millions de francs vont remonter ainsi de tout le pays, mais aussi de l'ancien Empire — cette « Union française » dont les représentants siègent à présent dans l'hémicycle d'Edmond de Joly... Les Français de la Zone d'Occupation en Allemagne organisent des ventes d'estampes, qui rapporteront plus de trois millions à elles seules. En Indochine, les soldats en guerre font la quête dans les chambrées ! On sait enfin que la cause de Versailles ignore les frontières ; des comités se formeront bientôt en Hollande, au Portugal, en Belgique, en Suisse, au Brésil...

Bien des voix, par la suite, s'élèveront pour relayer l'action du Comité de sauvegarde ; elles contribueront à transformer un premier élan spontané en effort à long terme. Des écrivains s'en mêleront — de Gaxotte à Nimier, de Maurois à Cocteau —, mais aussi des peintres — Matisse, Utrillo, Dufy — des musiciens, des cinéastes, entraînant à leur suite la cohorte des gens en vue. Là réside peut-être, au final, le vrai mérite d'André Cornu : avoir favorisé, au-delà d'un sursaut salutaire en faveur de Versailles, une prise de conscience plus générale et plus durable de la place éminente qu'occupe désormais ce lieu fondamental dans la conscience individuelle des Français comme dans leur inconscient collectif.

Visions de poètes

En ce milieu du XXe siècle, le chantre des mythes nationaux s'appelle Sacha Guitry. Or, le « roi du Boulevard », figure de proue du Tout-Paris des Années folles, s'est trouvé malmené à la Libération, pour avoir montré un peu trop de courtoisie envers l'occupant. Soucieux de regagner le cœur des Français, il va répondre favorablement à deux producteurs de cinéma qui, voulant profiter du tapage autour de Versailles, lui proposent de trousser à sa manière une épopée du château. Ils ont obtenu, du bout des lèvres, l'accord de Mauricheau-Beaupré pour tourner sur place, en décors naturels ; en vérité, le conservateur en chef ne leur a guère prêté d'attention, tout occupé qu'il est alors à la préparation d'une tournée de conférences au Canada, dans le cadre de l'Alliance française.

Comment, du reste, refuser au légendaire Sacha ce couronnement d'une carrière incomparable ? Le scénario de *Si Versailles m'était conté* est prestement écrit, au printemps de 1953. L'on tournera du 6 juillet au 6 septembre. La distribution est éblouissante : Gérard Philipe jouera d'Artagnan, Georges Marchal, Louis XIV jeune — Guitry s'étant réservé le roi vieillissant —, Jean Marais sera Louis XV, Orson Welles Benjamin Franklin ; Claudette Colbert incarnera la Montespan, Micheline Presle la Pompadour, Brigitte Bardot une certaine Mlle de Rosille, Edith Piaf « une fille qui sait chanter » — de fait, elle transcendera le Six Octobre dans un *Ça ira* bouleversant. Quant au « gondolier chantonnant », c'est Tino Rossi qui lui prête sa voix de velours... « Les grandes vedettes, très chères, ne tournaient pas en continuité, devait se souvenir Robert Favart, alors figurant. Quand je courais chercher des femmes du peuple à la grille — tombant presque sur mes hauts talons avec ces sacrés pavés du roy, ce n'est pas Piaf que je ramenais bien sûr... Les grands, on les filmait en une seule fois. Nous, nous étions toujours là, il fallait du monde. » [5]

Dès les premières scènes, l'attaché libre que le musée délègue sur le tournage, comprend que la vraisemblance historique n'est pas de mise chez Guitry. On lui demande par exemple un conseil, à propos d'une scène galante entre Louis XIV et la duchesse de La Vallière, jouée dans la grande chambre de 1701 ! Le spécialiste relève l'anachronisme : la favorite était au couvent depuis vingt-cinq ans lors de la création de ce décor... Le « Maître », embarrassé, réfléchit un moment puis, revenant à sa mise en scène : « Tant pis, tranche-t-il dans un revers de manchette, ils ne s'en apercevront pas. » Et quand on lui fait remarquer, une autre fois, que Mme de Montespan ne fut pas exilée sous les combles, mais au rez-de-chaussée, il rétorque de sa voix suave : « Le roi n'avait-il pas le droit de changer d'avis ? » Toutefois l'auteur prendra soin de faire conclure à Bourvil, costumé en guide : « Les omissions et les erreurs... et les anachronismes, on s'en fiche bien quand c'est le cœur qui les commet ! »

Le 15 décembre, le public de la première parisienne, donnée au profit du Comité de sauvegarde à la salle Garnier, se montre beau joueur ; il fait même un triomphe à cette fresque haute en couleur. Mais tout le monde ne partage pas l'enthousiasme des inconditionnels... Dans les colonnes du *Figaro littéraire*, le duc de Brissac, alors président de la Société des Amis, prend la tête d'une troupe offusquée d'historiens et autres férus de précision. Trop d'à-peu-près, se plaint-on, trop d'erreurs, trop de faussetés ! N'est-ce pas la mémoire nationale que l'on écorne ? L'affaire prend vite des proportions ; elle est portée devant les députés à qui un ministre s'empresse de rappeler que la production n'a bénéficié d'aucune subvention de l'Etat ; un élu s'écriera, solennel : « La France n'est pas complice de M. Sacha Guitry ! » [6] Et François Mauriac, de pérorer dans son *Bloc-notes* : « Je n'ai point vu le film de Sacha Guitry sur Versailles, qui a scandalisé le duc de Brissac. Mais le film que lui-même eût conçu aurait-il été plus conforme à l'histoire secrète de Versailles, à l'histoire vraie, celle qui (sans négliger, bien sûr, toute l'apparence de splendeur, toute l'éblouissante gloire) nous aurait montré, par exemple, sur le modèle des paysans de Le Nain, la foule des ouvriers morts de la fièvre en creusant le Grand Canal ?

« Un film historique sera toujours une altération de l'histoire. J'imagine que Versailles raconte presque la même chronique au duc de Brissac et à Sacha Guitry et qu'ils se disputent sur des vétilles. Mais, pour certains hommes, ce décor sublime dissimule mal le drame humain et il arrête leur pensée, il la suspend sur cet abîme : l'inimaginable patience des pauvres. » [7] Voilà qui renvoie dos à dos, au nom d'un paupérisme tenace, l'écrivain trop libre et le gardien de l'orthodoxie ! Du moins l'œuvre controversée de Guitry a-t-elle relancé une mode. D'autres grands films seront tournés à Versailles dans la foulée, comme le *Madame Du Barry* de Christian-Jaque avec Martine Carol, en 1954, ou le *Marie-Antoinette* de Jean Delannoy avec Michèle Morgan, l'année suivante...

Parallèlement, une forme innovante de spectacle, appelée *Son et Lumière*, et testée avec succès à Chambord depuis deux saisons, est importée dès l'été 1953 dans le parc du château. « Il s'agissait, raconte l'un de ses auteurs, d'utiliser une technique nouvelle : la stéréophonie, qui permet de déplacer les voix dans l'espace et de donner l'impression qu'une phrase parlée, ou musicale, vient tantôt de tel point et tantôt de tel autre. En même temps, un jeu d'orgues lumineuses pouvait illuminer, soit tout le château, soit le lieu précis où se passerait une scène. Avec ces éléments, il s'agissait de bâtir un spectacle qui suggérât la présence des personnages [8]. » Intitulé, comme il se doit, *A toutes les gloires de la France*, et mis en scène par Maurice Lehman, le divertissement connaît d'emblée un succès fracassant *. Le public regarde d'abord du côté du parc, depuis le haut de Latone, alors qu'un texte onirique signé Jean Cocteau le met dans l'ambiance ; puis il se retourne pour observer les façades et entend le texte plus historique d'André Maurois. La voix de Pierre Fresnay, envoûtante à souhait, en gravera les premier mots dans la mémoire d'une génération d'estivants : « En ces lieux, aujourd'hui si beaux, où la longue façade classique d'un palais domine les plus nobles jardins du monde, et où de larges allées s'enfoncent en des lointains bleuâtres, il n'y avait au temps du roi Louis XIII que des forêts, des marécages et une maison de chasse où le roi venait avec quelques familiers courir le lièvre, le cerf et le renard... » Visions de poètes.

* Dès la première année, les recettes seront de cinquante-trois millions de francs.

Les esprits terre-à-terre constatent à cette époque, que le *Son et Lumière* de Versailles a rendu nécessaire la mise en électricité de tout le domaine. Dès 1947, un poste de livraison haute tension avait été installé dans l'aile du Midi ; lui-même dessert le poste de transformation de la salle du Congrès, où siège alors l'Assemblée de l'Union française, et le poste principal du corps central situé, côté Chapelle, dans l'ancienne « cave du Roi ». Des aménagements importants sont réalisés à l'occasion du spectacle de 1953 : afin d'alimenter parterres, fontaines et bosquets, mais aussi l'Orangerie, une arrivée de courant supplémentaire est alors installée à proximité du bassin d'Apollon, au poste dit « de la Petite Venise ». Lors des représentations, la façade du corps central se trouve éclairée par trois groupes de projecteurs montés sur châssis mobile, ce qui permet, le jour, de les dissimuler dans des fosses couvertes. Mais ce qui éblouit surtout le public, lors de ces illumination, c'est de voir la galerie des Glaces s'embraser soudain de l'intérieur. « Il importait de restituer la lumière scintillante et vivante qui caractérisait l'éclairage des lustres et torchères à bougies. Techniquement, ces jeux de lumière furent obtenus à l'aide de panneaux rectangulaires équipés de pastilles métalliques mobiles et installés sur la corniche de la galerie [9]. » Avec les torchères de la galerie basse (on l'appelle toujours salle Louis XIII) et les lustres de la galerie des Batailles, cette voûte de lumière électrique signe, une fois pour toutes, l'entrée du château dans la modernité.

Une tâche pour Sisyphe

Il est un amoureux de Versailles qui ne pourra goûter ni les pochades de Sacha Guitry, ni les féeries de Jean Cocteau ; c'est Charles Mauricheau-Beaupré. En effet, le 26 avril 1953, alors qu'il sillonnait le Canada pour la bonne cause, il périt dans un accident de voiture. « Mort pour Versailles », dira-t-on pour se consoler... Au château, l'annonce de cette disparition brutale saisit de plein fouet les acteurs de la campagne de sauvegarde. Et la peine sincère qu'ils éprouvent se double d'une inquiétude : qui trouver pour reprendre le flambeau ? Comment remplacer cet homme du consensus ?

Le Landerneau des musées ne tarde pas à lui désigner, à l'ancienneté, un successeur en la personne de Pierre Verlet. Ce grand spécialiste du mobilier royal, initiateur du « remeublement », est un connaisseur admirable du château. Lui-même guigne la place, et la tient pour acquise. Mais c'était compter sans la personnalité fort peu conventionnelle du secrétaire d'Etat. Or, André Cornu estime, pour avoir étudié la question, que le Versailles de 1953, à l'instar de celui de 1892, a besoin d'un patron jeune, ambitieux, séducteur — trois dispositions qui, en dépit de tous ses mérites, font plus ou moins défaut à la nature par trop savante de Pierre Verlet. Aussi bien, contre toute attente, l'acte de nomination lui préfère-t-il un jeune adjoint du défunt, méconnu de ses pairs et ignoré du public : Gérald Van der Kemp.

Dans le corps des conservateurs, c'est un tollé, au demeurant bien orchestré. Prenant fait et cause pour l'homme du Louvre, ses collègues se rendent en délégation rue de Valois ; le directeur de cabinet les reçoit en ces termes : « Messieurs, leur dit-il, je vous aime bien, je vais vous rendre un grand service, un très grand service. Nous ne sommes pas encore sous le régime des soviets, le ministre est libre de son choix, son choix est décidé, il n'en changera pas. Je vous rends un grand service parce que je tairai votre visite, le ministre la prendrait très mal. »[10] L'effet de ces paroles ne se fait pas attendre : les conservateurs courbent l'échine et Gérald Van der Kemp est confirmé à son poste — quoique avec le titre un peu diminué de conservateur en chef « faisant fonctions » *. Après tout, il n'a guère plus de quarante ans.

Au reste, comme Rodrigue, le nouveau patron se veut une âme bien née. Nommé en 1936 au cabinet des dessins du Louvre, cet élève de Gaston Brière et de Henri Focillon a toujours caressé l'espoir d'une carrière de peintre. Seulement, les circonstances l'ont amené, après quatre années sous les drapeaux, à diriger, pendant l'Occupation, les dépôts d'objets déplacés de Valençay, puis de Montal. Il y a fait preuve de dévouement et même de courage, affrontant, sur le tard, une division SS des plus mal intentionnées, et sauvant, entre autres trésors, la *Vénus de Milo* et les *Esclaves* de Michel-Ange... Fort estimé de Jacques Jaujard, le directeur des Arts et des Lettres, il a su, par la suite, capter favorablement l'attention d'André Cornu, jusqu'à se voir nommer à la tête du musée de Versailles ! Si cette promotion flatte son orgueil naturel, la charge lui pèse, néanmoins — ne doit-elle pas l'écarter durablement de sa vocation artistique ?

Les premières décisions de Gérald Van der Kemp à propos de Versailles relèvent de l'organisation interne. Ainsi décide-t-il, en 1954, de supprimer les visites guidées par des gardiens, au profit de visites libres entrecoupées de conférences régulières données par des étudiants. Le manque à gagner pour les gardiens est compensé par une caisse de secours leur assurant un supplément régulier de revenu. Autre innovation pratique : un restaurant et des toilettes publiques sont installés sous l'aile Gabriel, afin d'offrir aux visiteurs un confort comparable à celui que proposent les grands musées modernes. Car si le nouveau conservateur a compris une chose, c'est bien ceci : l'image de marque d'un établissement culturel tient à la qualité de ses ser-

* Il ne deviendra, en titre, conservateur en chef qu'en octobre 1955.

vices d'accueil. C'est dans le même esprit qu'est organisée, en 1955, une grande exposition intitulée « Marie-Antoinette, archiduchesse, dauphine et reine », à laquelle la baronne Elie de Rothschild contribue largement, et qui recevra en tout plus de deux cent cinquante mille visiteurs.

Pour le reste, l'attitude légitime de Van der Kemp est, dans un premier temps, de s'appuyer sur l'expérience et l'autorité de cet architecte en chef qu'appréciait tant son devancier. André Japy, comme Patrice Bonnet trente ans plus tôt, dispose il est vrai de la manne étonnante — deux milliards pour les deux premiers exercices — réunie à l'initiative d'André Cornu ; et c'est lui, naturellement, qui a établi le « plan quinquennal » d'intervention : opérations de charpente et de couverture menées sur l'aile du Midi, les ailes des Ministres, le pavillon Dufour et le Grand Trianon, consolidation de la balustrade au faîte de l'aile du Nord, réfection de planchers dans le corps central, importants travaux d'électricité et de chauffage, remise en état du parc, restaurations de la voûte de la Grande Galerie et du plafond d'Hercule, etc. On éprouverait volontiers, en épluchant les nouveaux comptes rendus, quelque impression de déjà-vu *. Maintenir Versailles est une tâche pour Sisyphe.

La plus belle des salles

La grande affaire d'André Japy, son rêve d'architecte en somme, c'est la restauration, dans son état pre-

* Il faut noter à ce propos qu'une troisième donation est faite alors par les quatre fils de John D. Rockefeller, pour un montant de cent millions de francs de l'époque ! Elle va permettre notamment d'importantes restaurations aux Trianons et au Hameau de la Reine.

mier ou presque, de l'Opéra de Gabriel. Tant d'amis du château en ont rêvé avant lui ! Ce véritable serpent de mer aura mobilisé tour à tour la comtesse Grefullhe, les frères Tahraud et Louis Bertrand. Même le grand Paul Valéry avait, dans un article devenu célèbre, essayé de jeter son poids dans la balance. En vain. « Une nation possédait le plus beau théâtre du monde, avait écrit le poète. (...) Gabriel l'a construit ; Pajou en a fait la sculpture, Durameau le plafond. Le Sénat le détient ; la France le conserve, le balaye et l'ignore. (...) Ni la question d'argent, ni l'occupation actuelle de l'édifice par le Sénat ne sont de vrais obstacles. L'inertie, la pluralité des administrations ou services " intéressés ", la crainte vague de ce qui séduit, la douceur de l'absence d'*histoires*, et tous les charmes de l'indifférence : voilà les monstres vains qui gardent le sommeil du beau théâtre du château... » [11]

Cette fois, grâce à l'élan de sympathie suscité par Cornu — et qui facilite autant le financement des opérations que leur autorisation par le dépositaire de la salle *, alors Gaston Monnerville —, le grand œuvre peut enfin être lancé. André Japy touche à son but. Mais il est rattrapé par la limite d'âge ! En toute logique, c'est son successeur en titre, Marc Saltet, qui devrait prendre le relais. Seulement Japy, incapable de s'arracher à un chantier qui lui tient trop à cœur, choisit de tirer parti du statut ambigu de la salle ; et il décide, avec l'accord de son jeune confrère, de mener lui-même « ses » travaux à leur terme.

Secondé par l'excellent Pierre Lablaude — alors en charge des Ecuries, notamment — il va procéder d'abord à la consolidation générale de la charpente, et faire en sorte qu'elle repose désormais, non plus sur

---

* On appelle alors la haute assemblée « Conseil de la République ».

des poutres internes, mais bien sur les murs porteurs. Le châssis vitré du plafond sera supprimé, les planchers repris, les entablements de nouveau fixés aux parois. « Ces travaux de restauration des charpentes, de la couverture et de la maçonnerie ont été longs, difficiles et onéreux, devait confesser Japy après coup. La dépense s'est élevée à neuf cents millions environ. Non moins laborieuse devait être la remise en état de la salle, de son décor et de son ameublement et, du point de vue " archéologique " et artistique, plus délicate encore, par les recherches historiques qu'elle allait exiger. Mais contrairement à ce qu'on pourrait croire, elle fut infiniment moins coûteuse, se situant aux alentours de cent millions [12]. » En fait, la durée même des travaux de gros œuvre devait se révéler salutaire : elle dégageait du temps pour l'approfondissement des recherches en archives, menées par Henri Racinais, documentaliste au service d'Architecture et premier historien des petits appartements de Louis XV et de Louis XVI. Le dépouillement de documents précis lui permettra, en fin de compte, de guider la restauration la plus fine, la plus précise jamais encore conduite à Versailles. Or, dans l'avenir, c'est ce degré d'exigence qui prévaudra sur la plupart des chantiers.

Pour les couleurs, la chance a voulu que, sous le plancher de l'orchestre, soit retrouvé un certain nombre de témoins des tons nuancés d'autrefois, partout ailleurs badigeonnés de rouge en 1837. Ainsi de balustrades inutilisées sous Louis-Philippe, parce qu'elles ne servaient qu'à transformer la salle de spectacle en salle de bal ou de festin, et qui désigneront les teintes exactes, et jusqu'au dessin des faux marbres... Très souvent, les ravissants motifs peints sous Louis XV pourront être récupérés après nettoyage — mais ils auront besoin d'une restauration poussée. De précieux morceaux d'étoffe vont également rendre possible une restitution au plus juste. Une conférencière de l'époque rapporte le cas d'un morceau de velours d'Utrecht frappé, bleu assez foncé, qui avait recouvert jadis tabourets et banquettes, et qu'on devait dénicher dans le trou du souffleur. « Ce morceau était encore monté sur son châssis d'époque qui comprenait une moulure ancienne sculptée et un panneau de faux marbre. Ce fragment provenait d'une des secondes loges et se raccordait parfaitement à la décoration, ce qui a permis à M. Japy de résoudre un des problèmes délicats qui lui étaient posés. » Là où ce travail devient vraiment magique, c'est lorsqu'on apprend que « les presses anciennes qui avaient frappé ce velours d'Utrecht ont été elles aussi retrouvées chez un fabricant d'Amiens. De sorte que, si le velours recouvrant les banquettes et tapissant l'intérieur des loges est moderne, il a exactement le ton qu'il avait au XVIIIe siècle et a été frappé avec les mêmes fers [13] » !

Moins édifiante, sans doute, est la décision prise quant aux machineries de l'orchestre, il est vrai délabrées : plutôt que de tenter de reconstruire entièrement le fameux mécanisme permettant au parterre de se hisser au niveau de la scène, André Japy a préféré le condamner à jamais, pour établir un plancher fixe. La réussite des travaux sera si complète, par ailleurs, que l'on ne peut s'empêcher de regretter que ce raffinement suprême ait été sacrifié à des impératifs, en soi respectables, de sobriété, de solidité et de sécurité.

Quoiqu'il en soit, la plus belle des salles de spectacle a retrouvé son éclat pour la réception, le mardi 9 avril 1957, de la reine Elizabeth II d'Angleterre et du prince consort Philip, par le président Coty. La jeune souveraine et son époux, après avoir visité le château et les jardins, ont pris un peu de repos dans les petits appartements de Marie-Antoinette. Puis ils ont présidé un grand déjeuner de trois cents couverts dans la galerie des Glaces. Le nombre de convives et de serveurs a créé du désordre, mais la magie opère quand même, et l'on en viendrait pour un peu à oublier la guerre qui fait rage en Algérie, ou la signature, quelques jours plus tôt, d'un traité de Rome où le Royaume-Uni brillait par son absence...

Pour André Japy, c'est un couronnement de carrière en même temps qu'une consécration ; et l'architecte en chef connaît l'excitation des grands jours. « Pendant que circulaient le Charolais Montpensier, le Suprême de bécasse Grand Siècle, le Puligny Montrachet et le Clos Vougeot Maupertuis, raconte-t-il, servis par des valets en habit à la française, à quelques pas, dans le théâtre de Gabriel, les machinistes s'affairaient [14] » comme au beau temps du mariage de la dauphine.

Quand la foule des invités pénètre enfin dans la salle étincelant de tous ses feux, c'est avec les yeux écarquillés de rêveurs éveillés. Le corps de ballet de l'Opéra de Paris, à qui la salle est dévolue, va donner le troisième acte des *Indes galantes*, de Rameau, dans une mise en scène de Maurice Lehmann que d'aucuns jugeront « voyante ». « Quarante minutes de spectacle au cours duquel la reine donna deux fois elle-même le signal des applaudissements. Puis, lorsque fut tombé le rideau du roi de France, que les applaudissements, mille fois plus sonores en cette salle où tout est en bois, même les colonnes, se furent tus, elle se retourna vers son voisin, le président de la République, M. René Coty, avec un regard émerveillé. Et les indiscrets affirment qu'elle murmura pour elle-même les mots : “ It's too lovely ”. [15] » Un peu plus tard, au-dehors, les badauds tenus à l'écart pourront quand même apercevoir dans le ciel, inscrits par un aviateur en lettres de fumée, ces mots qui, à Versailles, ne sont jamais gratuits : « Vive la Reine. »

11

Versailles remeublé

Musée, maison d'habitation, demeure des fées, Olympe, l'amas d'un tel palais comporte au moins ces définitions. Connaître les circonstances, les états successifs, les personnes, leurs costumes, leurs mœurs, la philosophie qui s'en dégage et celle qui s'y cache, concevoir le travail réclamé par chaque objet, dresser les tables des expressions, l'inventaire des métaux et des faunes, savoir comment fut la bataille et comment le tableau, n'est pas une entreprise inhumaine. Il n'y faut que trois cents ans, bien employés.

NIMIER.

La visite de la reine d'Angleterre a fait ressortir la rivalité opposant la conservation du musée à l'agence d'architecture du domaine. Usant pleinement de leurs attributions respectives, Van der Kemp et Saltet ont fait assaut de politesse dans leurs présentations de la maison et des jardins. Si l'un et l'autre y ont mis quelque aisance, le conservateur en chef, au final, s'est montré plus disert — trop disert même au goût d'André Japy. En effet, quoique officiellement remplacé, le vieil architecte continue de hanter les lieux, nourrissant des griefs à l'encontre du jeune conservateur ; leur antagonisme culminera lors des élections municipales de

1958, Gérald Van der Kemp ayant obtenu l'accord de ses supérieurs pour figurer — sans succès d'ailleurs — sur la liste versaillaise du parti gaulliste.

Du moins le retour au pouvoir de l'homme du 18 Juin va-t-il doter le patron du musée d'une influence que lui envient les architectes ; ne prenaient-ils ombrage, déjà, des privautés dont l'honorait le président Coty ? Désormais, celui que ses confrères appellent VDK va disposer, dans les allées du pouvoir, de plusieurs oreilles bienveillantes. Il n'hésite pas à jouer de cet avantage ; car il sait bien que sans ces relations qui souvent font la différence, il serait condamné à expédier les affaires courantes. Van der Kemp a retenu la leçon de Nolhac *:* le salut, pour le conservateur démuni d'un musée sans gros moyens, réside dans son aura personnelle... et dans l'estime que lui vouent décisionnaires et faiseurs d'opinion.

Au reste, ses assiduités s'avèrent payantes. Ainsi voit-on rentrer au salon d'Hercule, en 1961, une toile monumentale de Véronèse, *Le Repas chez Simon*. Van der Kemp s'était arrangé pour que la revue *Connaissance des Arts* démontre, par photomontage, l'intérêt de ce transfert. Peu de temps après, le ministre d'Etat en charge des Affaires culturelles, André Malraux, obtenait du conservateur des peintures du Louvre, Germain Bazin, la cession à Versailles d'un chef-d'œuvre auquel, pourtant, son département tenait beaucoup... Le transport de la toile du Louvre à Versailles, revenait aux architectes — ce qui nous vaut une page cocasse des *Souvenirs* de Marc Saltet. « Il fallut, raconte celui-ci, fabriquer une caisse aux dimensions de la toile, faire traverser à cette dernière, pas encore emballée, tout le palais, avec ses portes et ses escaliers, en frôlant parfois des œuvres comme la *Victoire de Samothrace*, la mettre dans la caisse, la faire entrer dans un camion, la caler, la protéger des chocs, arriver à Versailles, où la balustrade et les menuiseries de la porte-fenêtre centrale du salon d'Hercule avaient été démontées (ce qui nous laissait quatre centimètres pour passer en hauteur...), et recommencer presque toute l'opération en sens inverse [1]. » Entre-temps, un orage ayant retardé le transfert, la toile avait dû passer la nuit dans le camion, gardée par la police !

Bon an mal an, les deux têtes de la dyarchie versaillaise sont condamnées à collaborer, ce qui ne va pas sans mal ; et les conflits s'accumulent. Van der Kemp, homme de caractère, en appelle souvent à Paris, où ses doléances indisposent. Plus que tout, c'est le monopole des architectes sur les subsides en deniers publics qui exaspère le conservateur en chef. « Je ne demande au fond que la remise en ordre d'un service absolument perturbé par des gens enivrés de leur situation financière », se plaint-il dans une note de mars 1959, transmise au cabinet du Premier ministre. Des mois durant, il n'aura de cesse que les fonds alloués à Versailles par l'Etat soient affectés, via la Réunion des Musées nationaux, directement aux services de la conservation « puisque aussi bien il n'y aurait pas de travaux s'il n'y avait pas de musée [2] ».

Le souffle VDK

Les moyens que réclame le patron de Versailles visent d'abord à financer les nouveaux services qui se mettent en place sous son impulsion. Son ambition est en effet de doter le musée des instruments de son auto-rénovation. Porté par ses goûts personnels vers les métiers d'art et le traitement raffiné des matériaux précieux — marbre de Carrare, velours de Gênes, cristal de Bohême —, Van der Kemp entend bien développer chez ses propres employés certains savoir-faire adaptés. Ainsi voient le jour, de la manière la plus empirique, des ateliers de maquette, de menuiserie, d'ébénisterie, de tapisserie, d'horlogerie, de dorure... Ces créations « sur le tas » sont complétées par des ateliers modernes de rentoilage et de restauration des pigments, mais aussi par un laboratoire de photographie. Un studio de microfilm est même créé, en accord avec la direction des Archives nationales, avec l'ambition de constituer un chartrier complet des commandes royales, nourri d'une puissante documentation iconographique.

On l'aura compris : le souffle VDK se veut un vent moderne, ouvert aux techniques les plus en pointe comme à celles héritées des traditions ; l'esthète entend faire triompher sa vision intégrée — transversale diront certains — de la muséographie. L'un de ses premiers objectifs a d'ailleurs été d'étoffer les services, jusque-là très légers, de la conservation, qu'il s'emploie à doter en personnel et matériel dignes d'une institution culturelle dynamique. Faut-il préciser que de telles initiatives multiplient à plaisir le nombre de ses adversaires, ne serait-ce qu'au sein de son corps d'origine ?

Dans le monde des arts — comme dans le monde tout court —, il se dit désormais que le nouveau conservateur en chef voit grand et vise haut. Il est vrai que Van der Kemp, reprenant à son compte la grande ambition de remeubler la demeure *, n'hésite pas à livrer bataille à ses confrères du Louvre et de Fontainebleau, par exemple, afin de récupérer définitivement certaines pièces de mobilier nées à Versailles — à commencer par les chefs-d'œuvre prêtés pour la visite de la reine d'Angleterre, comme le célèbre secrétaire à cylindre d'Oeben et Riesener, pièce maîtresse

* Un curieux ouvrage publié vers cette époque par Jean H. Prat et intitulé *Remeubler Versailles... d'accord, mais comment ?* donne une idée du nombre et de l'ampleur des questions soulevées par cette option.

du cabinet d'angle, ou les quatre chaises de Foliot, placées au même endroit en 1779.

Ses relations privilégiées avec le personnel politique de la Ve République, offrent du reste au conservateur en chef des opportunités inappréciables. Ainsi est-ce à l'issue d'un entretien privé avec le Premier ministre Michel Debré qu'est édicté l'important décret du 13 février 1961, ordonnant que « les peintures, sculptures, meubles, tapis et tapisseries, livres reliés et généralement toutes les œuvres d'art ayant appartenu au décor intérieur des châteaux de Versailles et des Trianons, de leurs annexes et dépendances, ainsi qu'au décor intérieur du château de Marly et des autres demeures royales disparues du XVIIe, XVIIIe et XIXe siècles, et actuellement affectées aux administrations ou collections publiques de l'Etat autres que les musées nationaux et mises en dépôt dans ces mêmes administrations ou collections, sont affectées au musée national de Versailles et des Trianons » [3]. Cet acte fondateur, et qui porte l'empreinte de son signataire, se veut une pétition de principe. Certes, il a fallu, pour ménager la susceptibilité de tout un corps, exclure de son champ d'application les musées nationaux — et donc le Louvre —, ce qui limite singulièrement sa portée ; mais outre qu'une telle restriction était à peu près inévitable, elle n'ôte rien à la force du symbole ni à la justesse de la décision. Et la lenteur de la mise en œuvre de ce texte n'exemptera nullement des institutions comme la Bibliothèque nationale ou le Conservatoire des Arts et Métiers, de restituer à Versailles, qui des meubles précieux de Gaudreaux et Joubert, qui la célèbre pendule de Roque.

Van der Kemp ne s'en tient pas à ces acquis. Loin de se contenter de l'initiative publique, il met à contribution ses propres relations, pour développer le mécénat au profit de Versailles. Certaines actions ponctuelles relèvent du parrainage : ainsi, par exemple, les grilles forgées des escaliers de Marbre et des Ambassadeurs, de part et d'autre de la cour royale, ont-elles été reconstituées, dès 1957, aux frais d'Edgar Brandt. C'est là un type d'opération qui, à ses yeux, excède les compétences des pouvoirs publics. D'autres actions, plus nombreuses, passent par des dons en nature ; ainsi, le conservateur en chef va-t-il susciter, de la part d'innombrables bienfaiteurs, des cessions de meubles et d'objets nombreuses et régulières. Des centaines de références viennent enrichir les collections du musée à partir de 1955, parmi lesquelles certaines pièces importantes, comme l'armoire Boulle de Machault d'Arnouville (donation Ansley), deux torchères guéridons de la galerie des Glaces (don du comte Niel en souvenir de la comtesse), un lustre du XVIIIe siècle placé dans le salon des Nobles (don de la comtesse de Pimodan), les quatre encoignures et des chaises du salon de Jeux de Louis XVI, etc. Les donateurs sont innombrables, et vont de collectionneurs français, comme le comte de Noailles, Paul-Louis Weiler ou Pierre David-Weill, à des milliardaires internationaux, comme Antenor Patino ou Stavros Niarchos, en passant par des proches du conservateur en chef, comme Charles O. Zieseniss ou Arturo Lopez-Willshaw...

Mais c'est dans la haute société d'outre-Atlantique que VDK va trouver ses soutiens les plus efficaces. Il effectue sans cesse des voyages sur la côte Est, et ne ménage pas sa peine, jouant de son charme de dandy « old fashionned » et du nom de Versailles, comme d'un philtre et d'un Sésame. Le mariage du « French curator », en 1963, avec l'Américaine Florence Harris, charmante héritière aux relations fulgurantes, achève de placer le maître de Versailles au centre de la société cosmopolite et généreuse de son temps. Sept ans plus tard, les relations de Florence au sein de l'administration Nixon — notamment avec le conseiller du Président, Pat Buchanan, et le gouverneur John

Conally — rendront possible l'institution de l'efficace Versailles Foundation. « Des bienfaiteurs tels que Mme Albert Lasker, Son Excellence et Mme Arthur Watson, Mme Ellen Lehmann, M. et Mme Joseph Lauder, (...) Mme Vincent Astor, M. et Mme Oscar Wyatt, le baron et la baronne Hubert von Pantz, M. et Mme Gordon Getty et le futur ambassadeur en France, Son Excellence Pamela Harriman et son mari Averell, ont permis à la Versailles Foundation d'acquérir nombre de pièces d'une importance considérable [4]. »

A Versailles même, les réceptions du couple Van der Kemp, dans la grande salle à manger de l'aile sud des Ministres, font désormais partie des « musts ». Chaque mois, Gérald et Florence organisent trois déjeuners de trente couverts, et deux ou trois dîners de soixante couverts ! Y être convié permet de croiser familièrement des mythes comme Grace Kelly ou Herbert von Karajan, et vaut brevet de mondanité ; d'ailleurs le maître de maison lui-même l'affirme : « Versailles fait partie de ce que j'appellerais " la parisianité ", et pour un citoyen de cet Etat qu'on appelle le " Monde ", n'est point Parisien désormais qui ne s'occupe de Versailles [5] ! » Où l'on peut dire que, si Gérald Van der Kemp a suivi socialement l'exemple de Pierre de Nolhac, sur ce plan l'élève a largement dépassé le maître.

Les hôtes du Général

A son niveau, le chef de l'Etat lui-même mesure le bénéfice qu'il peut tirer d'un tel cadre, en termes de prestige et d'autorité. La première solennité gaullienne à Versailles sera pour le roi des Belges, Baudouin Ier, et la reine Fabiola. Le vendredi 26 mai 1961, leur visite d'Etat en France est couronnée par un fastueux déjeuner dans la galerie des Glaces, inspiré de celui donné naguère en l'honneur de la reine d'Angleterre.

Seulement la veille au soir, à l'Opéra de Paris, la souveraine a subi un malaise assez grave, ce qui ne peut qu'assombrir la journée. Ce souvenir en demi-teinte est éclipsé, une semaine plus tard, le vendredi 2 juin, par un éblouissant souper offert, dans les mêmes lieux, au président John F. Kennedy et à son épouse. En vérité, c'est la *First Lady* en personne qui a manifesté le souhait que la délégation américaine jouisse à son tour des honneurs de Versailles... L'agenda des présidents étant serré, l'on n'a pu programmer qu'un dîner ; or, à l'époque, la Grande Galerie n'est pas électrifiée ! Qu'à cela ne tienne : travaillant d'arrache-pied, les techniciens accomplissent le prodige d'équiper, en un temps record, non seulement la galerie, mais toute l'enfilade du Grand Appartement ! De sorte qu'à la beauté de la réception et à l'attrait particulier des hôtes, s'ajouteront, ce soir-là, les feux d'une soirée brillamment illuminée. Plus d'un siècle après la réception grandiose de la reine Victoria, Versailles renoue avec de grands souvenirs...

L'ancien domaine des rois devient bientôt assez incontournable pour que le général de Gaulle exprime le souhait de disposer, sur place, d'appartements où loger dignement les hôtes de la France. C'est dans cet objectif utilitaire que sont décidés, en 1963, la restauration générale du Grand Trianon et l'aménagement spécifique de certains de ses salons. Les crédits seront pris sur l'enveloppe de la loi-programme du 31 juillet 1962 * en faveur de Versailles, dont ils capteront une part importante. Le Parlement n'a-t-il pas concédé au domaine, sur cinq ans, quelque quatre-vingts millions de francs lourds ? Pour Gérald Van der Kemp, c'est le point de départ d'un nouveau projet à long terme : reconstituer, sur la base des travaux menés par Mauricheau-Beaupré en 1929 et des recherches

* Cette loi salutaire permettra toutefois la réfection des voussures du Grand Appartement.

savantes de Denise Ledoux-Lebard, les intérieurs de la demeure tels qu'ils étaient sous le premier Empire *.

A l'été 1964, le gros œuvre est déjà bien avancé, quand le Général effectue lui-même une visite du chantier. Il est accompagné par André Malraux — à qui le Premier ministre Georges Pompidou vient de concéder l'usufruit de sa résidence versaillaise, le pavillon de la Lanterne. Tout le monde se déclare satisfait des aménagements en cours. Ce n'est qu'une fois rentré à Paris qu'une idée vient à germer dans l'esprit du président. C'est Marc Saltet qui raconte : « A peine rentré de mon bureau, je recevais un appel de l'Elysée : " le Général, me dit mon interlocuteur, (...) m'a posé la question suivante : ' L'hôte officiel, étranger, qui va être reçu au Grand Trianon ne peut évidemment être accueilli par le chef de l'Etat que si celui-ci le reçoit sous son toit. Or, je n'ai pas vu, au cours de ma visite, de lieux prévus pour me recevoir et me mettant en mesure d'accueillir mon hôte sous mon toit. ' Personnellement, je n'ai su que répondre. C'est pourquoi je m'adresse à vous. " [6] » L'architecte s'engouffre aussitôt dans la brèche et profite de l'occasion pour exposer un projet opportun : reprendre l'aile en retour, appelée Trianon-sous-Bois, initialement exclue du programme de restauration, et en faire la résidence d'appoint du président de la République. L'idée ne déplaît pas ; l'aile fera donc peau neuve ! Elle sera garnie par le Mobilier national et décorée sur les indications d'Henri Samuel, le grand architecte d'intérieur de l'époque, ami personnel des Van der Kemp et décorateur de leurs appartements au château.

Mutatis mutandis, c'est la première fois depuis Louis-Philippe que le domaine de Versailles est à même d'héberger le chef de l'Etat ! Ce discret retour des lieux à leur vocation régalienne est une revanche

* Plus des trois quarts des meubles figurant sur l'état de 1809 y reviendront finalement.

de la demeure sur les musées... Le 10 juin 1966, le Grand Trianon est officiellement inauguré par le général de Gaulle, à l'occasion d'une réception en l'honneur de l'Académie des sciences. Par la suite, nombreux seront les hôtes du Général et de ses successeurs à venir s'y installer quelques jours ; ainsi la reine Elizabeth y séjournera-t-elle en 1971, le roi Fayçal d'Arabie Saoudite, en 1973... On trouve même une mention de la résidence dans les *Mémoires* de Richard Nixon. « De Gaulle et moi nous retrouvâmes au palais du Grand Trianon, à Versailles, devait se souvenir le président. " Louis XIV dirigeait l'Europe depuis cette pièce ", me dit-il alors que nous étions devant l'une des très hautes fenêtres prenant jour sur des arpents de jardins ordonnés [7]. » Forts d'un tel préambule, les deux hommes d'Etat évoqueront, ce jour-là, les conséquences ultimes de la Seconde Guerre mondiale, les relations possibles avec l'Union soviétique et, surtout, l'ouverture souhaitable de l'Occident à la Chine populaire. Ainsi, l'espace de quelques heures, l'ancien domaine royal redevient-il un de ces lieux d'élection, où paraît se jouer le sort du monde... De Gaulle ne doit pas être le dernier à goûter l'adéquation du cadre à la situation ; et ses proches confirmeront le plaisir qu'il a pu prendre à ces crochets diplomatiques par les allées de Trianon.

Plus ou moins grandioses, protocolaires à divers degrés, les réceptions de chefs d'Etat et de gouvernement vont se succéder au château pendant tout le « règne » du Général, mais aussi sous les mandats de ses deux successeurs immédiats. On verra la galerie des Glaces accueillir de nouvelles soirées en l'honneur d'hôtes illustres, comme le shah d'Iran Mohammed Reza Pahlevi, en juin 1974, ou le président Jimmy Carter, en janvier 1978. Le président Giscard d'Estaing, surtout, saura montrer de l'attachement envers cette tradition qu'il tentera, dans le même temps, de rajeunir.

Versailles, il est vrai, a toujours eu ses faveurs. Lorsqu'il n'était que ministre des Finances, en 1966, n'a-t-il pas envoyé à Van der Kemp un beau cartel de pendule d'époque Louis XIV, alors échoué dans son département ? Quant à son bureau personnel — qui fut d'abord celui de Louis XV —, il rejoindra Versailles, sur décision présidentielle, en mai 1981.

Grandes restitutions

Le 16 juin 1975, en venant personnellement inaugurer, à Versailles, l'ensemble des salles historiques restaurées depuis une dizaine d'années, le secrétaire d'Etat à la Culture, Michel Guy, confirme l'intérêt des pouvoirs publics pour la remise en état d'un palais de plus en plus visité. Le ministre lui-même a fait revenir du Louvre « des bras de lumière faits pour Louis XVI à Saint-Cloud, une pendule de Lepine et une table de Schwerdfeger provenant du Petit Trianon, mais aussi le candélabre de l'Indépendance américaine et deux vases de Sèvres, tous trois montés par Thomire, pour le cabinet d'angle de Louis XVI [8] ».

Le conservateur en chef est alors à l'apogée de sa notoriété. La télévision diffuse complaisamment cet échange entre un journaliste et une petite fille anonyme : « Sais-tu qui a construit le château de Versailles ? — Oui, c'est monsieur Van der Kemp »... En vingt années d'un règne sans partage, le « Commandeur », comme l'ont surnommé ses confrères, a marqué les intérieurs de son empreinte. Le clou de la visite est évidemment la reconstitution du décor de la chambre de la Reine. L'état de référence est celui de 1787-1789. Trente ans après les premiers efforts de Mauricheau-Beaupré, son successeur s'est efforcé de livrer un ensemble complet, spectaculaire par la profusion des étoffes, évocateur par l'accumulation d'un mobilier en partie reconstitué. « En résumé, la chambre de la Reine, telle qu'elle s'offre désormais aux regards du visiteur, présente des éléments originaux (décor sculpté et peint du plafond et des murs, cheminée, écran, courtepointe du lit, coffre à bijoux, feu, cartel d'applique), des reconstitutions rigoureusement authentiques (tenture d'alcôve, sculpture de chantourné, broderies du lit et des sièges, lustres), des éléments équivalents (bois des fauteuils et des ployants, tapis) et enfin des reconstitutions qui sont basées sur des documents d'archives mais dans lesquelles entre une part plus ou moins grande d'invention (couronnement du lit, balustre, bordures de la tenture murale) [9]. »

Le luxueux magazine *Plaisir de France* peut titrer, à Noël 1975, sur le « royal renouveau » de Versailles. « L'année 1975 a été marquée à Versailles par ces événements majeurs que constituent la restitution historique du Grand Appartement, notamment la galerie des Glaces et la chambre de la Reine, l'évocation de l'appartement de Mme de Maintenon, (...) d'autres aménagements encore, comme celui de l'appartement de la Dauphine, explique l'éditorial. Il faut y ajouter le retour et la remise à leur emplacement d'origine de panneaux de boiserie, de cheminées, de nombreux marbres, porphyres, bronzes ciselés et dorés qui, avec le retissage des tentures et des rideaux, dénote la volonté de rétablir un décor d'un extrême raffinement qui était celui du château avant la Révolution [10]. » Dès lors, c'est l'image d'un Versailles en plein essor qui s'impose. La restauration spectaculaire du salon des Jeux de Louis XVI est un exemple de ce que l'Etat peut réussir, quand ses moyens sont mis en œuvre avec énergie et persévérance. Même les travaux plus confidentiels menés, dans l'attique du Midi, sur les collections de peintures relatives à l'Empire, finissent par intéresser le grand public !

C'est dans ce contexte euphorisant, et alors qu'une

nouvelle loi-programme de cinq ans est sur le point d'être votée, que survient l'attentat du lundi 26 juin 1978. Des indépendantistes bretons ont fait sauter, de nuit, une importante charge dans la galerie de pierre de l'aile du Midi. On ne déplore aucune victime, mais les dégâts sont assez importants — par chance, dans une partie du château éloignée des appartements historiques du corps central. A l'annonce de cette explosion, l'émotion est très vive dans le pays, et même à l'étranger. Dès le mardi matin, des dizaines de chèques de soutien parviennent à la conservation du château. François Schmitz, conseiller général de Versailles, a demandé la réunion d'urgence du conseil des Yvelines « pour protester officiellement contre ce lâche attentat, décider de la participation du département aux travaux de réfection et proposer le lancement d'une souscription nationale ». Quant au maire de Versailles, l'excellent André Damien, il se déclare « scandalisé par une inqualifiable profanation dirigée contre un élément essentiel du patrimoine national ».

Ce coup porté à Versailles permet du moins, s'il en était besoin, de jauger instantanément l'attachement du public au grand château. Deux ans plus tard, l'inauguration spectaculaire de la chambre du Roi, remaniée de fond en comble avec le concours de grands mécènes comme Arturo Lopez-Willshaw et Pierre Schlumberger, achèvera d'effacer ce mauvais souvenir. Présentée comme le point d'orgue d'une politique de renouveau menée pendant un quart de siècle, cette restauration n'échappera pas à la controverse. Des critiques se manifesteront pour dénoncer un lit surdimensionné, une dorure trop vive, un brocart retissé à grands frais sur un motif erroné *... La galerie des Glaces après tra-

* Dans un article malheureusement tardif, Chantal Gastinel-Coural devait révéler que le motif de ce brocart a été consigné par Ingres dans un portrait du duc d'Orléans daté de 1842.

vaux, dévoilée au public à la même époque, se voit également reprocher ses immenses lustres modernes, en baccarat teinté, et des torchères moulées en résine. Là n'est sûrement pas l'essentiel. A l'heure où les foules, éblouies d'avance, se précipitent vers ces morceaux de roi, il semble plus pertinent de mesurer, à la lueur des splendeurs retrouvées, le chemin parcouru depuis le temps, pas si lointain, de la misère et de la déréliction.

Bilan des années Van Der Kemp

Un article de José-Luis de Villalonga sur Gérald Van der Kemp, paru en 1972, comporte ce portrait définitif. « Il est gigantesque. Il a le teint rose et clair des gens qui savent que la vie vaut souvent la peine d'être vécue. Il a le regard malicieux, un sourire qui quitte rarement ses lèvres bien dessinées. Il a de belles mains blanches, soignées, dont il se sert pour ponctuer une conversation d'érudit. Il porte des bagues, plusieurs, une chaîne en or et des boutons de manchettes précieux. Il ne tourne jamais la tête, mais le corps tout entier, avec une sorte de majesté tranquille. Il est habillé à Rome, à Londres et à Paris, mais seulement par ceux qui savent que pour un homme de qualité, la mode n'est que foutaise. Il aime les tweeds, les cannes à pommeaux ouvragés, les capes, les cols de fourrure, les tissus exotiques. Les dames l'apprécient car il fait mine de s'intéresser à ce qu'elles disent. Les hommes l'estiment parce qu'il sait bien parler d'un vin, d'un gigot, d'un cigare. Il se déplace avec lenteur, royalement, suscitant non la crainte, mais le respect chez ses subordonnés aussi bien que chez ceux qui le tutoient [11]. » Voilà bien, au physique et au moral, la peinture d'un homme empreint d'un certain panache !

Au tournant du XXe siècle, vingt-sept années de

magistère avaient permis à Nolhac de transformer un musée poussiéreux, absurde, en un monument historique des plus attrayants. Un demi-siècle plus tard, Van der Kemp passa lui aussi vingt-sept ans à la tête de son musée ; et d'un monument décati, menaçant ruine, il a fait une rutilante vitrine des arts décoratifs français. L'un et l'autre, ces deux grands conservateurs se seront donc posés en fers de lance d'un renouveau versaillais. Comme Nolhac, Van der Kemp s'attela jeune aux destinées de la maison Versailles ; comme Nolhac, il en fit sa chose personnelle et l'œuvre de sa vie. Jusqu'aux controverses nourries par son caractère abrupt, qui ne sont pas sans en rappeler d'autres — plus feutrées, celles-là, car policées par les façons d'alors... Qu'on ne s'y trompe pas, néanmoins : Nolhac en son temps n'avait pas rencontré moins de réticences que Van der Kemp n'en fit naître dans le sien ; et ceux qui, parfois encore, invoquent la mémoire de celui-là pour flétrir le nom de celui-ci font profession de mauvaise foi. Tout au plus peut-on dire que Van der Kemp mit dans son entreprise moins de science et de rigueur que Nolhac n'en avait investi dans sa croisade ; mais l'un prétendait conduire une révolution, quand l'autre se contenta d'une restauration. Tous deux n'en furent pas moins hommes d'envergure ; ils se dotèrent des moyens de leurs ambitions, et surent se poser en visionnaires, en meneurs respectés par leurs troupes, en grands patrons enfin, avec les qualités que cela recouvre, et les défauts : une énergie pharaonique, de l'autorité à revendre, beaucoup de réalisme, pas mal d'entregent, un peu d'égocentrisme et cette pincée de paternalisme qui scelle à jamais les fidélités comme les haines.

Dans des conditions rendues pénibles par l'hostilité à peine voilée de son administration de tutelle, VDK a su jouer de son charme élitaire et de ses relations brillantes pour obtenir ce que personne avant lui n'avait osé : que Versailles redevînt un pôle majeur du patrimoine. Très jeune et bien avant tout le monde, il avait compris l'importance de maintenir et d'encourager la maîtrise de certains savoir-faire artisanaux. Conscient des nouveaux enjeux de la muséographie, il avait tôt accru les effectifs de la conservation, et plaidé pour qu'on lui confiât l'essentiel de budgets alloués jusque-là au domaine. Mais c'est dans l'aventure extraordinaire du « remeublement » que Van der Kemp aura donné sa vraie mesure. En ce domaine, recourant sans fausse pudeur au mécénat privé, il a rendu possible ce que tout le monde avait pensé illusoire.

Au passif, les érudits ne manqueront pas de souligner certaines lacunes, que ne parvenait pas toujours à cacher une assurance de ton sans réplique. On a également reproché à Gérald Van der Kemp de pousser à l'acquisition hâtive de meubles et d'objets que d'aucuns — au Louvre notamment — trouvaient douteux de provenance ou d'authenticité ; et l'on a presque toujours omis d'ajouter que cette boulimie n'était que la contrepartie d'un dévouement passionné à la cause. On la trouvera moins gênante, à tout prendre, qu'une autre tendance du conservateur en chef : celle qui consistait pour lui à imposer partout — et notamment dans l'enfilade des salles de musée — cette sorte d'étoffe indigeste inspirée de l'Empire et que Jean-Marie Pérouse de Monclos a baptisée le « velours frappé Van der Kemp »... A vouloir trop bien faire, il arrive ainsi qu'on exagère ; du moins, et pour citer une libraire connue des Versaillais : « Du temps de M. Van der Kemp, les carreaux étaient faits, les retouches de peinture, à jour et la tenue du personnel, irréprochable ; on dira ce qu'on voudra, cet homme-là savait tenir sa maison. »

S'il possédait ses inconditionnels, l'académicien des Beaux-Arts avait aussi, après tant d'années d'un pouvoir sans partage, accumulé contre lui la rancœur de nombreux adversaires. Il crut même, sur la fin, qu'on le desservait en haut lieu... Aussi lorsque, atteint par la limite d'âge, il partit en 1980 pour le domaine de Claude Monet à Giverny — comme Nolhac avait fait une fin à l'hôtel Jacquemard-André —, c'est un homme assez triste qu'on vit tirer sa révérence. Ce sentiment ne paraît pas s'être apaisé par la suite, et le personnage était encore amer au jour de sa disparition, le 28 décembre 2001. Rien n'est plus injuste, en vérité. Il ne tient aujourd'hui qu'à la Ville de Versailles de réparer l'ingratitude de l'Etat : en baptisant une rue proche du château du nom de Gérald Van der Kemp, elle rendrait un hommage mérité au plus zélé de ses serviteurs.

12

Nouveaux horizons

... on a le sentiment que l'art classique français des jardins, et même Versailles, malgré les grandes eaux (aussi retranchées de la vie courante que peut l'être un feu d'artifice), n'ont voulu connaître que le pouvoir agrandissant, les flaques de ciel...

GRACQ.

Le successeur de Gérald Van der Kemp est un de ces grands commis du patrimoine qui, s'effaçant derrière leur devoir, n'en sont pas moins des acteurs efficaces et même déterminants. Sa discrétion naturelle l'a peu mêlé à la chronique des années d'après-guerre ; et cependant, il en a été partie prenante dès 1948. Après un long détour par Fontainebleau dans les années 1960, il a fini, nécessairement, par revenir au lieu de ses premières amours, comme adjoint direct du conservateur en chef. Les déplacements fréquents de celui-ci lui ont même valu, dans les derniers temps, de tenir souvent la barre. Existe-t-il formation plus appropriée ?

Le destin de Pierre Lemoine mérite, du reste, qu'on s'y arrête. Né en Algérie, ancien élève de l'Ecole libre des sciences politiques, il avait participé tout jeune à la campagne d'Italie. Blessé comme tant d'autres à Monte Cassino, il avait fait alors ce serment trahissant une passion profonde — de celles qui s'allument dans l'enfance pour ne jamais s'éteindre : « Si je sors vivant de cette guerre et si Versailles n'est pas détruit, avait-il déclaré à ses compagnons d'armes, j'irai travailler là-bas, à la conservation du château. » Bien sûr, il avait tenu parole. Admis après la Libération, sur recommandation du doyen d'Alger, à la section des élèves agréés à l'école du Louvre, il y avait suivi les cours des meilleurs maîtres, à commencer par Pierre Verlet dont il deviendrait l'assistant. Et c'est comme attaché libre qu'il devait rejoindre, à Versailles, l'équipe restreinte de Charles Mauricheau-Beaupré — situation trop provisoire sans doute pour ne pas s'éterniser...

Autant dire que l'homme a mûri dans le sérail, et que sa nomination, en 1980, semble aussi naturelle aux initiés que celle de Van der Kemp avait jadis paru forcée. Le 16 juin, alors qu'il reçoit officiellement au château les souverains de Suède, ses pairs approuvent en sourdine le choix du ministre. Or Pierre Lemoine saura leur faire honneur : les six années de son mandat vont être pour Versailles une période heureuse. Il est vrai que le site est alors à l'apogée de ce renouveau qu'a préparé le sursaut de l'après-guerre. Sachant fertiliser ce bon terreau, l'intelligence du nouveau patron fait merveille ; or, la loi de programmation du 11 juillet 1978 lui offre les moyens d'insuffler au château cette cohérence et cette lisibilité dont avaient rêvé, entre autres, Verlet et Mauricheau-Beaupré. C'est dans la lignée de tels hommes que s'inscrit l'action du nouveau conservateur en chef ; et c'est à leur aune qu'il faut la lire, si l'on veut en saisir tout le sens.

Au reste, les commencements de cette période coïncident à peu près avec l'alternance politique de mai 1981. Le bouleversement socioculturel induit n'est pas sans incidences sur le rôle tacite que veut assigner à Versailles une élite renouvelée, avide de changement. Alors que des érudits comme Jean-Claude Le Guillou contribuent à rafraîchir et à réformer la connaissance que l'on peut avoir de l'histoire ancienne du château des rois, celui-ci tend à changer de signification ; d'un haut lieu de la tradition nationale, il va tendre à évoluer vers l'incarnation d'une culture ouverte à d'autres influences, italienne d'abord, mais aussi nordique et orientale. Par ailleurs la composante baroque, d'abord mise en avant par les mélomanes, y est valorisée de préférence aux canons classiques ; quant à l'imaginaire qu'on entend accoler désormais au nom de Versailles, il se détache du panthéon louis-quatorzien pour privilégier une vision moins raide et plus exotique, liée à la redécouverte des mœurs étranges de la « société de Cour ». Ainsi les succès croisés de marqueurs décisifs comme les concerts du Centre de Musique baroque de Philippe Beaussant, ou comme le roman *L'Allée du Roi* de Françoise Chandernagor, vont-ils contribuer à l'émergence d'une approche de Versailles qui gagne en épaisseur.

Le sommet des Sept

Le 5 août 1981, dans le secret des salons élyséens, le nom de Versailles est prononcé à propos de l'organisation du prochain « Sommet des Sept », huitième édition de la conférence internationale des chefs d'Etat et de gouvernement des pays « les plus industrialisés ». Jacques Attali, *sherpa* du président français, devait évoquer en quelques lignes une décision par ailleurs capitale pour la vie du domaine : « Où tenir ce Sommet ? Tous les lieux possibles ont été recensés. François Mitterrand hésite. S'il est réduit aux seuls chefs d'Etat, il peut se tenir à Latché ; si les ministres sont là, ce sera le Trianon ou Rambouillet. “ Et pourquoi pas Versailles ? ” lance François Mitterrand. Renseignement pris, ce serait difficile : les travaux de rénovation sont en cours [1]. » Il n'empêche : dès la mi-novembre, c'est bien le château de Versailles qui est retenu pour la grand-messe de juin 1982, dont les thèmes centraux devraient être les conséquences mondiales de l'instabilité des marchés et celles, non moins préoccupantes, du chômage affectant les pays d'Europe.

Plusieurs commissions sont mises sur pied pour la préparation concrète de cette réunion ; l'une se tient à l'Elysée, une autre au Quai d'Orsay, une troisième à la préfecture de Versailles... Pour Pierre Lemoine et ses collaborateurs, ainsi que pour l'architecte Jean-Louis Humbaire, la charge est aussi lourde qu'inattendue. Non seulement il va falloir fermer le musée pendant une longue période — un mois pour Versailles, quatre pour Trianon —, mais la nécessité d'accueillir en même temps huit délégations * de haut niveau rend nécessaires des travaux importants au Grand Trianon. C'est ainsi que sont aménagées, par exemple, quelque quarante salles de bains ! Comme en 1963-1966, les crédits nécessaires sont prélevés sur ceux de la loi-programme. D'importantes infrastructures sont mises en place, par ailleurs, pour l'accueil des centaines de journalistes en provenance du monde entier. Mais c'est en matière de sécurité que les contraintes se révèlent le plus pesantes. Des semaines durant, des équipes spécialisées vont arpenter les bâtiments, drainer les pièces d'eau, fouiller les bosquets à la recherche du moindre objet suspect. Et le soir du vendredi 4 juin 1982, lorsque, dans un impressionnant ballet d'hélicoptères et de limousines, les grands dirigeants atterrissent au bassin d'Apollon pour gagner ensuite le péristyle de marbre, les jardins du bonhomme Le Nôtre sont devenus l'endroit le mieux gardé de la planète !

Sur fond de guerre ouverte aux Malouines, de conflit

* La huitième délégation représente alors la Commission européenne.

larvé au Liban et de durcissement des rapports Est-Ouest, alors que la croissance mondiale s'essouffle et que la France s'apprête à dévaluer sa monnaie, le grand château va dispenser, imperturbable, cet air de solennité généreuse qu'il confère sans faute aux réunions officielles. Du reste, les chefs de délégation n'ont guère le temps de profiter de splendeurs en partie restaurées — et largement redorées pour l'occasion. C'est à peine si, à la faveur d'une pause dans la soirée du samedi, ils s'accordent une promenade le long du Grand Canal... Les services de sécurité américains ont opposé leur *veto* à l'idée initiale d'une promenade en bateau. Mais puisque Ronald Reagan s'est retiré le temps d'une sieste, Margaret Thatcher et Helmut Schmidt suggèrent qu'on passe outre ! François Mitterrand, prudent, préfère leur vanter les mérites de la marche...

Sur le plan politique, le Sommet de Versailles ne dépassera guère — c'est la loi du genre — le stade des généralités consensuelles. La maîtrise des déficits publics est recommandée par la déclaration finale, de même qu'une coopération renforcée des autorités monétaires. Sur un plan moins pragmatique, cette importante réunion aura du moins eu le mérite de rassurer les grandes puissances sur l'ancrage de la France « socialiste » dans le camp des économies libérales. Mieux : c'est le symbole d'un Occident capable d'allier dans l'harmonie tradition et modernité qui s'est imposé, deux jours durant, à la face du monde.

Dans la soirée du dimanche 6 juin, le Sommet s'achève ainsi sur un bouquet de festivités innovantes, retransmises par les chaînes de télévision de nombreux pays. Comme devait le noter Hélène Himmelfarb, « on donna bien une représentation à l'Opéra royal, mais ce furent *Les Arts florissants* de M.-A. Charpentier, mis à la mode depuis peu par le jeune ensemble qui porte leur nom, et dans la production insolente et absconse de Jorge Lavelli ; la promenade dans les jardins où jaillissaient les eaux illuminées était de tradition aussi, mais elle fut renouvelée par la trouvaille des passages au loin, dans la pénombre et au petit trot, des cavaliers de la garde républicaine en uniforme du XVIIIe siècle ; (...) enfin et surtout, il y eut le trait d'audace de la Chapelle : les chefs d'Etat assis à la tribune royale, et sur un tabouret de velours, seule au milieu du grand pavement de marbre polychrome, tout en bas, Esther Lamandié chantant des monodies judéo-provençales et judéo-espagnoles [2]. » Naturellement, la somnolence du président Reagan n'échappera pas aux téléspectateurs, pas plus que le retard pris sur le programme, du fait, notamment, d'une panne dans le réseau électrique de l'Opéra royal...

En fin de compte, si le grand décor versaillais n'a guère incité les intervenants à la diplomatie, du moins il aura permis aux Français de se montrer à la hauteur d'une histoire incontestable. « Ces sommets sont des rings de boxe, aurait conclu François Mitterrand le lendemain. (...) Mais je ne regrette pas d'avoir choisi Versailles. Il faut bien recevoir les hôtes de la France. Qu'aurait-on dit si le Sommet avait eu lieu à Hénin-Liétard ? Que nous faisions honte à la France... » [3]

L'empreinte de Pierre Lemoine

La plupart des travaux occasionnés par le Sommet ont porté sur des aménagement de confort et des restaurations de surface. Mais s'ils ont contribué à freiner l'avancée des chantiers ouverts à la faveur de la loi quinquennale, ceux-ci, en contrepartie, sont prolongés pour deux années. L'ensemble du programme portait sur des aménagements intérieurs, visant à remettre en état quelque quatre-vingt-cinq salles du sempiternel musée historique. L'époque des grandes restitutions « royales » s'éloigne, en effet ; et les efforts des restaurateurs portent plutôt sur des parties du château moins courues que le premier étage du corps central. Amateur de Saint-Simon, fin connaisseur de l'Ancien Régime et de son étiquette, Pierre Lemoine, qui fréquente les princes de la Maison de France, se veut respectueux de l'œuvre de Louis-Philippe. Qu'on ne s'y trompe pas, dès lors : même les importants travaux menés sous son égide, au rez-de-chaussée du corps central, dans les anciens appartements princiers, seront conçus avant tout comme un effort de présentation des collections de peinture relatives au XVIIIe siècle !

Cette nouvelle campagne a commencé, sous le mandat précédent, par la remise en valeur de tableaux — d'ailleurs méconnus — du XIXe siècle. Vingt-six salles sont rénovées dans cette optique à l'attique du Midi ; vingt et une, à l'attique du Nord ! Ces galeries toutes neuves, mais closes le plus souvent, faute de personnel pour en surveiller la visite, sont en fait peu prisées du grand public ; elles abritent pourtant des œuvres intéressantes de David, Gros, Gérard, pour le premier attique, Ingres, Chassériau ou Horace Vernet pour le second... Devant l'ostracisme qui les frappe, il est permis de s'interroger sur leur sort, et de leur souhaiter une postérité plus digne de leurs mérites.

Infiniment plus intéressantes, au demeurant, sont les enfilades du rez-de-chaussée, correspondant aux anciens appartements de la Dauphine, du Dauphin, de Madame Victoire et de Madame Adélaïde. Massacrées sous Louis-Philippe, fortement remaniées à la Belle Epoque, ces jolies salles avaient bien fait, à l'initiative de Gaston Brière puis de Charles Mauricheau-Beaupré, l'objet de tentatives de restaurations. Mais il aura fallu attendre le milieu des années 1980 pour qu'un programme systématique de restitutions leur soit appliqué. En s'appuyant sur de nombreux documents, et notamment sur les relevés scrupuleux établis cent cinquante ans plus tôt par Frédéric Nepveu, « les travaux ont consisté, explique Pierre Lemoine, à rétablir les anciens niveaux, à reconstituer les différents appartements dans leur plan et leur distribution et à y replacer tous les éléments originaux qui ont pu être retrouvés ; là où ils avaient disparu, ils ont été suggérés par des boiseries simplement moulurées. Cependant, dans le cabinet intérieur de la Dauphine, la seconde antichambre et la chambre de Madame Victoire, la chambre de Madame Adélaïde et la salle de bains de Marie-Antoinette, les parties manquantes des boiseries ont été refaites. D'autre part, les alcôves des chambres ont été tendues de soieries tissées dans les manufactures lyonnaises d'après les descriptions des anciens inventaires. Dans l'un et l'autre cas, il s'agissait d'encourager les métiers d'art en perpétuant une tradition de mécénat qui remonte à la création de Versailles [4]. »

Mais c'est au milieu de ce rez-de-chaussée du corps central, à l'emplacement de la « salle Louis XIII » reliant l'appartement du Dauphin à celui de Madame Victoire, que sont menés les travaux les plus hardis. L'importance des dégâts causés ici par la Monarchie de Juillet rendait illusoire la référence à l'habituel état de 1789. Pierre Lemoine et l'architecte en chef Jean Dumont vont œuvrer dès lors à la restitution d'un état plus ancien, et rétablir tout bonnement le vestibule de Marbre et la galerie basse voulus par Louis XIV ! Ainsi la transparence axiale, essentielle aux grands ouvrages de Le Vau, notamment, se trouve-t-elle rétablie. Cela suppose que soient remis à niveau — c'est-à-dire surélevés — la cour de Marbre abaissée sous Louis-Philippe, ainsi que les salles qui l'entourent. Vaste chantier, mais qui, achevé avec soin dans le courant de 1985, permettra du moins de rendre à l'épicentre du château toute son évidence *.

C'est un fait, les travaux audacieux n'effraient pas la

* De part et d'autre du vestibule, deux des pièces du Petit Appartement de Marie-Antoinette vont faire l'objet de restitutions partielles.

nouvelle équipe. Comme en point d'orgue à ces transformations, Lemoine et Dumont vont aller jusqu'à conduire à terme un chantier... ouvert sous Louis XV ! Il s'agit des volées de l'escalier monumental prévu par Gabriel pour desservir le Grand Appartement, et qui devait, dans son dessein, occuper l'immense espace de l'aile Neuve — volume affecté par la suite à une salle de théâtre, puis aux réserves du musée. Relancé par la loi-programme pour des raisons de sécurité, cette réalisation n'en suscite pas moins, par son côté spectaculaire, quelques points de vue ironiques ; ainsi le directeur des musées, Hubert Landais lancera-t-il à son ami Lemoine : « Tu te prends pour Louis XIX ! » Mais au vrai, la base était là, entièrement, que le nouvel architecte se contentera de compléter et de remplir sur les anciennes indications de Gabriel. Et l'on en viendrait volontiers à se demander si, plutôt que la mégalomanie d'une telle entreprise, il ne vaudrait pas mieux critiquer son caractère inachevé... En effet, en l'absence de tout motif décoratif, ces grandes surfaces nues, ces longs bandeaux plats, ces gros chapiteaux tout juste épannelés, se présentent sous un jour ultramoderne assez malvenu, et qui n'est pas sans rappeler — comble d'incongruité — certaines sculptures d'Etienne Hajdu ! Telle n'était sûrement pas l'intention, ni du conservateur, ni de l'architecte.

Vers un Grand Versailles

L'on ne saurait évoquer l'empreinte de Pierre Lemoine à Versailles sans mentionner la poursuite, sous son égide, de la politique d'enrichissement des collections de meubles et d'objets d'art par achat, par don et dation, ainsi que par opérations concertées de mécénat. Seulement, la vigilance des conservateurs pas plus que la bonne volonté des bienfaiteurs n'empêcheront le musée de passer encore à côté de quelques belles opportunités : c'est le cas notamment d'un grand cabinet de Weisweiler, que Louis XVI avait fait placer dans son cabinet d'angle, adjugé en juillet 1983, pour près de douze millions de francs il est vrai, à une fondation américaine. L'année suivante, un merveilleux médaillier de Beneman aurait pu, à son tour, laisser des regrets amers, « si la France, nous dit Christian Baulez, n'avait disposé dans sa législation fiscale de la dation en paiement de droits de succession. Le 10 mars 1986, le médaillier de Louis XVI retrouvait sa place à Versailles dans " l'ancienne pièce de la vaisselle d'or, dite des bijoux " [5] ».

Par la suite, d'autres pièces fondamentales réintégreront leurs pénates, notamment grâce au réveil inespéré — et fort opportun — de la Société des Amis de Versailles. Or, ce printemps associatif est d'abord le fait d'un homme qu'aura su distinguer le conservateur en chef. Juste avant de céder la place, à la fin de 1986, à son confrère Yves Bottineau, Pierre Lemoine désigne en effet le dynamique vicomte de Rohan pour prendre la tête d'une association alors bien somnolente... Or, non seulement cet homme de contact et d'initiative saura faciliter le retour à Versailles de plusieurs objets d'importance *, mais c'est aussi par son truchement, notamment, que le terrain des Mortemets, sis entre la pièce d'eau des Suisses et la plaine des Matelots, fera retour au domaine. Surtout, en dynamisant la Société, Olivier de Rohan va permettre aux châteaux-musées de vivre sereinement l'inévitable ouverture des institu-

* On peut citer à son actif des pièces aussi importantes que le coffre à bijoux de Marie-Antoinette par Carlin, en 1997, ou la commode de la bibliothèque de Louis XVI par Riesener, en 2000 — cette dernière ayant été acquise grâce à la générosité de M. et Mme François Pinault.

tions culturelles à ce que l'on appelle la « société civile ».

D'une façon plus générale, la décennie 1980 est, pour Versailles, celle des confrontations au monde moderne. Le défilé géant en faveur de l'Ecole libre, en 1984, les départs tonitruants du rallye Paris-Dakar, plusieurs années de suite en janvier, l'organisation tapageuse, en 1988, d'un concert du groupe Pink Floyd juste en avant de la grille d'honneur sont autant d'événements qui, pour se développer en marge du domaine, n'en confrontent pas moins le monument à quelques-unes des manifestations les plus voyantes de la modernité. Le site lui-même n'est pas à l'abri d'initiatives audacieuses en matière d'« ingénierie culturelle ». Ainsi, en 1987, le secrétaire d'Etat Philippe de Villiers envisage-t-il de rendre aux abords du domaine leur ancien aspect, de replacer des chevaux et des cavaliers dans les Ecuries royales, d'animer les bosquets en faisant appel à des troupes de comédiens... Peut-être en avance sur leur temps, la plupart de ces idées seront reprises plus tard, et menées à bien. Les illuminations animées de nos étés, comme les spectacles de Bartabas à la Grande Ecurie, leur doivent sans doute quelque chose.

C'est que la culture est en passe de devenir un poste économique majeur ; quant au tourisme, il relève déjà de l'industrie... En octobre 1989, alors qu'est franchi le seuil des quatre millions de visiteurs annuels, Jack Lang adapte l'institution en créant, comme au château de Chambord, une autorité unique venant coiffer à la fois le musée et le domaine. Voilà donc accompli le rêve de Nolhac et celui de Van der Kemp ! Pour assurer cette « superdirection », le ministre de la Culture fait appel à un homme de science et de terrain : le chartiste Jean-Pierre Babelon cumule en effet les compétences d'un historien de renom et d'un inspecteur général des Archives ayant passé trente ans rue des Francs-Bourgeois. On imagine sans peine le prestige de ce grand commis, dont l'ambition affichée sera de faire entrer dans les mœurs la coopération souvent esquissée — mais rarement obtenue — entre services de la conservation et bureaux du domaine.

Ce n'est pas un, mais deux architectes en chef qui sont nommés peu de temps après : le jeune Frédéric Didier s'occupera des travaux sur le château lui-même et le Grand Trianon ; quant à Pierre André Lablaude, fils du restaurateur des Ecuries, déjà en charge du Mont-Saint-Michel, il se voit spécifiquement affecter aux jardins et au Petit Trianon, Hameau compris. C'est dire l'importance que Babelon entend conférer à cette partie jusque-là négligée du domaine. Plus qu'une intervention rendue nécessaire par des retards importants dans la replantation, il s'agit bel et bien de rendre aux jardins de Versailles leur splendeur ancienne. Ce nouveau défi, aussi fécond sans doute, et pas moins ambitieux, que celui du « remeublement », s'accorde aux goûts d'un public de plus en plus sensible à la beauté des verdures, comme aux trésors d'art qu'elles réclament. Il va mobiliser, deux années durant, les réflexions d'un comité d'une quinzaine d'experts.

Cette résurrection des jardins de Versailles n'en est qu'aux premières ébauches lorsque, le 2 février 1990 dans la journée, une tempête violente s'abat sur le vieux parc aux frondaisons altières mais fragiles, romantiques mais envahissantes. Catastrophe providentielle, si l'on ose dire, puisqu'elle va permettre à Pierre-André Lablaude d'envisager d'emblée une intervention plus rapide, sans doute, et peut-être plus radicale que prévu. « Jusqu'aux années 1990, devait écrire Emmanuel Ducamp, le rapport château-jardins jouait en faveur de ces derniers, les bâtiments semblaient nicher dans un écrin de verdure ; soudain, à la suite de la tempête et de ses dégâts, le propos initial du palais apparaissait avec plus de clarté : dominer les lieux et les maîtriser. (...) Il fallait que l'espace fût reconquis jusqu'à l'horizon et que la hauteur des arbres soit limitée [6]. » Tel est le but fixé : voir les masses végétales reprendre peu à peu leur volume d'origine, et les bosquets — comme celui d'Encelade — retrouver leur magie d'autrefois.

Jean-Pierre Babelon, homme d'initiative, ne se contente pas de suivre de près la petite révolution à l'œuvre dans les jardins. Prenant le relais d'une commission de la direction du Patrimoine, il réfléchit aux contours possibles d'un Grand Versailles établi sur le modèle du Grand Louvre. Restructuré, le musée n'y serait plus que le centre d'un vaste ensemble englobant des ateliers techniques et scientifiques, des lieux d'accueil et de spectacle, des centres d'études et de conférences, ainsi que de nombreuses installations touristiques. Géographiquement, le Grand Versailles doit comprendre, outre les châteaux et jardins complets avec la pièce d'eau des Suisses et les terrains attenants — Mortemets compris —, certaines dépendances de l'ancien domaine, comme la Grande Ecurie — mais pas la Petite, étrangement exclue de ce périmètre —, le Grand Commun cédé par les Armées, l'hôtel de Pompadour, le Contrôle général, etc.

Cette perspective devait conduire à la création, en 1995, d'un « Etablissement public administratif du domaine national des châteaux et musées de Versailles et de Trianon », dont le premier président serait Jean-Pierre Babelon, remplacé, début 1997, par l'administrateur civil Hubert Astier. Pour Versailles, s'ouvre alors une époque nouvelle, aujourd'hui tout à fait inachevée, et dont l'étude, s'il fallait la mener ici, relèverait de l'actualité bien davantage que de l'histoire.

*

Née dans les heures tragiques de la Seconde Guerre mondiale, la période tout juste close du « renouveau » versaillais a vu un monument historique en danger se ressaisir et se fortifier, pour devenir un grand conservatoire de l'architecture, de la peinture et des arts appliqués des grands siècles français. Inscrit par l'Unesco, depuis 1979, sur la liste du Patrimoine mondial, le château de Versailles est devenu l'un des pôles touristiques majeurs de l'Europe contemporaine. Du coup son image, et partant, ce qu'elle signifie pour le plus grand nombre, s'est un peu stéréotypée.

A y regarder de plus près, il apparaît pourtant que le phénomène de miroir des mentalités, pertinent jadis et naguère, ne l'est pas moins aujourd'hui. Le domaine des rois n'a pas fini de refléter les préoccupations particulières de ceux qui viennent s'y mirer... Dans les années de l'après-guerre, outre un formidable aiguillon au nationalisme ambiant, Versailles a offert à ses admirateurs une mythologie solaire assez conforme à leurs attentes, dans une période de reconstruction spirituelle. Les travaux du père Guillou sur *Le palais du Soleil* ne sont que la part émergée d'un iceberg ésotérique ou spiritualisant. Beaucoup plus engluées dans la réalité, les années gaulliennes, jusqu'au milieu de la décennie 1970, ont plutôt cherché dans Versailles une incarnation tangible de cette hégémonie gauloise dont la richesse des arts décoratifs paraissait un critère suffisant. Rien d'étonnant, dès lors, à ce que toute une partie de la société soit, *a contrario*, venue chercher ici un symbole — assez éculé du reste — de l'exploitation des masses.

Avec l'intérêt des années 1980 pour tout ce qui touche au rêve, Versailles allait faire en fin de compte un retour en force, mais sous le jour neuf d'un baroque tempéré par les grandeurs royales. Comme le note élégamment Hélène Himmelfarb, « Versailles est vu cette fois comme un opéra fabuleux et bigarré, irrationnel, chorégraphique et sensuel, d'autant plus beau que l'érotisme (perçu comme fellinien, cela va sans dire) s'y colorerait de mort physique et de décadence politique (...). Il est un Versailles, un XVIIe siècle noirs, déments et cruellement beaux, à la Sollers nouvelle manière... » Ou encore à la Mnouchkine... Elle ajoute que si Versailles « joue aujourd'hui le rôle que joua vers 1900 Byzance, et fait l'objet d'une élaboration apparemment sophistiquée, sommes-nous si loin en vérité de cette élaboration sans beaucoup plus de rapport avec le réel que fut le Louis XV du Second Empire, le Watteau de Verlaine, le Mozart de Reynaldo Hahn [7] ? » Un tel site est à ce point propice à la reconstruction d'un passé idéal !

« Comment garder la tête froide ? se demandait Babelon en 1991. Comment échapper au tourbillon des sollicitations journalières d'une grande " machine culturelle ", comment échapper aussi à l'envoûtement qui guette l'amateur trop sensible ou l'érudit trop appliqué ? Entre Louis XIV, Marie-Antoinette et Louis-Philippe, faut-il vraiment choisir, et ne retenir qu'un état jalousement reconstitué ? Et cet état historique, ne serait-il pas, en réalité, une reconstitution mythique, puisque les générations se sont succédé dans les même lieux, exilant les mobiliers surannés, modifiant les volumes, rénovant perpétuellement les décors pour être au goût du jour (...) [8] ? » L'humilité, si nécessaire à de telles entreprises, voudrait que l'on opère le moins possible de choix irréversibles ; elle exige que l'on se mette à l'écoute des lieux, afin d'y déceler ces voix infimes qui, la foule des visiteurs une fois égaillée, transpirent secrètement des boiseries, des pierres et des frondaisons. N'hésitons jamais à traiter Versailles comme on le ferait d'un être vivant — ou tout au moins d'une entité pourvue d'âme. Sur son épiderme, en effet, se sont imprégné des motifs dont il appartient à chacun de méditer la trace. G. Lenotre l'avait pressenti : « Il n'en faut point douter, notait le bon savant, les choses ont une âme faite des souvenirs que nous leur associons, de toutes les émotions, de toutes les tristesses, de toutes les joies dont elles ont été les impassibles confidentes [9]. »

ÉPILOGUE

« Une vieille maison n'est jamais sauve »

A la veille de l'an 2000, les forêts françaises étaient décimées par deux tempêtes qui allaient faire, à travers tout le pays, des dégâts sans précédent. La première atteignit Versailles à l'aube du 26 décembre. Avec une violence inouïe, elle allait dévaster un parc où les replantations étaient loin d'être achevées. En moins d'une heure, ce sont quelque dix mille arbres qui furent abattus, dont certains très précieux, comme le tulipier de Virginie de Marie-Antoinette ou le pin planté par Napoléon. Quatre-vingts pour cent des sujets historiques seraient retrouvés amputés, brisés ou arrachés, ce qui pour le domaine représentait une perte irréparable.

L'émotion passée, la « tempête du siècle » pouvait apparaître, aux yeux des moins pessimistes, comme une opportunité nouvelle. En effet, non seulement elle devait accélérer considérablement le processus de restructuration entrepris huit ans plus tôt, mais elle rendait absolument prioritaire le traitement d'un parc soudain ravagé. Mieux : en attirant de nouveau sur Versailles l'attention du monde entier, ce désastre patrimonial jouait clairement dans le sens d'une stimulation du public. La souscription lancée, dès le 5 janvier 2000, par le Comité de solidarité créé *ad hoc*, remportait très vite un succès magnifique ; les dons affluaient de toute la France, mais aussi des Etats-Unis, toujours très réactifs dès lors qu'il s'agit de Versailles, ou du Canada...

Avec un peu de recul, au-delà de ses répercussions diverses, la tempête du Millenium apparaît avant tout comme un avertissement. Elle interpelle en effet nos certitudes sur la fragilité d'un tel patrimoine, et rappelle à tous que rien, dès lors qu'il est question de sites à préserver, rien n'est jamais acquis. Un an tout juste après ce désastre, lors d'une conversation avec Gérald Van der Kemp, l'ancien conservateur en chef devait me faire part de ses réserves à propos du titre du présent ouvrage : *Ils ont sauvé Versailles*. Il craignait que certains n'en tirent une conclusion hâtive et fausse.

« Gardez-vous, me dit-il, de donner aux gens le sentiment que Versailles est bel et bien tiré d'affaire. Car, voyez-vous, une vieille maison n'est jamais sauve. »

Je livre cette mise en garde à la sagesse commune. Tâchons de ne pas reléguer dans un passé rassurant la vision si bien ancrée, par ailleurs, d'un Versailles en perpétuel danger. Nous risquerions en effet, à trop vite crier victoire, de lui mesurer nos soins dans l'avenir, et de le conduire en toute quiétude à sa perte. Non, le travail n'est pas achevé. Beaucoup reste à faire et à refaire. Encore et toujours. C'est le devoir des générations nouvelles, au sein des anciennes familles, que de préserver la maison des ancêtres. La fierté qu'elles en tirent est à ce prix. Et c'est dans leur fidélité à l'héritage qu'elles trouvent bien souvent la force d'ajouter leur pierre à l'édifice.

Un cinquième Versailles

Versailles, on l'a vu dans ces pages, n'est nullement un patrimoine figé. Tous les changements de la société viennent s'imprimer en lui, tous les courants d'idées veulent en renouveler le message, en repenser l'esprit, en réformer l'emploi. De sorte qu'aujourd'hui quatre Versailles se superposent, comme autant de strates héritées, dans le périmètre du domaine national. Ils s'y heurtent et s'y répondent, en une imbrication parfois douloureuse, souvent féconde.

Le palais national, tout d'abord, rescapé de la Monarchie, est encore apte à recevoir certaines solennités républicaines. L'habitude en est passée pour l'heure, et l'on ne voit plus guère, alignées dans la cour royale, ces compagnies de gardes empanachées qui, jusqu'à une époque récente, lui redonnaient vie à l'occasion. Signe des temps : les soirées de gala sont devenues, à Versailles, l'apanage de fortunés mécènes — ce qui n'ôte rien à la magie des lieux, mais n'ajoute pas non plus à leur grandeur. Un tel ostracisme peut-il être définitif ? Ce serait d'autant moins compréhensible que, par ailleurs, la dimension régalienne du palais excuse toujours la présence du Parlement dans ses murs, surgeon anachronique d'une greffe de fortune et qu'on aurait aimée moins tenace *.

Les galeries d'histoire, ensuite, lointain épigone — et tellement apuré — du projet politique et didactique de Louis-Philippe, réunissent encore à ce jour plus de six mille peintures et pas moins de sept cents sculptures. Mais si ces œuvres sont de qualité — l'on y compte même un certain nombre de chefs-d'œuvre —, celles qui n'ont pu trouver leur place au sein des appartements se morfondent dans l'oubli. Or, contrairement à ce qu'on prétend, elles souffrent moins de la fermeture des galeries, faute de personnel, que de la lourdeur

* Que dire du drapeau tricolore qui, bien trop grand, bien trop haut, dépare absolument les façades du palais, notamment du côté des jardins ? La fierté nationale — ou républicaine — doit-elle l'emporter coûte que coûte sur des considérations esthétiques élémentaires ?

rédhibitoire de leur présentation. C'est ainsi : alors que l'environnement du Louvre tend à valoriser les œuvres, celui de Versailles n'est bon, en l'état, qu'à les faire paraître moins importantes qu'elles ne sont. Mais c'est aussi que l'on vient au Louvre pour ses pièces de musée, alors que l'on accourt ici pour tout autre chose.

Le troisième Versailles est précisément celui qui intéresse avant tout les visiteurs actuels ; et c'est le monument historique, réveillé jadis par les travaux de Pierre de Nolhac. Ce Versailles-là demeure le théâtre du mythe louis-quatorzien, le décor de la geste royale. Il entretient la mémoire d'occupants illustres. Aux yeux de nos contemporains, il est aussi le cadre assez dépaysant d'une société de Cour sans cesse tirée par la littérature et le cinéma vers une forme temporelle d'exotisme... L'on n'a pas fini de fantasmer là-dessus.

Enfin, dernier en date, s'impose aujourd'hui un quatrième Versailles, éclos sous les traits d'un ambitieux conservatoire. Celui-ci déploie, comme un hommage à Pierre Verlet, la richesse de collections encore méconnues en fait de boiseries, tentures et tapis, soieries, mobilier de toutes sortes, marbres antiques et modernes, pendules, bronzes, porcelaines, livres, médailles et petits objets décoratifs. Réunissant maintenant des centaines de trésors, les trois châteaux de Versailles et de Trianon sont ainsi devenus un incontournable musée d'arts appliqués. Encore la générosité des mécènes — parmi lesquels s'impose la Société des Amis de Versailles — n'a-t-elle pas donné tous ses fruits ; et la possibilité de recevoir en dépôt certains fleurons de collections privées ouvre notamment des horizons exaltants.

Gérer ces quatre aspects complémentaires, réserver à chacun sa place sans contrer l'évolution naturelle des mentalités, tel est le défi qu'auront à relever, dans l'avenir, les responsables de l'Etablissement public. Ils devront pour cela dépasser leur cadre national, et réfléchir davantage à l'échelle de l'Europe et d'institutions mondiales comme l'Unesco. Ils devront aussi se concilier les bonnes grâces d'organismes comme la Fondation du Patrimoine ou le World Monuments Fund. Car il faudra des soutiens politiques et financiers considérables, à qui prétendra rendre à Versailles son importance légitime, dans un contexte dégradé par le désengagement des pouvoirs publics, la dispersion des flux touristiques et l'alourdissement des budgets de fonctionnement... Vraiment, des appuis seront nécessaires à qui voudra permettre l'éclosion, au sein même de Versailles, d'une dimension nouvelle.

Il se pourrait bien, en effet, que dans les temps qui s'annoncent, un cinquième aspect vienne à se frayer un chemin vers la lumière. La résurrection du parc en est le préalable, l'aménagement des accès et des dépendances, la condition. Ce Versailles-là prendra la forme d'un pôle culturel cohérent et ramifié, à la fois musée vivant, centre d'études et lieu de rencontres. Il sera l'inscription dans l'espace d'une certaine esthétique, l'aboutissement dans le temps d'une certaine civilisation : la « civilisation de l'Europe classique ». C'est en cela qu'il est d'ores et déjà porteur d'un message universel au genre humain. « Versailles nous a appris la souveraineté de la raison et de la mesure, écrivait André Cornu, la noblesse et la retenue, le sens de l'humain et de la politesse, et même la sensibilité. Il est pour moi le symbole de notre civilisation. »

Rêvons ! Rêvons d'un site calqué non plus sur le modèle du Grand Louvre, mais sur celui d'une université anglo-saxonne ou d'un centre d'études. Y conflueraient tous ceux que passionnent les élans philosophique, scientifique, artistique du grand siècle et des Lumières. S'y retrouveraient, pour faire vivre cette culture, des savants et des amateurs de tous horizons, attirés par l'architecture de cour et l'art des jardins, la musique baroque et la haute école, la pensée classique et les vers de Racine...

Aucun endroit au monde ne saurait prétendre incarner plus justement cette étape essentielle de l'aventure humaine ; aucun endroit ne peut en accueillir aussi brillamment les résurgences ; encore conviendrait-il d'offrir à un tel site les moyens de se hisser à la hauteur de sa vocation universelle. Si tel est le cas, si la volonté s'en manifeste au plus haut niveau, alors Versailles peut encore réserver des surprises à ses amoureux, et de grandes joies. Après avoir été le symbole d'un régime, le musée d'une nation, le témoin d'une histoire et le legs suprême d'une école artistique, il pourrait devenir l'emblème incontournable d'une civilisation à son apogée. C'est dire s'il est riche encore de promesses ; et c'est assez plaider en faveur de son entretien, de sa mise en valeur et de sa régénération.

*

A la toute fin du règne de Louis XV, l'auteur du *Tableau de Paris*, Louis Sébastien Mercier, avait cru devoir annoncer, par la transcription d'un songe qui se voulait prophétique, la ruine de Versailles et la contrition de son fondateur. Le texte s'appelle : *L'An 2440 : rêve s'il en fut jamais*. « Je cherche des yeux, écrivait le moraliste, ce palais superbe d'où partaient les destinées de plusieurs nations. Quelle surprise ! Je n'aperçus que des débris, des murs entr'ouverts, des statues mutilées ; quelques portiques à moitié renversés laissaient entrevoir une idée confuse de son antique magnificence. » Le rêveur avise un vieillard larmoyant, assis piteusement sur le chapiteau d'une colonne effondrée. Le pauvre hère sanglote : « Ah ! Malheureux ! Sachez que je suis ce Louis XIV qui a bâti ce triste palais. La justice divine a rallumé le flambeau de mes jours pour me faire contempler de plus près mon déplorable ouvrage... Que les monuments de l'orgueil sont fragiles !... Je pleure et je pleurerai toujours... Ah ! Que n'ai-je su... »

N'en déplaise à Mercier comme à tous les contempteurs d'un palais dont la grandeur dérange, le château de Versailles a franchi sans trop d'encombre le seuil du troisième millénaire. Et si nul ne peut prédire encore ce qu'il sera devenu vers 2440, du moins les plus confiants peuvent-ils penser qu'il sera toujours debout. Inlassable témoin. Perpétuel symbole. Certes, un tel site ne peut échapper à l'inéluctable succession de périodes fastes et néfastes. Nul doute qu'il traversera dans l'avenir des moments difficiles — plus périlleux, peut-être, que ceux dont il a déjà triomphé... Mais il est également probable qu'il trouvera toujours des personnes prêtes à le défendre et à le protéger. Tant il est vrai que Versailles n'est pas seulement un grand château royal : il est l'expression même, à la quintessence, de la notion de pouvoir souverain. C'est ce qui, depuis deux siècles et plus, lui a valu de figurer sans cesse au cœur de l'Histoire ; ce qui lui vaut, actuellement, d'attirer tant de curieux et de voyageurs ; ce qui, dans l'avenir, lui vaudra certainement de se survivre longtemps, pour la gloire de ses créateurs et l'édification de ceux qui en auront gardé l'intelligence.

NOTES BIBLIOGRAPHIQUES

La plupart des études générales sur Versailles ont consacré des développements plus ou moins longs au sort du château des rois après la Révolution. La plus ancienne synthèse — mais aussi la plus contestée — se trouve chez Dussieux : *Le Château de Versailles, histoire et description,* L. Bernard, 1881 ; le second tome, qui nous intéresse ici, est plus fiable que le premier. Trente ans après, Émile Cazes en donne une version revue et corrigée : *Le Château de Versailles et ses dépendances, l'histoire et l'art,* L. Bernard, 1910, du reste assez plate. Intégrant largement l'histoire de la cité, Emile et Madeleine Houth publieront bien plus tard un *Versailles aux trois visages, le Val de Galie, le Château des Rois, la cité vivante,* Lefebvre, 1980, fourmillant de détails. A noter aussi la chronique de Jean Pastreau, *Il était une fois Versailles,* Pygmalion, 1989, dont l'érudition poétique ne compense pas, hélas, l'absence d'indications quant aux sources.

Aucun de ces travaux ne vaut donc le maître ouvrage de Pierre Verlet : *Le Château de Versailles,* Fayard, 1961 et 1985, dont on regrettera seulement qu'il ait tant privilégié la période antérieure à 1789... Remarquons au passage que l'ancienneté relative des trois dernières références exclut toute évocation postérieure à la Seconde Guerre mondiale.

Parmi les ouvrages couvrant la période, d'autres n'abordent le sujet que sous un angle volontairement restrictif. Parmi les plus récents, il convient de citer notamment le point de vue de Pierre-André Lablaude sur *Les Jardins de Versailles,* Scala, 1995, le regard de Pascale Richard sur *Versailles, the American Story,* Alain de Gourcuff, 1999, et la remarquable somme de Vincent Maroteaux sur *Versailles, le roi et son domaine*, Picard, 2000.

Les autres travaux, au demeurant nombreux, cités dans le présent ouvrage, portent sur des périodes plus restreintes, et peuvent donc être rapportés à un chapitre particulier.

Avant-propos
« Tâchez de me sauver mon pauvre Versailles »

Quoique anciennes, deux études se détachent des multiples relations de ces journées d'Octobre. Ce sont celles de Joseph-Adrien Le Roy dans les *Mémoires de la société des sciences morales et politiques de Seine-et-Oise* en 1870, et de Louis Battifol dans la même revue, en 1893. Elles demandent naturellement à être nourries par les Mémoires de l'époque, en particulier ceux de Mme de Tourzel, de Mme de Staël et de la marquise de La Tour du Pin, sans oublier le témoignage du général de La Fayette.

1. Louis Batiffol, « Les Journées des 5 et 6 octobre 1789 à Versailles », *Mémoires de la société des sciences morales et politiques de Seine-et-Oise*, 1893, p. 30.
2. Mme Campan, *Mémoires sur la vie privée de Marie-Antoinette*, Paris, 1822, t. II, p. 74.
3. Jules-Adrien Le Roy, « Les journées des 5 et 6 octobre 1789 », *Mémoires de la société des sciences morales de Seine-et-Oise*, 1870, p. 29.
4. Théodore Gosselin, dit G. Lenotre, *Versailles au temps des Rois*, Grasset, 1934, p. 280.
5. *Mémoires, correspondance et manuscrits du général de La Fayette, publiés par sa famille*, Fournier, 1837, p. 341.

1. Contre vents et marées

Sur la période révolutionnaire, Pierre de Nolhac fournit une contribution définitive, insérée dans sa publication tardive : *L'Art à Versailles,* Louis Conard, 1930. Moins convaincante, la longue série d'articles de Louis Gatin dans la *Revue d'Histoire de Versailles* (*RHV*) excède au demeurant le cadre du sujet. Beaucoup plus près de nous, en 1991, Odile Caffin-Carcy propose, dans la *Revue historique*, une synthèse complète et qui développe le chapitre qu'elle avait consacré au sujet dans un ouvrage en collaboration avec Jacques Villard, *Versailles et la Révolution,* Editions d'Art Lys, 1989. Notons enfin l'intéressante étude d'Anne Leclair, « Versailles : naissance d'un Musée national (1793-1797) », parue en 1995 dans le *Bulletin de la Société de l'histoire de l'art français*.

1. Cité par Pierre de Nolhac, in *L'Art à Versailles*, Louis Conard, 1930, p. 206.
2. Emile et Madeleine Houth, *Versailles aux trois visages*, Lefebvre, 1980, p. 431.
3. Pierre Verlet, *Le Château de Versailles*, Fayard, 1961 et 1985, p. 654.
4. Cité par Vincent Maroteaux, in *Versailles, le roi et son domaine*, Picard, 2000, p. 226.
5. Cité par L.-A. Gatin in « Versailles pendant la Révolution française », *RHV*, 1908, p. 243.
6. *Page à la Cour de Louis XVI ; souvenirs du comte d'Hézecques*, Tallandier, 1987, p. 156.
7. Arthur Chuquet, « Versailles en 1790 », *Mémoires* de la société des sciences morales, n° 2, 1896, p. 78.
8. Pierre Verlet, *Le Château de Versailles*, *op. cit.*, p. 654.
9. H. Lemoine, « La fin des Ecuries royales », *RHV*, 1933, p. 205.
10. Cité par Pierre de Nolhac, in *L'Art à Versailles*, *op. cit.*, p. 217.
11. Cité par Pierre de Nolhac, *op. cit.*, p. 218-219.
12. Alfred Hachette, « Réflexions de Roland sur l'administration des monuments de la ci-devant liste civile », *RHV*, 1930, p. 14.
13. Cité par Odile Caffin-Carcy, in « Que devint Versailles après le départ de la Cour ? », *Revue historique*, n° 286, 1991, p. 67.
14. Odile Caffin-Carcy, *op. cit.*, p. 57.
15. Cité par Odile Caffin-Carcy, *op. cit.*, p. 61.
16. Pierre de Nolhac, *op. cit.*, p. 234.
17. Paul Fromageot, « Le château de Versailles en 1795 d'après le Journal de Hugues Lagarde », *RHV*, 1903, p. 225.
18. Michel Beurdeley, « Ventes du mobilier royal de Versailles », catalogue *De Versailles à Paris, le destin des collections royales*, Centre culturel du Panthéon, 1989, p. 117.
19. Cité par Edmond Léry, « Mélanges », *RHV*, 1928, p. 83.
20. Voir Michel Beurdeley, *La France à l'encan, 1789-1799, Exode des objets d'art sous la Révolution*, Tallandier, 1981, p. 94 et suivantes.
21. Voir Jean Dominique Augarde, « L'ameublement du palais directorial du Luxembourg », catalogue *De Versailles à Paris, op. cit.*, p. 148.
22. L. Dussieux, *Le Château de Versailles, histoire et description*, L. Bernard, 1881, t. II, p. 58.
23. Voir Daniel Meyer, « Les tapisseries des appartements royaux à Versailles et la Révolution », catalogue *De Versailles à Paris*, *op. cit.*, p. 132.

24. Michel Beurdeley, « Ventes du mobilier royal... », *op. cit.*, p. 122.
25. Voir Vincent Maroteaux, *op. cit.*, p. 236.
26. J.-A. Le Roy, « Notice sur les Richard », *Mémoires de la société des sciences morales*, t. VIII, 1870, p. 231.
27. Cité par Odile Caffin-Carcy, *op. cit.*, p. 59.
28. Anne Leclair, « Versailles : naissance d'un Musée national (1793-1797) », *Bulletin de la Société de l'histoire de l'art français*, 1999, p.175.
29. P. Fromageot, « Le château de Versailles en 1795 d'après le livre-journal de Hugues Lagarde », *RHV*, 1903, p. 238.
30. Cité par Odile Caffin-Carcy, *op. cit.*, p.71.
31. Voir Paul Fromageot, *op. cit.*, p. 229.
32. Cité par Pierre de Nolhac, *op. cit.*, p. 254.
33. Cité par Odile Caffin-Cary, *op. cit.*, p. 74.
34. Musée du Louvre, *Procès verbaux du Conseil d'administration du « Musée central des Arts », janvier 1797-juin 1798*, par Yveline Cantarel-Besson, pièce annexée 3, p. 353.
35. Voir musée du Louvre, *Procès-verbaux*, *op. cit.*, p. 19.
36. Cité par Pierre de Nolhac, *op. cit.*, p. 271.
37. Cité par Pierre de Nolhac, *op. cit.*, p. 266.
38. Cité par Jacques Villard, in « Un arbre de la Liberté au château de Versailles en 1798 », *RHV*, 1990, p. 121.

2. Versailles et l'Empereur

Dans un article important, paru en 1937 dans la *RHV*, Pierre Pradel a parfaitement retracé l'histoire du château sous le Premier Empire. D'autres, comme Edmond Léry, Alfred Marie ou bien sûr, Frédéric Masson, ont apporté des éclairages plus ponctuels, mais néanmoins dignes d'intérêt.

1. Cité par Pierre de Nolhac, *op. cit.*, p. 273.
2. Cité par L.-A. Gatin, in « Versailles pendant la Révolution française », *RHV*, 19.., p. 253.
3. Cité par Odile Caffin-Carcy, *op. cit.*, p. 59.
4. Cité par E. Mareuse in « Excursion d'un Anglais à Versailles en avril 1802 », *RHV*, 1901, p. 219.
5. F.-R. de Chateaubriand, *Le Génie du christianisme*, Gabriel de Gonet, 1847, t. I, p. 361.
6. Cité par Jean Coural, in « Les commandes impériales », catalogue *Soieries de Lyon, commandes impériales, collections du mobilier national*, musée historique des tissus, 1982, p. 11.
7. Cité par Pierre Pradel, in « Versailles sous le Premier Empire », *RHV*, 1937, p. 79.
8. Pierre Pradel, *op. cit.*, p. 80.

9. Cité par Frédéric Masson, in « Trianon sous Napoléon », *RHV*, 1910, p. 168.
10. *Ibid.*, p. 169.
11. Frédéric Masson, *op. cit.*, p. 170.
12. Stendhal, *Œuvres intimes,* Bibliothèque de la Pléiade, Gallimard, 1981, p. 581.
13. Frédéric Masson, *op. cit.*, p. 178.
14. *Ibid.*, p. 178.
15. Cité par Pierre Pradel, *op. cit.*, p. 84.
16. *Ibid.*, p. 85.
17. Cité par Vincent Maroteaux, in *Versailles, le roi et son domaine*, *op. cit.*, p. 245.
18. Voir Jean Coural, « Les commandes impériales », catalogue *Soieries de Lyon, commandes impériales, collections du mobilier national*, musée historique des tissus, 1982, p. 12.
19. Cité par Pierre Pradel, *op. cit.*, p. 90.
20. *Mémorial*, éd. Las Cazes, t. V, p. 188-189.

3. L'impossible retour

Le temps de la Restauration n'a pas encore fait l'objet, quant à l'histoire du château, de l'étude approfondie que mériteraient, notamment, les grands travaux de Louis XVIII. La seule contribution qui se détache du lot est celle de Guy Kuraszewski au Colloque *Versailles* de 1985 ; encore n'a-t-elle jamais fait l'objet d'une vraie publication.

1. Cité par André Damien et Jean Lagny, in *Versailles, deux siècles de vie municipale*, L'univers du livre, 1980, p. 70.
2. Cité par L. Dussieux, *op. cit.*, p. 72-73.
3. Guy Kurasewski, « Travaux et commandes de peintures et de sculptures de Louis XVIII pour Versailles », colloque *Versailles*, 1985, p. 212.
4. Vincent Maroteaux, *op. cit.*, p. 247.
5. Cité par Jean-Claude Quennevat, in « Le dernier coup de sabre (1er juillet 1815) », *RHV*, 1956, p. 175.
6. André Damien et Jean Lagny, *op. cit.*, p. 72.
7. Jean-Claude Quennevat, *op. cit.*, p. 204.
8. André Damien et Jean Lagny, *op. cit.*, p. 72.
9. Voir Emile et Madeleine Houth, *op. cit.*, p. 545.
10. Cité par Marguerite Jallut, in « Sur un plafond du château de Versailles », *Bulletin des musées de France*, mai-juin 1947, p. 25.
11. Vincent Maroteaux, *op. cit.*, p. 248.
12. Alfred de Musset, article in *Le Temps*, 4 mai 1831, in *Œuvres complètes*, Garnier, 1908, t. IX, p. 108.

13. Cité par Robert Pageard, in *Mémoires de Versailles*, Hervas, 1989, p. 124.
14. Christian Baulez, « Le remeublement de Versailles, histoire du goût et goût de l'histoire », catalogue *De Versailles à Paris*, *op. cit.*, p. 196.
15. Duchesse de Maillé, *Souvenirs des deux Restaurations*, Perrin, 1984, p. 315.
16. André Castelot, *Charles X*, Perrin, 1988 et 1997, p. 482.
17. Anne Leclair, « Versailles, naissance d'un musée national (1793-1797) » le *Bulletin de la Société de l'histoire de l'art français*, 1999.

4. Toutes les gloires de la France

Au contraire de la précédente, l'époque de la Monarchie de Juillet occupe une place importante dans une historiographie versaillaise tôt marquée par le *Versailles ancien et moderne* du comte Alexandre de Laborde, paru en 1841. Les chantiers de Louis-Philippe sont analysés en 1930 par Pierre Francastel, et feront encore l'objet d'une communication de Gabriel de Broglie au Colloque *Versailles au* XIX*e siècle*, organisé par l'Académie de Versailles en 1999. L'ouvrage le plus fouillé sur la question est aussi le moins complet quant au nombre d'aspects traités ; il s'agit du célèbre *Versailles, de la résidence royale au musée historique*, par Thomas Gaehtgens, au Fonds Mercator en 1984.

1. Cité par Thomas W. Gaehtgens, in *Versailles, de la résidence royale au musée historique*, Fonds Mercator, 1984, p. 363.
2. Cité par Gabriel de Broglie, in « Louis-Philippe et Versailles », *Versailles au* XIX*e siècle, évocations et variations*, Académie de Versailles, 1999, p. 23.
3. Gabriel de Broglie, *op. cit.*, p. 31-32.
4. Cité par Marguerite Jallut, in « Les petits appartements de Marie-Antoinette : la Révolution, le XIXe siècle et la destruction », *RHV*, 1968, p. 95.
5. Pierre Francastel, « Versailles sous Louis-Philippe », *Revue de Paris*, 1er septembre 1930, p. 59.
6. *Lettre d'Eugénie Guérin à Mlle Louise de Bayne*, publiée par G.S. Trébutien, Didier, 1865, p. 233.
7. Voir Daniel Meyer, « Mobilier de Versailles, les choix de Louis-Philippe », *L'Estampille-L'Objet d'Art*, n° 272, septembre 1993, p. 54 sqq.
8. Cité par Georges Mauguin, in « L'inauguration du Musée de Versailles », *RHV*, 1937, p.123.
9. Georges Mauguin, *op. cit.*, p. 127.
10. Cité par Robert Pageard, *op. cit.*, p. 121.

11. Georges Mauguin, *op. cit.*, p.138.
12. Cité par Pierre Breillat, in « Versailles et les lettres françaises au XIXe siècle », *RHV*, 1954, p. 53.
13. Cité par Georges Mauguin, *op. cit.*, p. 122.
14. Comte Alexandre de Laborde, *Versailles ancien et moderne*, La Tour G.I.L.E., 1989, p. 8-9.
15. Cité par Georges Mauguin, *op. cit.*, *RHV*, 1937, p. 143.
16. Cité par Robert Pageard, *op. cit.*, p.121.
17. *Ibid.*
18. Cité par H.G., in « Notes d'un voyageur anglais à Versailles en 1838 », *RHV*, 1924, p. 372.
19. Claire Constans, *Versailles*, Imprimerie nationale, 1998, p. 255.
20. Jean Pastreau, *Il était une fois Versailles*, Pygmalion, 1989, p. 468.

5. La fête impériale

Christophe Pincemaille paraît s'être fait une spécialité de l'histoire du château sous le Second Empire. Son article sur « Les fêtes officielles... », dans le troisième numéro de *Versalia,* jette les bases d'une étude que personne n'avait sérieusement entreprise avant lui.

1. L. Dussieux, *Le Château de Versailles, histoire et description*, L. Bernard, 1881, t. II, p. 216.
2. Cité par Pierre Breillat, in « Versailles et les lettres françaises au XIXe siècle », *RHV*, 1954, p. 31.
3. Christophe Pincemaille, « Essai sur les fêtes officielles à Versailles sous le Second Empire », *Versalia* n° 3, 2000, p. 121.
4. Cité par Christophe Pincemaille, *op. cit.*, p. 123.
5. *Ibid.*, p. 124.
6. Traduit par Robert Pageard, *op. cit.*, p. 128.
7. Cité par Henri Lemoine, in « Les fêtes de nuit à Versailles, autrefois et aujourd'hui », *RHV,* 1951, p. 39.
8. Jean Pastreau, *op. cit.*, p. 472-473.
9. Cité par Christian Baulez, *op. cit.*, p. 204.
10. Voir Christian Baulez, *op. cit.*, p. 204.
11. Cité par Christophe Pincemaille, *op. cit.*, p.120.
12. Adolphe de La Rüe, *Les Chasses du Second Empire*, Pygmalion, 1984, p. 171.

6. Versailles investi

Rouverte au vent de l'Histoire, la demeure des rois fait l'objet, pour la décennie 1870, de mentions dispersées dans une bibliographie surabondante. La source incontournable à propos de l'occupation prussienne demeure le fameux journal tenu par Emile Delerot, et publié dès 1873. Concernant « l'occupation » parlementaire et administrative, il faut attendre 2002 et la synthèse d'Odile Caffin-Carcy, « La République chez le Roi-Soleil », dans le cinquième numéro de *Versalia*, pour tenter d'y voir clair. Un grand ouvrage sur Versailles, capitale du recours, reste à écrire.

1. Eudore Soulié, « Rapport officiel sur le musée de Versailles pendant l'occupation allemande », *RHV*, 1899, p. 151.
2. Gilbert de Cardonne, « L'occupation prussienne à Versailles en 1870-1871, d'après le Journal de M.-A. Renoult », *RHV*, 1919-1920, p. 70.
3. Emile Delerot, *Versailles pendant l'occupation*, Plon, 1873, p. 20.
4. Voir André Marcou, « Une scène de l'occupation allemande en 1870 », *RHV*, 1951, p. 49.
5. Emilie Delerot, *op. cit.*, p. 41.
6. Traduit de l'allemand et cité par Emile Delerot, *op. cit.*, p. 182.
7. *Ibid.*, p. 230.
8. Traduit de l'anglais et cité par Emile Delerot, *op. cit.*, p. 238, 240 et 241.
9. Cité par Jean Pastreau in *Il était une fois Versailles*, Pygmalion, 1989, p. 494.
10. Odile Caffin-Carcy, « La République chez le Roi-Soleil », *Versalia*, n° 5, 2002, p. 21.
11. Cité par Odile Caffin-Carcy, *op. cit.*, p. 22.
12. Cité par Suzanne d'Huart, in « La Commune vue de Versailles par une cousine de Thiers », *RHV*, 1972, p. 49.
13. Jean Pastreau, *op. cit.*, p. 501-502.
14. Cité par Robert Pageard, *op. cit.*, p. 137.
15. Cité par Emile et Madeleine Houth, *op. cit.*, p. 198.
16. Raymond Cazelles, *Le Duc d'Aumale*, Tallandier, 1984, p. 359.
17. Odile Caffin-Carcy, « La République chez le Roi-Soleil », *Versalia*, n° 5, 2002, p. 24.
18. *Ibid.*, p. 25 sqq.
19. Cité par Odile Caffin-Carcy, *op. cit.*, p. 26.
20. *Ibid.*, p. 26.
21. Léon Dussieux, *op. cit.*, t. II, p. 96.
22. Cité par Robert Pageard, *op. cit.*, p. 130.
23. Hélène Himmelfarb, « Versailles, fonctions et légendes », *Les Lieux de mémoire*, édition Quarto, Gallimard, 1997, t. 1, p. 1313.

24. Pierre de Nolhac, *La Résurrection de Versailles*, Plon, 1937, p. 3. Réédition Perrin, 2002.

7. et 8. La révolution Nolhac et Versailles à la mode

Pierre de Nolhac prendra soin d'asseoir sa légende en faisant paraître lui-même, dans la *Revue des Deux-Mondes*, ses *Souvenirs d'un conservateur*. Publiés en 1937 à titre posthume, ils font l'objet, en 2002, d'une réédition bien utile, de la part de Perrin et de la Société des Amis de Versailles. Précieux pour les historiens du château, ce témoignage, sans dates, comporte du reste quelques inexactitudes ; aussi demande-t-il a être complété par des documents plus précis.

1. Cité par Jean Marvaud, in « Une promenade à Versailles en 1890 », *RHV*, 1955, p. 111.
2. *Ibid.*, p. 109.
3. Pierre de Nolhac, *La Résurrection de Versailles*, Plon, 1937, p. 53.
4. *Ibid.*, p. 48.
5. André Pératé, « Pierre de Nolhac (1859-1936) », *RHV*, 1937, p. 5.
6. Pierre de Nolhac et André Pératé, *Le Musée national de Versailles*, Braun, 1896.
7. Pierre de Nolhac, *La Résurrection de Versailles*, *op. cit.*, p. 79.
8. Pierre de Nolhac, *op. cit.*, p. 80.
9. *Ibid.*, p. 84.
10. Frédéric Mitterrand, *Les Aigles foudroyés*, Robert Laffont, 1997, p. 137.
11. Pierre de Nolhac, *op. cit.*, p. 153.
12. *Le Petit Parisien,* supplément littéraire illustré, dimanche 16 juin 1907, p. 191.
13. Françoise Bercé, *Des monuments historiques au patrimoine, du XVIIIe siècle à nos jours*, Flammarion, 2000, p. 81 et 83.
14. *Ibid.*, p. 85.
15. Pierre de Nolhac, *op. cit.*, p. 120.
16. Cité par Pierre de Nolhac, *op. cit.*, p. 123.
17. André Pératé, *Versailles*, in la collection *Les Villes d'art célèbres*, H. Laurens, 1912, p. 198.
18. Pierre de Nolhac, *op. cit.*, p.195.
19. Cité par Raymond Escholier, in *Versailles*, Alpina, 1942, p. 5.
20. Cité par Robert Pageard, *op. cit.*, p. 149.
21. *Ibid.*, p. 162.
22. Pierre de Nolhac, *op. cit.*, p. 147.

23. Eugène Melchior de Voguë, *Les morts qui parlent*, Nelson, 1910, p. 343.
24. Cité par Robert Pageard, *op. cit.*, p. 163.
25. Voir Pascale Richard, *Versailles, the American Story*, Alain de Gourcuff, 1999.
26. Voir C.A.E. Moberly et E.F. Jourdain, *Les Fantômes de Trianon, une aventure*, Ed. du Rocher, 1959, 1978 et 2000.
27. Louis Réau, *Archives, bibliothèques, musées*, Cerf, 1909, p. 26.
28. Pierre de Nolhac, *op. cit.*, p. 130.
29. Cité par Pierre de Nolhac, *op. cit.*, p. 193.
30. Françoise Bercé, *op. cit.*, p. 86.
31. Cité par André Pératé, in « Le musée de Versailles pendant la guerre », *RHV*, 1919, p. 309.
32. Pierre de Nolhac, *op. cit.*, p. 227.
33. André Pératé, « Pierre de Nolhac (1859-1936) », *RHV*, 1937, p. 9.
34. Cité par André Pératé, in « Le musée de Versailles pendant la guerre », *op. cit.*, p. 309.
35. *Ibid.*, p. 310.
36. Pierre de Nolhac, *op. cit.*, p. 234-235.
37. Jean Pastreau, *op. cit.*, p. 559.
38. Pierre de Nolhac, *op. cit.*, p. 173.
39. *Ibid.*, p. 237.
40. Cité par Pierre de Nolhac, *op. cit.*, p. 111-112.
41. Cité par Maurice Levaillant, in « Pierre de Nolhac, poète humaniste », *RHV*, 1957, p. 19.
42. Cité dans l'ouvrage collectif *L'Académie de Versailles a cent cinquante ans*, Bibliothèque municipale de Versailles, 1984, p. 176.

9. La misère et l'espoir

La grande campagne de sauvegarde du milieu des années 1920 n'a pas encore fait l'objet d'une étude systématique et fouillée. En attendant, les chroniques annuelles proposées par la *RHV*, ainsi que des articles de la presse quotidienne et hebdomadaire — des *Nouvelles de Versailles* à *l'Illustration* —, peuvent en partie combler la carence bibliographique. A noter, pour la fin du chapitre, les intéressants souvenirs de Pierre Ladoué sur l'Occupation allemande : *Et Versailles fut sauvegardé,* Lefèvre, 1960.

1. Albéric Cahuet, « La misère de Versailles », *L'Illustration*, n° 4 169, 27 janvier 1923, p. 75.
2. Voir Jean Clair-Guyot, « Versailles fête son bienfaiteur, M. J. D. Rockefeller », *Echo de Paris*, 1er juillet 1936.

3. Gaston Brière, « Exposition de l'art de Versailles », *RHV*, 1932, p. 246.
4. Gaston Brière, « Chronique », *RHV*, 1937, p. 128.
5. Cité par Odile Caffin-Carcy, in « De l'hôtel de madame de Pompadour à l'hôtel des Réservoirs », *RHV*, 1997, p. 55.
6. Pierre Verlet, « L'ancien mobilier de Versailles, son étude et ses méthodes », *Gazette des Beaux-Arts*, 1937, t. III, p. 179.
7. *Ibid.*, p. 180.
8. Pierre Ladoué, « Chronique », *RHV*, 1939, p. 184.
9. Pierre Ladoué, *Et Versailles fut sauvegardé, souvenirs d'un conservateur 1939-1941*, Henri Lefèvre, 1960, p. 28-29.
10. *Ibid.*, p. 38.
11. *Ibid.*, p. 49.
12. Hélène Himmelfarb, *Versailles, fonctions et légendes*, *op. cit.*, p. 1313.

10. Un sursaut national

Divers ouvrages et plaquettes publiés, de 1953 à 1957, sous l'égide du Comité national pour la sauvegarde du château de Versailles, viennent, une fois encore, se substituer à l'historiographie défaillante. On trouvera aussi des indications savoureuses dans les Mémoires d'André Cornu, intitulés *Mes républiques indiscrètes*.

1. Gaston Brière, « Les transformations du musée de Versailles », *La Revue des arts*, 1955, p. 8.
2. Charles Mauricheau-Beaupré, *Versailles, Patrimoine national, témoin d'Art et de Grandeur, Haut Lieu de France, Miroir du Grand Siècle*, Comité national pour la sauvegarde du château de Versailles, 1953, p. 12 et 14.
3. André Cornu, *Mes républiques indiscrètes*, Jean Dullis éditeur, 1976, p. 144-145.
4. Cité par Gaston Papeloux, in « La restauration du château de Versailles », in *La Chronique de Versailles*, n° 1, mai 1954, p. 10.
5. Cité par Dominique Desanti in *Sacha Guitry, cinquante ans de spectacle*, Grasset, 1982, p. 457.
6. *Ibid.*, 459.
7. Cité par Pierre Breillat, in « Versailles et les Lettres françaises au XIXe siècle », *RHV*, 1954, p. 29.
8. André Maurois, *Le Poème de Versailles*, Grasset, 1954, p. 9.
9 *Dans la nuit Versailles s'éclaire*, plaquette réalisée par les établissements Jules Verger et Delporte, 1959, p. 36.
10. Cité par André Cornu, in *Mes républiques indiscrètes*, Jean Dullis, 1976, p. 142-143.

11. Cité par André Japy in *L'Opéra royal de Versailles*, Comité national pour la sauvegarde du château de Versailles, 1958, p. 67-68.
12. André Japy, *op. cit.*, p. 77.
13. Rose-Marie Langlois, *L'Opéra de Versailles*, Pierre Horay, 1958, p. 146-147.
14. André Japy, *op. cit.*, p. 124.
15. *Ibid.*, p. 125.

11. Versailles remeublé

La grande aventure du « remeublement » ferait en soi l'objet d'un bel ouvrage. Christian Baulez en pose les jalons dans son article « Le remeublement de Versailles », contribution au catalogue de l'exposition *De Versailles à Paris, le destin des collections royales*. En la matière, la *Revue du Louvre*, complétée par *Versalia*, remplace avantageusement la célèbre *RHV*. Notons enfin que les récents souvenirs publiés par l'architecte en chef Marc Saltet contiennent certaines indications erronées.

1. Marc Saltet, *Vingt ans chez le Roi-Soleil*, Philéas Fogg, 2002, p. 35.
2. Note extraite des archives privées de M. Van der Kemp.
3. Cité par Christian Baulez, in « Le remeublement de Versailles », catalogue *De Versailles à Paris...*, *op. cit.*, p. 206.
4. Pascale Richard, *Versailles, the American Story*, *op. cit.*, p. 138, nous traduisons.
5. Extrait de notes préparées par Gérald Van der Kemp en décembre 1968, pour un discours prononcé dans la perspective de son entrée à l'Académie des Beaux-Arts.
6. Marc Saltet, *op. cit.*, p. 60.
7. Richard Nixon, *The Memoirs of Richard Nixon*, Grosset & Dunlep, 1978, p. 373. Nous traduisons.
8. Christian Baulez, « Le remeublement de Versailles », *op. cit.*, p. 206.
9. Pierre Lemoine, « La chambre de la Reine », *La revue du Louvre*, n° 3, 1976, p. 144.
10. *Plaisir de France*, n° 435, décembre 1975-janvier 1976, p. 34.
11. José-Luis de Villalonga, *Gold Goth*a, Seuil, 1972, p. 215.

12. Nouveaux horizons

L'absence à peu près complète de bibliographie pour cette période, il est vrai bien récente, ne doit pas faire oublier l'apport essentiel d'Hélène Himmelfarb à la compréhension du château actuel, dans ses dimensions culturelle et symbolique. On trouvera ses contributions dans les recueils suivants : *Destins et enjeux du XVIIe siècle*, PUF, 1985 et *Les Lieux de mémoire*, réédition Gallimard, 1997.

1. Jacques Attali, *Verbatim I*, Fayard, 1993, p. 104.
2. Hélène Himmelfarb, *Versailles, fonctions et légendes*, *op. cit.*, p.1317.
3. Cité par Jacques Attali, in *Verbatim I*, *op. cit.*, p. 369.
4. Pierre Lemoine, « Nouveaux aménagements au château de Versailles », *Revue du Louvre*, n° 2, 1986, p. 93.
5. Christian Baulez, « Un médaillier de Louis XVI à Versailles », *Revue du Louvre*, n° 3, 1987, p. 172.
6. Emmanuel Ducamp, « Pierre-André Lablaude, architecte des jardins de Versailles », *Art Enchères*, n° 8, juillet 2001, p. 10.
7. Hélène Himmelfarb, « Versailles en notre temps », *Destins et enjeux du XVIIe siècle*, Presses universitaires de France, 1985, p. 142 et 143.
8. Jean-Pierre Babelon, « Versailles entre cours et jardins », *Connaissance des Arts*, hors-série de juin 1991, p. 5.
9. G. Lenotre, *Versailles au temps des rois*, Grasset, 1934, p. 294.

CHRONOLOGIE

1789

5 octobre : Marche sur Versailles d'émeutiers parisiens, rejoints dans la soirée par les troupes de La Fayette. — *6 octobre* : Invasion du château par les émeutiers ; départ pour Paris de la famille royale qui s'installe aux Tuileries.

1790

janvier : Ouverture, au Grand Canal, d'un atelier de charité ; il se maintiendra sept mois. — *octobre* : Réception aux Tuileries d'une délégation de la Municipalité versaillaise.

1791

janvier : Envoi de commissaires à Versailles par la section révolutionnaire des Champs-Elysées. — *26 mai :* Décret de l'Assemblée, réservant au souverain une dotation territoriale où Versailles tient la première place. — *22 juin* : Apposition des scellés au château par les soins de la Municipalité ; ils seront levés fin août.

1792

11 août : Création par la Constituante d'une commission des Arts. — *12-25 août* : Nouvelle apposition des scellés. — *19 septembre* : Décret prescrivant le transfert au Louvre des tableaux de Versailles ; il sera suspendu pour faire droit à une pétition des habitants.— *octobre* : Création d'une commission départementale des Arts. — *22 octobre* : Décret de la Convention, ordonnant la vente du mobilier des maisons royales. — *3 novembre* : Pétition lancée par le député Duval contre ce décret. — Début de la « déroyalisation » des décors extérieurs.

1793

8 juillet : Loi conférant au château la qualité d'établissement public ; la Convention envisage d'y créer une école centrale. — *août* : Début de la dispersion publique du mobilier ; elle se prolongera jusqu'en août 1794. — *septembre* : Désignation des deux représentants du peuple : Charles Delacroix et Joseph-Mathurin Musset ; installation dans l'ancien Opéra d'un club jacobin, la *Société Populaire de Versailles*. — *novembre (frimaire, an II)* : Installation au château du dépôt central des Arts de Seine-et-Oise.

1794

janvier (nivôse an II) : Nomination de Jean-Augustin Crassous en remplacement de Delacroix et Musset. — *5 mai (16 floréal)* : Décret ordonnant l'entretien, « aux frais de la République », de huit maisons ci-devant royales, dont Versailles. — *août (thermidor)* : Abattage des grilles fermant les cours intérieures, côté ville ; première ouverture du « muséum » au public. — *novembre (brumaire an III)* : Installation d'une école d'équitation à la Grande Ecurie — *décembre (frimaire)* : Nouveau mandat confié à Delacroix. — Mise en culture de nombreux parterres et du pourtour de certains bassins.

1795

février (pluviôse an III) : Assèchement du Grand Canal — *28 juin (10 messidor)* : Arrêté portant nomination de Hugues Lagarde à la tête du Muséum. — *octobre (brumaire an IV)* : Réorganisation du conservatoire ; Lagarde démissionne. — Achèvement de la restauration du plafond de la Grande Galerie, commencée en 1790 et interrompue de 1792 à 1794.

1796

19 juin (1er prairial an IV) : Inauguration de l'Ecole centrale du département. — *décembre (frimaire an V)* : Suppression par le représentant Delacroix du club jacobin, rebaptisé *Société de la Vertu des Sans-Culottes de Versailles.*

1797

janvier (nivôse an V) : Ordre de vendre aux enchères les derniers trésors du Garde-meuble. — *mars (ventôse) :* Instructions de Benezech, réservant le Muséum de Versailles aux œuvres de l'Ecole française. — *31 juillet (13 thermidor) :* Début des échanges avec le Louvre ; ils se prolongeront jusqu'à Noël 1798. — *septembre (fructidor)* : Ouverture au public de la Bibliothèque rattachée à l'Ecole centrale.

1798

6 janvier (17 nivôse an VI) : Message du Directoire aux Conseils, relatif à l'affectation définitive du château.

1800

avril (germinal an VIII) : Logement au château de deux mille soldats mutilés. — *août (thermidor)* : Don à Sieyès de la ferme de la Ménagerie, à titre de récompense nationale. — *octobre (vendémiaire an IX)* : Affectation à la Comédie-Française de la salle de théâtre de l'aile Neuve.

1801

19 juillet (30 messidor an IX) : Reprise officielle des grandes eaux. — *octobre (vendémiaire an X)* : Ouverture du Musée spécial de l'Ecole française.

1804

novembre (brumaire an XIII) : Prise de possession du château par le général Duroc, au nom de l'empereur. — *décembre (frimaire)* : Nomination de Trepsat comme architecte.

1805

3 janvier (13 nivôse an XIII) : Venue à Versailles du pape Pie VII. — *13 mars (22 ventôse)* : Première visite de Napoléon. — *avril (floréal)* : Affectation des Trianons à la mère de l'empereur et à sa sœur Pauline.

1806

mars : Mission d'étude confiée à Gondouin ; elle donnera lieu à un rapport remis en octobre de l'année suivante.

1808

avril : Remise en eau du Grand Canal.

1809

décembre : Premier séjour de l'empereur au Grand Trianon

1810

février : Nomination de Dufour. — *juin et août* : Séjours à Trianon de Napoléon et de Marie-Louise ; ils y reviendront en juin et juillet de l'année suivante. — Importants travaux sur les façades du château, côté jardins ; les trophées de la balustrade sont supprimés.

1811

juillet : Projet d'aménagement de l'aile du Midi pour le roi de Rome. — *novembre* : Présentation à l'empereur d'un projet de Dufour pour Versailles.

1813

mars : dernier séjour à Trianon de l'empereur et de l'impératrice.

1814

31 mars : Début de la première occupation prussienne, grossie de troupes russes. — *11 mai* : Visite du palais et des jardins par le tsar Alexandre Ier et le roi de Prusse Frédéric-Guillaume III. — *1er juillet* : vote de crédits importants pour la remise de la demeure « en état d'être habitée ». — *août* : visite solennelle du roi Louis XVIII ; Madame Royale lui emboîte le pas la semaine suivante.

1815

mars : arrêt des travaux par l'empereur rétabli ; des chantiers de secours sont rouverts. — *1er juillet* : entrée des Prussiens ; les combats de Villacoublay mettent aux prises les troupes d'Exelmans et celles de Blücher ; le maréchal allié ne quittera la ville qu'en octobre. — *à partir d'août* : reprise progressive des travaux programmés en 1814.

1816

Restauration de la cour de Marbre et création du Jardin du Roi ; la Chapelle sera restaurée à son tour l'année suivante, ainsi que la grille d'honneur sur la place d'armes ; 1817 verra aussi le pavillon Dufour sortir de terre (il ne sera terminé qu'en 1829).

1826

août : Visite de la famille royale.

1830

juin : visite d'Etat des souverains de Naples. — *31 juillet* : Passage à Trianon du roi Charles X en route pour l'exil.

1832

2 mars : Loi intégrant le domaine de Versailles à la nouvelle liste civile.

1833

juin : Premières visites de Louis-Philippe à Versailles. — *1er septembre* : « ordonnance » de Cherbourg entérinant la création des galeries historiques. — *septembre* : Début des démolitions d'appartements dans l'aile du Midi.

1835

juin : Lancement du chantier d'aménagement de la galerie des Batailles.

1837

10 et 11 juin : Inauguration solennelle des galeries historiques ; le chantier de Louis-Philippe n'est pas achevé pour autant : de nouveaux aménagements seront réalisés dans les années 1840, notamment dans l'aile du Nord et dans les différents attiques du palais.

1839

mai : Inauguration de la salle des états-généraux.

1844

juin : Grande soirée donnée à l'Opéra royal, pour la présentation des salles des Croisades.

1845

décembre : Ouverture des salles d'Afrique, au premier étage de l'aile du Nord.

1847

décembre : dernier séjour à Trianon de Louis-Philippe et de sa famille.

1849

11 avril : Première visite officielle du président de la IIe République, le prince Louis-Napoléon Bonaparte.

1850

février : effondrement partiel de la terrasse du parterre d'Eau ; sa restauration est l'œuvre de l'architecte Questel. — *avril* : Nouvelle visite du chef de l'Etat, qui en effectuera trois autres avant le coup d'Etat du 2 décembre 1851. — Eudore Soulié remplace le peintre François-Marius Granet à la conservation du musée.

1853

février : Première des visites de l'empereur en compagnie de l'impératrice Eugénie.

1855

25 août : Soirée de gala en l'honneur de la reine Victoria et du prince Albert.

1859

août : Fondation de la *Société des Fêtes Versaillaises* ; la première de ses Fêtes de Nuit aura lieu trois ans plus tard.

1864

20 août : Soirée de gala en l'honneur de Don François d'Assise, époux de la reine Isabelle II d'Espagne.

1867

de mai à novembre : à l'occasion de l'Exposition Universelle, visites de souverains et de chefs d'Etat étrangers. — *mai* : Inauguration de l'exposition rétrospective organisée au Petit Trianon sous l'égide de l'impératrice, en souvenir de Marie-Antoinette ; le serre-bijou de Schwerdfeger demeurera dans les collections du musée.

1870

6 septembre : Prise en compte d'une possible invasion étrangère par les services de la Régie. *9 septembre* : Début d'évacuation des collections en direction du Louvre. *19 septembre* : entrée des Prussiens dans Versailles ; une ambulance de fortune vient s'ajouter dans le château à l'ambulance internationale hollandaise. — *5 octobre* : Entrée solennelle du roi Guillaume Ier. — *octobre-novembre* : Pourparlers sans lendemain entre Bismarck et Thiers.

1871

18 janvier : Proclamation de l'Empire allemand dans la Grande Galerie. — *janvier* : Négociations entre Otto von Bismarck et Jules Favre. — *26 février* : Signature des préliminaires de la paix. — *début mars* : Départ des Prussiens. — *fin mars* : Installation, conformément au « pacte de Bordeaux », de la nouvelle Assemblée à l'Opéra royal ; de son côté, l'Administration investit les anciens appartements royaux et princiers — *du 21 au 27 mai* : « Semaine sanglante » de répression de la Commune de Paris par les troupes régulières issues de Versailles. — *à partir de juillet* : Procès des partisans de la Commune.

1873

d'octobre à décembre : Procès du maréchal Bazaine sous le péristyle du Grand Trianon. — *novembre* : Tentative de restauration légitimiste autour du comte de Chambord.

1875

29 mai : Dans la salle de l'Opéra, vote de l'« amendement Wallon » instituant indirectement la République. — Lancement de restaurations à la Chapelle et au bosquet des Rocailles.

1876

décembre : Achèvement du nouvel hémicycle aménagé par Edmond de Joly dans l'aile du Midi. — Le comte Clément de Ris succède à Eudore Soulié.

1878

22 octobre : Pour la clôture de l'Exposition Universelle, soirée donnée par le maréchal de Mac Mahon, connue sous le nom de « bal des paletots ».

1879

22 juillet : Loi disposant du retour des Chambres à Paris ; l'ultime session se tiendra le 2 août. — Restauration de la grille d'honneur et de ses pavillons.

1882

A la conservation du musée, le peintre Charles Gosselin succède au comte Clément de Ris.

1883

Début de la grande restauration du bassin de Neptune ; elle sera terminée en 1888 seulement.

1889

5 mai : Célébration du Centenaire de l'ouverture des états-généraux, en présence du président Sadi Carnot.

1891

février : Réception de l'impératrice Frédéric par le jeune attaché Pierre de Nolhac (entré à la conservation en 1887) ; le même deviendra conservateur en titre l'année suivante.

1893

Début de la grande mise à jour des collections du musée, entreprise par Nolhac et son collaborateur Pératé ; un guide exhaustif des nouvelles présentations paraîtra en 1896.

1895

Début d'un important remaniement des façades, côté jardins.

1896

8 octobre : Réception du tsar Nicolas II et de la tsarine Alexandra par le président Félix Faure.

1897

Campagne de presse menée par Hovelaque à propos des travaux entrepris sur les façades du château ; l'écho en retentira jusqu'à la Chambre des députés.

1899

Travaux de restauration menés dans les appartements du rez-de-chaussée du corps central.

1901

juin : Fête de charité organisée au Hameau de Trianon par la comtesse de la Rochefoucauld. — *août* : Visions à Trianon des deux Anglaises, miss Moberly et miss Jourdain.

1906

6 mars : Décret plaçant les château de Trianon sous la responsabilité du conservateur du musée ; le péristyle sera rétabli dans son état premier en 1910.

1907

juin : Naissance de la Société des Amis de Versailles.

1914

22 août : Entrée en vigueur de la protection militaire du château.

1915

avril : Réouverture du musée au public.

1919

28 juin : Signature du traité de paix consécutif à la Première Guerre mondiale ; il restera dans les annales sous le nom de « Traité de Versailles ». — *3 juillet* : *Te Deum* donné dans la Chapelle royale. — A la fin de l'année, Pierre de Nolhac cède sa place à André Pératé.

1922

Premières mesures prises par l'administration des Beaux-Arts pour lutter contre le mauvais état du domaine.

1923

février : Campagne de presse menée par l'hebdomadaire *L'Illustration*, en vue de dénoncer la « misère de Versailles ».

1924

mai : Lettre de John D. Rockefeller Jr au président du Conseil Raymond Poincaré, annonçant une vaste opération de mécénat en faveur de trois hauts-lieux du patrimoine français ; les travaux à Versailles pourront commencer dès janvier 1925, sous la direction de l'architecte Patrice Bonnet ; une nouvelle donation sera faite en 1927.

1928

Installation, dans la Vielle aile rénovée, d'un musée de l'Œuvre consacré à l'histoire du château.

1931

Enlèvement des statues de grands hommes qui encombraient la cour d'honneur.

1932

avril-juin : Organisation, à Paris, d'une exposition sur *L'Art de Versailles*. — Gaston Brière succède à André Pératé.

1934

mai : Acquisition par le musée de la collection Grosseuvre.

1938

25 juillet : Réception du roi George VI d'Angleterre par le président Lebrun. — Pierre Ladoué succède à Gaston Brière.

1939

de mai à septembre : Exposition temporaire A Versailles en 1789. — *septembre* : Début de l'évacuation des collections et de la protection des bâtiments contre les risque de guerre ; les opération se prolongeront jusqu'en juin 1940.

1940

14 juin : Entrée des Allemands dans Versailles.

1941

Charles Mauricheau-Beaupré (attaché en 1919, puis adjoint depuis 1929) remplace Pierre Ladoué, nommé à la tête du Musée national d'Art moderne.

1944

juin : Bombardements américains autour du domaine. — *25 août* : Libération de la ville. — *à partir d'octobre* : Remise en place des boiseries exilées.

1948

Restitution de l'alcôve de la chambre de la Reine.

1952

février : Appel en faveur de Versailles, lancé à la radio par le secrétaire d'Etat aux Beaux-Arts, André Cornu ; le *Comité*

National pour la Sauvegarde du château de Versailles reçoit des dons dans la foulée.

1953

avril : Disparition brutale de Charles Mauricheau-Beaupré ; il est remplacé par Gérald Van der Kemp. — *à partir de juin* : Nouveau spectacle *Son et lumière*, intitulé *A toutes les Gloires de la France*. — *de juillet à septembre* : Tournage du film de Sacha Guitry : *Si Versailles m'était conté*.

1957

9 avril : Réception de la reine Elizabeth II d'Angleterre par le président Coty ; l'Opéra, juste restauré par l'architecte Japy, est inauguré à cette occasion ; le secrétaire à cylindre d'Oeben et Riesener restera dans les collections du musée.

1961

13 février : Décret signé par le Premier ministre Michel Debré en faveur du rapatriement à Versailles du mobilier d'origine royale appartenant aux collections publiques. — *2 juin* : Réception du président John F. Kennedy par le général De Gaulle.

1962

31 juillet : Loi-programme en faveur de Versailles.

1966

juin : Inauguration du Grand Trianon entièrement restauré.

1975

juin : Inauguration de la chambre de la Reine, restituée dans son décor de 1787-1789.

1978

26 juin : Attentat à la bombe perpétré par des indépendantistes bretons. — *11 juillet* : Nouvelle loi de programmation en faveur de Versailles ; les châteaux et les jardins seront inscrits l'année suivante par l'Unesco sur la liste du Patrimoine mondial.

1980

mai : Inauguration des décors restaurés de la chambre du Roi et de la galerie des Glaces. — Pierre Lemoine succède à Gérald Van der Kemp.

1982

du 4 au 6 juin : Sommet des chefs d'Etat et de gouvernement des pays les plus industrialisés.

1986

septembre : Réouverture au public des appartements du rez-de-chaussée du corps central ; le vestibule de Marbre et l'escalier monumental réalisé par l'architecte Jean Dumont dans l'aile Gabriel, sont inaugurés. — Yves Bottineau succède à Pierre Lemoine.

1987

Projets d'animation du site, lancés par le secrétaire d'Etat au Patrimoine, Philippe de Villiers.

1989

mai : Commémoration du bicentenaire des états-généraux. — *octobre* : Création par le ministre de la Culture, Jack Lang, d'une direction unique pour le musée et le domaine, confiée à Jean-Pierre Babelon.

1990

2 février : Tempête occasionnant de gros dégâts dans le parc ; un plan général de restructuration des jardins est arrêté.

1995

Conversion du domaine national en Etablissement public administratif ; à sa tête, Hubert Astier remplace Jean-Pierre Babelon en janvier 1997.

1999

26 décembre : Violente tempête abattant quelque dix-mille arbres dans le parc en cours de replantation ; un Comité de solidarité est créé pour y remédier.

INDEX DES PERSONNAGES ACTIFS

REMERCIEMENTS

Cet ouvrage doit beaucoup à la confiance de Xavier de Bartillat et de Patrick de Bourgues, à la bienveillance du président Hubert Astier et du vicomte Olivier de Rohan, à la science inépuisable d'Odile Caffin-Carcy et de Jean-Jacques Gautier. Que tous les six trouvent ici l'expression de ma reconnaissance.

Je remercie les grands témoins qui ont accepté de me donner de leur temps, et particulièrement le regretté Gérald Van der Kemp et Mme Florence Van der Kemp, M. Pierre Lemoine, Mme Béatrix Saule. Leur contribution m'aura été d'un grand secours.

Ma gratitude s'étend à M. Marcel Raynal, rédacteur en chef de la revue *Versalia*, pour avoir bien voulu lire le manuscrit.

Enfin, je voudrais rendre hommage à Michèle Giraudeau, qui m'a transmis le virus de Versailles, et à celles et ceux qui ont facilité mon travail d'une manière ou d'une autre, notamment Patricia Bouchenot-Déchin, Silvita Gallienne, Anne-Marie de Ganay, Stéphane Bern, Jacques Garcia, Christophe Moreil et mon père. Que ceux dont j'aurais omis le nom me le pardonnent, et sachent que je n'oublie pas leurs bienfaits pour autant.

TABLE

Cet ouvrage a été composé par
Graphic Hainaut (Condé-sur-l'Escaut)

Cet ouvrage a été imprimé
sur presse Cameron
par **Bussière Camedan Imprimeries**
à Saint-Amand-Montrond (Cher)
pour le compte des éditions Perrin

Achevé d'imprimer en février 2003.

N° d'édition : 1755. — N° d'impression : 030584/1.
Dépôt légal : février 2003.

Imprimé en France